W9-BZK-952

Paris la Grande

DU MÊME AUTEUR

L'Enfant et la Raison d'État, Le Seuil, coll. « Points Politique », 1977.

Justice en miettes, en collaboration avec Hubert Lafont, PUF, 1979.

*Le communisme est-il soluble dans l'alcoo*l ?, en collaboration avec Antoine Meyer, Le Seuil, coll. « Points Actuels », 1979.

Québec, Le Seuil, coll. « Petite planète », 1980.

Le Nouvel Ordre gendarmique, en collaboration avec Hubert Lafont, Le Seuil, coll. « L'Histoire immédiate », 1980.

Pointes sèches, Le Seuil, 1992.

Dans mon pays lui-même..., Flammarion, 1993, Le Livre de Poche, 1994.

Eaux-fortes, Flammarion, 1995, Le Livre de Poche, 1996.

Chroniques radiophoniques

Heureux Habitants de l'Aveyron et des autres départements français..., Le Seuil, coll. « Points Actuels », 1990.

Ça n'est pas pour me vanter..., Le Seuil, coll. « Points Actuels », 1991.

Nous vivons une époque moderne, Le Seuil, coll. « Points Actuels », 1992.

Dans le huis clos des salles de bains, Le Seuil, coll. « Points Actuels », 1993.

Chroniques matutinales, Le Seuil, coll. « Points Actuels », 1994.

Les Progrès du progrès, Le Seuil, coll. « Point Actuels », 1995.

Balivernes pour la levée du corps, Le Livre de Poche, 1996.

En progrès constant..., Le Livre de Poche, 1996.

Dans cette vallée de larmes..., Le Livre de Poche, 1997.

Philippe Meyer

Paris la Grande

Flammarion

© Flammarion, 1997
ISBN 2-08-067315-7

Pour Olimpia et Paul-Annik,
qui réchauffent le cœur du cœur de Paris,
celui de quelques indigènes, et le mien.

Introduction en forme d'avant-propos et de vœu

Il y a quelques années, j'ai effectué un tour de France, dont le récit fut publié sous un titre emprunté au second hémistiche d'un vers d'Aragon : « En étrange pays, *Dans mon pays lui-même* »... En parcourant les étapes et en rédigeant les chapitres de ce livre, j'avais su presque tout de suite que mon tour ne serait pas bouclé si je ne « montais » pas à Paris. Ce n'est pas seulement que la capitale est omniprésente dans la vie des provinces et dans l'esprit des provinciaux, qu'il s'agisse de la moquer, de la maudire, de l'envier ou de rêver à elle. Ce n'est pas seulement une longue histoire d'amour entre moi et elle et, très souvent, entre elle et moi. C'est aussi que rien n'est plus tentant ni plus intimidant que de parcourir et d'essayer de décrire et de comprendre, après cent auteurs, cette ville qui compte tant de villages et qu'un si grand nombre d'habitants ont choisie pour pouvoir devenir les acteurs de leur vie et échapper à certaines lois de la pesanteur.

Je suis gourmand de cette liberté et de cette variété, et c'est d'elle que j'ai voulu rendre compte à mon tour. Ce livre n'est donc pas d'un prétendant à la science urbanistique, à supposer qu'elle existe, ni même d'un sociologue, mais d'un Parisien, d'un citoyen de Paris, parti explorer sa ville avec ses questions à lui dont il espère que d'autres se les posent.

Au tournant du siècle – et même du millénaire – j'ai voulu voir si Paris reste cette espèce d'Amérique où chacun peut espérer donner à sa vie un nouveau départ, une nouvelle direction, de nouvelles saveurs, trouver l'énergie, le refuge ou la consolation dont il ressent le besoin. Si Paris est bien cette cité où l'on échappe au regard et au jugement de cet ennemi naturel de l'homme qui s'appelle le voisin. Cette capitale où se rencontrent et se fécondent tant de nationalités, de styles, de cultures et de manières de vivre venus de si différents horizons. Cette ville riche d'une vie aussi diverse que ses quartiers, ses monuments, ses populations.

Paris mérite-t-il encore l'affection et la détestation qu'il suscite depuis tant de siècles ? Est-il toujours à la hauteur de son mythe ? Voilà ce que je souhaitais savoir.

Pas plus qu'à être un traité, ce livre ne saurait prétendre guider qui que ce soit dans Paris. Cependant, au cas où il tomberait entre les mains d'une personne que ses pas n'y auraient jamais conduite ou de quelqu'un qui voudrait renouer connaissance avec elle – ou avec lui : on passe sans cesse, avec Paris, du masculin au féminin –, je voudrais formuler non pas un conseil, mais un vœu. Que ce voyageur choisisse, pour réaliser son projet, la saison la plus propice. Ce n'est pas l'hiver – la ville est trop minérale et souvent grise – ni l'été : trop de degrés au thermomètre, trop de cars de touristes dans les rues et devant les monuments. Le printemps est trompeur. On pense qu'il pourrait convenir, mais il énerve les Parisiens, qui n'ont pas besoin de cela pour se montrer inhospitaliers. Reste l'automne. Oui, mais c'est le moment où toutes les campagnes s'offrent sous leur meilleur jour, où la montagne connaît ses plus tendres lumières, où la mer est tiède et les plages débarrassées de leurs matamores et de leurs cohortes bruyantes.

La saison qui convient à Paris est une cinquième saison, qu'il est seul à connaître. Sa durée est imprévisible. Je l'ai vue tenir une dizaine de jours. Ce fut une année à marquer d'une pierre blanche. Je l'ai vue disparaître au bout de quarante-huit heures, chassée par un vent mauvais, une dépression ou un événement indéfinissable. Il est même arrivé que cette saison n'ait pas lieu. On ne la reconnaît ni à la température, ni à la lumière, ni à la longueur du jour, ni à l'ensoleillement, bien qu'il y joue son rôle, mais à une myriade de signes mineurs et insolites.

Si un piéton n'a pas fini de traverser une rue lorsque le feu passe au vert, les automobilistes n'enfoncent pas la pédale d'accélérateur au moment où il va passer devant leur voiture.

Si un voyageur s'apprête à descendre d'un wagon de métro, ceux qui veulent y monter le laissent prendre pied sur le quai avant de s'installer à leur tour.

Si un quidam arrive en courant à la station d'autobus au moment où celui-ci va démarrer, le chauffeur rouvre la porte et l'attend.

Si l'on marche au bord d'un trottoir et qu'il a plu, les voitures évitent de rouler le plus vite possible dans le caniveau et d'asperger chaussures et pantalon.

Si, à l'heure de la sortie des bureaux, on demande à un chauffeur de taxi à être conduit de la place d'Italie à la butte Montmartre, on n'essuie aucune réprimande et on ne subit aucun commentaire sur la difficulté d'accomplir un pareil exploit en moins d'une demi-journée. (Et même, en présentant poliment sa requête, on peut obtenir l'arrêt de la radio beuglante et insipide qui tympanise le passager sans discontinuer.)

Si l'on se hasarde à commander dans un café une fine à l'eau plutôt qu'un whisky-soda, le garçon, loin de s'en offusquer, exprimera d'un mot ou d'un geste *bien parisien* sa satisfaction d'avoir affaire à un gourmet ; et, s'il ignore comment se prépare cette boisson (le cas, hélas, est devenu fréquent), il se renseignera auprès du client en manifestant une curiosité réelle et bienveillante.

Si l'on arraisonne un habitant pour lui demander son chemin, il montrera les dents, mais dans un sourire, et il prendra le temps de s'assurer qu'on l'a compris…

Cette cinquième saison s'appelle la rentrée. Elle commence avec le retour des grandes migrations et s'achève sans prévenir. C'est le moment où le Parisien reprend possession et conscience de sa ville, où il se laisse impressionner par une beauté qu'il avait fini par négliger, où il réalise que Paris est encore un miracle. Saisi de contentement et de fierté, il ne demande qu'à partager son bonheur. Il se rend compte qu'il ne pourrait pas vivre ailleurs. C'est ce moment qu'il faut saisir pour venir à la capitale, parce qu'il est le seul où Paris et le Parisien s'ingénient à se mettre l'un l'autre en valeur.

Ich bin ein Pariser...

Paris est dans le moral ce que sont nos montagnes dans le physique : on y respire plus librement.

Restif de la Bretonne. *Le Paysan perverti*, 1780.

Enfin, dans ce Paris, chacun veut aller vivre.
C'est le rendez-vous des souhaits.

F.D. Hoffman. *Stances d'un provincial*, 1787.

C'est là que les ambitions, les préjugés, les haines et les tyrannies des provinces viennent se perdre et s'anéantir. Là il est permis de vivre obscur et libre. Là il est permis d'être pauvre sans être méprisé. L'homme affligé y est distrait par la gaieté publique et le faible s'y sent fortifié des forces de la multitude.

Bernardin de Saint-Pierre. *De Paris*, 1784.

Ce n'est pas pour me vanter, mais je ne vois personne qui puisse prétendre être plus parisien que moi. (J'allais écrire « que ma pomme », mais il est difficile de donner à son stylo l'accent traînant et le vibrato de Maurice Chevalier.) Certes, je ne suis pas parisien en vertu du droit du sol : je ne suis même pas né en France, mais là où l'auteur de mes jours servait la République, outre-Rhin. Je ne saurais davantage me prévaloir du droit du sang : ma mère a vu le jour à Nice, mon père à Valence, et aucun de leurs ascendants n'a seulement vécu dans la capitale. Tout au plus puis-je insinuer que mes deux grands-mères, l'une et l'autre aveyronnaises, m'avaient prédisposé génétiquement à poser un jour mon sac sur les rives de la Seine. Paris peut être défini comme la plus belle conquête de l'Aveyron. On ne le sait pas toujours.

Ce département, qui ne dédaigne pas de porter encore le nom de l'ancienne province qu'il fut, le Rouergue, compte plus d'enfants dans la capitale (environ un quart de million) que sur son propre territoire, entre Saint-Affrique et Laguiole, Decazeville et Millau. Ce sont eux que les Parigots, qui englobent dans la même ignorance hautaine tout ce qui s'étend au-delà des boulevards de ceinture, baptisèrent jadis « bougnats » et assimilèrent aux Auvergnats, ce qui équivaut à confondre les Danois et les Suédois, les Turcs et les Grecs, les Chiliens et les Argentins, les Vietnamiens et les Cambodgiens. Même originaire du nord de son département, l'Aveyronnais est méridional, alors que l'Auvergnat est auvergnat. (Ou n'est qu'auvergnat, c'est selon.)

Rappelons que l'Aveyron a tout donné à Paris, du moins au Paris d'après Haussmann, donc à celui d'aujourd'hui. Il a d'abord porté son eau et son bois aux étages, puis son charbon. Il a essaimé sur tout le territoire de la capitale les bistrots qui furent si longtemps l'âme des quartiers, comme on parle de l'âme d'un violon. Il a inventé Saint-Germain-des-Prés : Lipp est une trouvaille d'Aveyronnais, Les Deux Magots et le Flore étaient, jusqu'à ce que, récemment, tout foute le camp, possédés et tenus par des Rouergats. L'Aveyron a fourni à Montparnasse deux de ses hauts lieux – pour ne pas dire de ses institutions –, La Coupole, démolie puis reconstruite « à l'identique », c'est-à-dire contrefaite et sans esprit, et Le Dôme, qui, bien que le Rouergue soit, comme la Bolivie, injustement privé d'accès à la mer, figure parmi les très bons restaurants de poisson de la ville. L'Aveyron veille sur la soif de Paris : ce sont deux de ses enfants qui fournissent en bière comme en café, en limonade comme en sodas, la totalité des débits de boisson à l'intérieur du périphérique.

Je ne compte pas pour rien l'apport de l'Aveyron à la vie spirituelle de la capitale. Des innombrables prêtres issus des rangs de ceux que l'on nommait les « chouans du Midi » et montés de leur département pour baptiser, marier, confesser, administrer et enterrer les Parisiens, émergent des figures d'archevêques dont on se souvient : Mgr Affre, qui périt sur les barricades en juin 1848 en appelant à mettre un terme à la violence, le cardinal Verdier, au détour des années trente, puis le cardinal Marty, qui fut accueilli à Paris par d'autres barricades, celles de mai 68, et dont demeure l'image d'un bon pasteur de campagne tenant tête avec sérénité à l'agitation parisienne et tâchant d'y mettre un peu de douceur évangélique et surtout de modestie. N'est-ce pas lui qui, rencontrant le prince de Galles lors d'une cérémonie à l'Élysée, lui demanda, après l'échange de saluts : « Alors, comment vont le papa et la maman ? » (Le Rouergat est ainsi fait : les grandeurs d'établissement ne lui tournent pas la tête. Il est d'ailleurs rare qu'il s'égare dans la politique...) L'actuel cardinal-archevêque, enfin, Jean-Marie Lustiger, bien que né à Paris, juif et fils de Polonais, trouva refuge pendant la guerre à Aubin, dans le bassin minier de l'Aveyron, et il célèbre volontiers la sociabilité d'un département où il aime à retourner et dont il se considère comme un fils adoptif...

Si l'on ajoute que les enfants des bistrots sont devenus normaliens, polytechniciens, centraliens, agrégés, docteurs et, pour les moins bien doués d'entre eux, énarques, on comprend pourquoi les Aveyronnais qui tiennent la ville réelle, celle qui boit et qui mange, et qui ont placé leur descendance au cœur de la ville symbolique, celle qui pense, qui enseigne, qui cherche et qui administre, soutiennent sans rire que Paris n'est qu'une colonie du Rouergue, l'une de ses possessions éloignées.

Quant à moi, ces considérations sur l'Aveyron n'ont pas pour but d'accréditer cette thèse mais seulement de rappeler d'entrée de jeu qu'il n'y a pas de Parisien qui ne prouve sa supériorité et sa parisianité autrement qu'en évoquant son origine provinciale. On peut l'observer même chez des Parisiens natifs de Paris (ils sont à peine un tiers) : aucun d'eux n'ignore d'où venaient ses parents, ou ses aïeuls ou ses trisaïeuls et tous, d'une manière ou d'une autre, s'en flattent.

Toutefois, ce n'est pas sur mes chromosomes aveyronnais que je ferai reposer mon affirmation d'être un Parisien au plus haut degré. Pas davantage sur mon enfance ou sur mon adolescence. J'ai grandi à Versailles. C'est, à quatorze kilomètres de Paris, la ville de France qui s'en trouve la plus éloignée.

Versailles tourne le dos à la capitale, qui représente pour lui tout ce que Dieu n'aurait pas dû tolérer : le chemin de fer, les émeutes, les révolutions, les prolétaires, les ateliers, les usines, les petites femmes, les « maisons », les étudiants, les lorettes, les cafés, la tuberculose, les prêtres en civil, l'alcool, les sodomites, les maladies honteuses, l'athéisme, la franc-maçonnerie, la richesse, les théâtres, les boîtes, les Rothschild, les autres juifs, les apatrides, les étrangers, le divorce, les filles mères, l'avortement, le suffrage universel direct (donc l'abolition du cens), le vote des femmes, la disparition du rituel de saint Pie V, les rouges, les communards, les dreyfusards, les pacifistes, la bande à Bonnot, Ravachol, Landru, Cohn-Bendit, la jupe courte, les femmes qui sortent sans chapeau, les hommes sans gants, l'édit de Nantes, l'abolition de la peine de mort, les mariages hors de son milieu, les congés payés, la suppression de la troisième classe des trains et de la première du métro, la pilule contraceptive, le préservatif, la disparition des châtiments corporels, l'abrogation du service militaire, des tribunaux militaires, des prisons militaires, la fermeture du bagne de Cayenne, les chansons de Brassens, les chansons de Brel, les chansons de Ferré et d'une manière générale toutes les chansons après *Aux marches du palais* (même celles du père Duval et de sœur Sourire), la musique de nègre, le concubinage, l'oisiveté, le « mauvais esprit », la perte de l'AOF, l'indépendance de l'Algérie, la république et même le cinéma.

Je parle ici du Versailles de mes quinze ans. J'ai les meilleures raisons de croire qu'il a résisté au temps. L'un de mes amis d'enfance, né natif de la ville et qui y a repris par flemme le cabinet médical de son père, me disait en 1995 : « Sais-tu qu'il n'y a, dans cette ville, ni mort ni malade du sida ? » Et, comme je m'étonnais de cette exception, ne parvenant pas à la porter au crédit d'une chasteté municipale sans faille : « C'est, me dit-il, parce que l'on ne prononce jamais ce mot. Toi qui aimes ta langue maternelle, tu devrais revenir séjourner ici assez longtemps pour établir un glossaire des périphrases dont on use pour nommer l'innommable. »

Mes vertes années furent épargnées par des fléaux de ce genre mais l'un de mes copains, en terminale, ayant enfin en vue une bonne fortune et désirant éviter l'accident qui avait conduit un de nos camarades de classe devant le notaire, le maire et le curé, se présenta chez le pharmacien pour y acheter un préservatif tandis que je l'attendais sur le trottoir, guettant la possible arrivée de l'un de ses parents ou de l'une de ses innombrables tantes. Ému (il allait connaître son baptême du feu), il demanda au potard un contraceptif. L'apothicaire prit un air mi-idiot, mi-indigné, soutenant qu'il ne voyait pas de quoi il s'agissait. Puis, le puceau impatient ayant rectifié son erreur et demandé un préservatif en rougissant jusqu'au cramoisi, le pharmacien se retira dans son arrière-boutique, en revint avec la boîte déjà dissimulée dans un sac en papier bistre et encaissa son argent non sans suggérer que mon camarade était bien jeune. Il était quatre heures de l'après-midi, heure à laquelle nous avions espéré, à juste titre, que les magasins ne compteraient guère de chalands, tous, à Versailles, espions potentiels. À sept heures, le potard, ayant déniché, Dieu sait comment, le nom de l'acheteur de préservatifs, téléphonait à ses parents. À sept heures et demi, le monstre comparaissait devant son géniteur. À huit heures il était dans sa chambre, privé de dîner et enfermé. Il s'en fallut de peu qu'une correction paternelle remplaçât l'épectase tant espérée. Dans cette famille nombreuse (elles l'étaient toutes), la cravache ne chômait pas.

Pour situer ce récit dans l'esprit de ceux de mes lecteurs qui me croiraient contemporain du maréchal de MacMahon, je précise que cette histoire de pharmacien sycophante s'est passée l'année où les Beatles ont conquis le monde. C'est d'ailleurs cette année-là que notre professeur d'histoire-géo, devant traiter de la civilisation américaine, nous recommanda de consacrer deux heures de notre week-end à aller voir un film de Raoul Walsh, *La Femme à abattre*, dont nous tirerions, pensait-il, outre un vif plaisir esthétique, une quantité d'informations sur les mœurs des Étatsuniens. Ce film était au programme du cinéma d'art et d'essai de la ville. (Il s'appelait La Tannerie : tout, à Versailles, embaumait l'odeur des romans de La Varende.) Le label culturel de la salle confirmait le caractère pédagogique de la suggestion de notre professeur. Néanmoins, un bon peu de crétins de la classe ayant demandé à leurs parents la permission de suivre cette incitation à aller au cinéma, ceux-ci se téléphonèrent, se regroupèrent et désignèrent une délégation. Elle fit valoir au chef de notre établissement qu'un enseignant qui conseillait à ses élèves d'aller au cinéma soi-disant pour prolonger leur travail et, par-dessus le marché, pour y visionner un film policier, ne pouvait pas prétendre à la confiance des familles honnêtes.

Le prof était jeune et sortait du service militaire. C'était son premier poste. Cela lui valut d'être admis à finir l'année scolaire « sous surveillance ». À la rentrée suivante, ayant mesuré l'étrangeté de la planète Versailles, il obtint d'aller exercer ailleurs. Il est aujourd'hui l'un des dix historiens qui comptent dans ce pays.

Si j'ajoute aux deux récits que je viens de faire que j'ai passé une partie de ma scolarité versaillaise comme pensionnaire, que j'ai dû régulièrement quitter le lycée pour le collège des bons pères et les bons pères pour le lycée – espérant, à chaque transfert, que le mauvais souvenir laissé lors de mon précédent séjour se serait estompé et ne devant finalement mon admission ici qu'à un préfet ami de la famille et parolier de chansons, et mon acceptation là qu'à un oncle ecclésiastique bien placé –, si l'on considère que, venu d'un milieu mendésiste, je me trouvais entouré aux deux tiers de partisans de Tixier-Vignancour, du général Salan et de l'OAS, si l'on veut bien croire que, le jour anniversaire de la mort de Louis XVI, il y avait messe au collège et qu'il était conseillé d'arborer une cravate noire (à un quart d'heure de Paris, au milieu des années soixante), si l'on tient compte du fait que, parmi mes camarades de classe, on se battait encore aux poings entre partisans du comte de Paris, souteneurs des Bourbons d'Espagne et carlistes zélateurs des Bourbon-Parme, quand on ne disputait pas *ad nauseam* du bien-fondé du refus des trois couleurs par le comte de Chambord, si l'on pense qu'après le putsch d'Alger deux de mes condisciples expliquèrent au réfectoire que ce qu'il fallait au pays c'était que de Gaulle s'en allât et que le général Weygand, culotte de peau nonagénaire et vichyssoise, soit appelé à le remplacer, si l'on sait que les horaires des filles de l'établissement d'en face étaient calculés avec un décalage tel, par rapport aux nôtres, que nos chances de nous croiser étaient quasi nulles, si l'on peut admettre que, lorsque nous donnions sur la scène du collège le *Nicomède* de Corneille ou le *Britannicus* de Racine, les rôles de Laodice, de Junie ou d'Agrippine étaient attribués à ceux d'entre nous qui n'avaient pas encore mué et qui mettaient une paire de chaussettes de ski sous la robe louée à un costumier de théâtre pour figurer ce qui nous faisait tant rêver (et dont ce travestissement aurait dû nous détourner tous au profit des mœurs britanniques), bref si l'on comprend que j'ai connu l'enfance et l'adolescence les plus provincialement provinciales que puisse procurer une ville de ce pays, alors, on sait pourquoi je me suis permis d'écrire que personne ne peut prétendre être plus parisien que moi. Parce que, si des quantités de garçons et de filles de mon âge peuvent avoir désiré Paris autant que moi, aucun n'en aura eu envie davantage. Or Paris est d'abord cela : une ville pour laquelle on se porte volontaire. Une ville que l'on regarde comme une terre de recommencement, une Amérique. Une ville qui rompt avec ce qui, selon Mauriac, caractérise une cité provinciale : « un désert sans solitude ». Une terre promise, mais à portée de train et même, dans mon cas, de train de banlieue.

Je ne cherche pas à mythifier Paris, à le présenter comme une antidote au malheur. La question n'est pas pour moi de savoir si l'on était malheureux à Versailles. (D'ailleurs, je trouvais bien des satisfactions, douces ou amères, à résister à cette ville, que ce soit en mon for intérieur ou dans des « sorties » plus ou moins imitées de Cyrano de Bergerac et de son fameux « non merci ».) Le problème, à Versailles, ce n'était pas le bonheur ou le malheur. C'était Versailles. C'était ce grand affadissoir où rien ne pouvait avoir un goût original, une saveur personnelle ; ce caveau de famille où rien ne risquait de survenir qui troublât l'arrangement immémorial des choses ; cette paix des cimetières qui faisait débuter la notion de bruit à un très faible niveau de décibels. Cette réprobation universelle qui se trouvait comme dissoute dans l'air, mais prête à coaguler brusquement et à s'abattre en chape sur le coupable d'une transgression. Cette congélation des modes de vie et de pensée, du langage, des habitudes, des valeurs, des hiérarchies, qui constitue sûrement le rêve secret de beaucoup de bourgeoisies de province – et à cette époque, de toutes – mais qu'aucune ne réalise comme y parvient Versailles, ce musée Grévin animé. (Heures d'ouverture : 9 h-13 h et 15 h-20 h., fermé le dimanche après la messe.)

Donc, à dix-sept ans, muni de ce passeport pour l'indépendance que constituait à l'époque une carte d'étudiant, j'avais une chambre à Paris et mes habitudes dans trois ou quatre cinémas. Un restaurant de couscous de la rue Xavier-Privas, en bas de l'église Saint-Séverin, permettait de copieux repas pour à peine quatre fois le prix d'un ticket de resto U, sidi-brahim inclus, et quand mes camarades et moi voulions nous pousser du col, nous allions déplier les serviettes d'un établissement de la rue de Grenelle, à cent pas de Sciences po, dont le menu était généreux, le vin à volonté, et la patronne, grande gueule, toujours à l'affût d'une occasion de nous tomber sur le poil et de nous traiter de bourgeois, de parasites, de feignants, de fils-à-papa, noms d'oiseaux que nous n'aurions admis dans la bouche de personne mais qui, dans la sienne, pouvaient passer pour des termes d'affection. (Du moins cela nous flattait-il de le croire. Avec le recul, je pense qu'elle ne maintenait des prix serrés que pour attirer une clientèle à laquelle elle avait envie de cracher sa mauvaise humeur et même son ressentiment fielleux ; mais comme nous étions heureux de notre liberté nouvelle et de notre fraîche qualité de Parisiens, nous pensions que tout le monde nous voulait du bien.)

Je n'ai jamais rien demandé de plus à Paris : personne pour m'avoir à l'œil ni me dire ce que je devais faire, des amis disséminés à travers la ville, des cinémas permanents (à Versailles, bien entendu, ils n'ouvraient qu'à huit heures du soir), des théâtres, des places pas chères à l'Opéra, des combines pour assister aux répétitions des orchestres, des restaurants à la portée de ma bourse fluctuante et de mon appétit constant et, pour jouir de tout cela, de petits boulots pas trop mal payés et surtout pas trop contraignants. En général, on les trouvait aux Halles et plus d'un de mes copains y a découvert à quel point l'humanité peut être diverse. Pour moi, un ami de lycée ayant une tante communiste (à Versailles, il n'en avait soufflé mot à quiconque), la tante communiste étant conseillère municipale à Saint-Ouen, Saint-Ouen étant le siège de Bull General Electric dont le comité d'entreprise, tenu par la CGT, recherchait, pour ses cours du soir, un professeur d'allemand deux fois par semaine, je me trouvais à l'abri du besoin. Il faut rendre cet hommage à la CGT qu'elle était bonne patronne et payait mieux que bien les « travailleurs intellectuels ».

Au fond, comme, je crois, tant d'autres avant moi, je n'ai jamais rien demandé d'autre à Paris que d'y être. D'y avoir ma place. De pouvoir proclamer ma citoyenneté volontaire sans avoir à subir examen, interrogatoire ou sélection. D'appartenir non à la capitale – celle à qui Rastignac crie : « À nous deux ! » –, mais à la ville, à *la* ville, celle à qui Restif lançait : « Ô, Paris, tu m'agrandis à mes yeux ! ».

Un après-midi où je traînais en bas de la montagne Sainte-Geneviève, l'envie me vint d'aller boire un demi au Balzar, rue des Écoles, où la bière est restée parmi les meilleures de Paris, et de jeter un œil au programme du Champollion, dont ni l'écran, ni les fauteuils, ni les copies des films n'avaient encore été rénovés. Chemin faisant sans précipitation sur le trottoir pair (ou nord), je remarquai pour la première fois que la statue érigée en face du rectorat était celle de Montaigne. Sur le socle, je lus cette phrase de ce maître des écritures « à sauts et à gambades » : « Paris a mon cœur dès mon enfance. Je ne suis Français que par cette grande cité, surtout incomparable en variété, la gloire de la France et l'un des plus nobles ornements du monde [1]. »

1. Au livre III des *Essais*. La citation complète précise : « J'aime tendrement Paris. Jusqu'à ses verrues et à ses taches… »

Je compris alors qu'il n'est pas besoin de connaître Paris pour le désirer, que son incomparable variété était à la fois un héritage et une promesse qu'il appartient à chaque génération de faire tenir à cette ville, et que, pour quelque raison que l'on s'y soit installé, il fallait, pour en être vraiment, en exprimer la volonté. Et comme nous étions proches du voyage historique de John Kennedy à Berlin, devenu symbole de la lutte pour la liberté de circuler, je murmurai cette volonté, je prononçai ce serment d'adhésion dans la langue la moins attendue : « *Ich bin ein Pariser...* »

Trente ans plus tard, j'ai rencontré en parcourant Paris nez au vent et carnet-crayon en poche toutes sortes de garçons et de filles qui pouvaient faire le même récit en l'adaptant au goût du jour. Les petits boulots sont beaucoup plus difficiles à trouver. Il n'y a plus les Halles. Mais la démerde reste la même et permet les mêmes choses. La seule différence, mais elle est de taille, c'est que cette relative bohème, cette mise à l'abri des contraintes sociales, qui caractérisaient il y a trente ans le mode de vie à Paris de l'étudiant se sont aujourd'hui étendues à d'autres classes d'âge, à d'autres catégories sociales et semblent même pouvoir se prolonger indéfiniment. Quoi qu'il en soit, Paris continue d'être une ville habitée par des biographies anonymes qui s'en considèrent, chacune, le propriétaire et qui pensent toutes l'avoir découverte.

Crystelle – en arrivant à la capitale, elle a préféré ce nom de baptême à Sandrine, prénom choisi par ses parents – va sur ses trente-cinq ans. À Valenciennes, elle avait été acceptée comme caissière dans un magasin de bricolage. L'envie de voir autre chose l'a poussée à partir pour Lille. Un soir où elle s'apprêtait à dormir dehors, elle est tombée sur un groupe où dominaient les Belges et les Néerlandais. Ils lui ont offert une place dans leur squat, près du nouveau palais de justice. Elle est restée avec eux dix-huit mois. Ils vendaient quelquefois des tuniques, des gilets ou des blouses à la sortie des facs ou sur certains marchés. Crystelle a appris un peu de coupe et de couture. Quand le squat a été vidé par la police, le groupe, qui ne tenait plus que par la force de l'habitude, s'est disséminé. Crystelle a pris le train pour Paris. Elle avait décidé de devenir styliste. Elle l'est.

Peu de gens le savent, mais elle l'est. Depuis un peu plus de dix ans. On ne l'a pas admise dans les écoles reconnues par les maisons de couture. Les autres étaient peu sérieuses et trop chères. On ne l'a jamais employée à d'autres besognes que subalternes dans les ateliers où elle s'est présentée, mais cela lui a permis de vivre dans le milieu qui l'attirait et d'arracher par-ci, par-là quelques enseignements utiles. Elle vit dans le 17e (dans ce que les agents immobiliers qualifient de « mauvais 17e », vers La Fourche). Une chambre avec douche, coin cuisine et w.-c. broyeur qui tombe tout le temps en panne et inonde le locataire du dessous. Ses voisins d'étage paraissent venus des quatre points cardinaux. Dans cette chambre, Crystelle dessine et réalise des vêtements qu'elle porte, qu'elle vend quelquefois à une copine ou à une copine de copine. Elle les échange aussi. Contre des bijoux en métal repoussé que fabrique une fille venue de Pamiers (Ariège) et qui perche près de la place des Fêtes, contre une chaise conçue et réalisée par un échalas frisé émigré de la Seine-Saint-Denis et à qui Crystelle a taillé une sorte de manteau-veste dans une couverture de l'armée, contre une plaque électrique et un sèche-cheveux, à un couple de filles qui, se mettant en ménage, se défaisait de tout ce qu'elles avaient en double.

Sauf lorsqu'un atelier de couture a besoin de petites mains à l'occasion d'un coup de feu, Crystelle vit du revenu minimum d'insertion. Comme cela ne suffit pas et qu'elle troque ses « créations » plus souvent qu'elle ne les vend, elle exerce mille et un microjobs au noir. Elle les énumère en s'appliquant à n'en oublier aucun, mais il est clair que c'est une tâche impossible : garde-malade, promeneuse de chiens, nourrisseuse de chats et d'oiseaux, baby-sitter, faiseuse de courses, nettoyeuse-peintre, ravaudeuse, repasseuse, vendeuse assistante sur des marchés, standardiste surnuméraire... Certaines années sont plus fastes que d'autres, mais Crystelle dit ne manquer de rien. Elle vit aux franges du monde qui la fait rêver et, de toute façon, que l'univers le reconnaisse ou pas, elle est styliste.

Thomas, lui, a quitté l'Alsace peu après son service militaire, le baccalauréat en poche d'extrême justesse et, officiellement, pour s'inscrire à la faculté des lettres. Dernier de cinq enfants, ses parents, à la retraite, n'ont pas essayé de le retenir. De toute façon, ils n'avaient rien à lui proposer ni à lui conseiller. Thomas s'est présenté au concours d'entrée d'une école d'acteurs dénichée sur le Minitel. Il a été collé mais il a rencontré une fille, recalée elle aussi, qui lui a parlé d'une autre école, moins connue mais moins exigeante. Ils y ont été admis ensemble et ont décidé, peu après, de prendre un logement de conserve afin de réduire leurs frais. L'école n'était pas donnée et, de veilleur de nuit dans un hôtel à chauffeur occasionnel pour un transporteur de pianos (à l'armée, Thomas a passé tous ses permis), il a, vaille que vaille, assuré l'ordinaire. Une rencontre de bistrot l'a branché sur une filière de « frimants » : des figurations dans des téléfilms sont venues, assez souvent, apporter une rentrée appréciable. Elles lui ont permis surtout d'intégrer la cohorte des « intermittents du spectacle », donc de jouir d'un revenu régulier entre le RMI et le SMIC. Avec sa colocataire, Élodie, et d'autres copains du cours, ils ont créé une troupe, la Compagnie du Vert Bois, baptisée d'après le nom de la rue du 3e arrondissement où ils ont trouvé un local pour répéter, une ancienne remise. Ils ont monté un Tchekhov à trois personnages, *L'Ours,* conseillé par un de leurs profs. Pas une grande pièce, mais avec un rôle de femme capricieuse qui plaisait bien à Élodie. Le frère d'un copain, bien placé dans une mairie d'arrondissement, leur a fait avoir une ancienne salle de patronage tenue par une association assez fatiguée. Ils ont construit un décor à base de draperies noires et ont joué huit fois, devant un public de relations plus ou moins directes et de camarades du cours. Il n'y a jamais eu plus de dix-huit personnes dans la salle, jamais moins de six. La Compagnie du Vert Bois, qui rêve d'amasser suffisamment d'argent pour louer une salle « off » lors d'un prochain Festival d'Avignon, a décidé de continuer dans Tchekhov et répète *La Cerisaie.* Thomas joue l'intendant.

Personne comme lui ne connaît les moyens de vivre à Paris en ne dépensant presque rien. Chez les frimants des téléfilms, il a réussi à se faire inscrire sur la liste de plusieurs attachés de presse de ciné : à lui les projections privées. Quand ce n'est pas lui que l'on convie, il y accompagne un copain qui fait une émission de nuit sur une radio locale privée. La plupart des théâtres parisiens ne remplissent pas : pour que leurs spectacles ne se donnent pas devant des salles à demi vides, ils distribuent des places gratuites, des « exos » dans le jargon du métier. Il suffit d'être au parfum des circuits de distribution. En Alsace, Thomas ne connaissait personne. À Paris, il réussit souvent à se faufiler dans le vernissage d'une grande exposition, au cocktail d'une galerie, dans les fauteuils d'un concert rock, du récital d'une chanteuse de Dieu sait quoi… Dans cette ville, tout le monde a toujours une combine et la fait volontiers partager, ne serait-ce que pour se donner un peu d'importance. Pour presque rien, on peut emprunter tous les livres que l'on veut dans les bibliothèques municipales, des disques à la compactothèque des Halles. Aux étudiants et assimilés, la vidéothèque de Paris offre plus de films qu'ils ne sauraient en voir moyennant un abonnement peu élevé. Après une patiente recherche, Thomas a même trouvé une salle de sports où on ne lui a demandé que le tiers de la cotisation annuelle. Depuis cinq ans qu'il vit à Paris, il a connu peu de filles. Deux avec qui il n'était pas question d'autre chose que de se tenir chaud et de se faire du bien. Ça s'est usé doucement et, le moment venu, on a tiré le rideau sans drame, en restant bons copains. Avec la troisième, il y avait un sentiment. Ça lui a plu, mais elle en voulait trop. Pas le mariage, mais un engagement. Ils se sont un peu déchirés. (« Pour un acteur, c'est bon, faut avoir vécu des expériences. ») Pour le moment, Thomas est seul. En cinq ans, il n'est jamais retourné en Alsace. Sa mère, qui lui téléphone de temps à autre, ne le lui demande pas. Le lien ne s'est pas cassé. Paris l'a dissous. Thomas, comédien, n'a plus d'amarres. A-t-il un cap ? Sans doute. Vivre de son art. Ou d'un métier qui en soit proche. S'il ne réussit pas à devenir comédien, pouvoir, au moins, être employé à la production, à la régie, à la communication. En tout cas, ne pas avoir, jamais, à entrer dans l'univers des bureaux, des horaires, des règles, de la répétition.

Ce qui retient l'attention, lorsque Thomas parle, c'est sa modération. Il n'a jamais envisagé de devenir une vedette. Il se sait joli garçon, il pense ne pas manquer de talent, mais aspirer au premier rang supposerait une agressivité, à tout le moins un goût de la compétition, qui lui sont étrangers. Dans son vocabulaire, le mot « réussite » ne figure pas. Il s'agit plutôt de « s'éclater ». *A priori*, c'est un verbe qui évoque une sorte d'explosion. En fait, ce serait plutôt un synonyme de « s'épanouir », comme une fleur, peinard, grâce au soleil de la chance et à l'arrosage des versements de l'Agence nationale pour l'emploi. Quant au monde du travail, des bureaux, des usines, des commerces, de ses parents, Thomas, lorsqu'il l'évoque, n'en dit aucun mal, ne parle ni d'aliénation ni d'exploitation. Il n'ignore pas l'existence de cette galaxie, ni qu'on y trouve des êtres vivants, ses semblables. Simplement, il n'a jamais envisagé d'y transporter ses pénates et il espère que leurs rapports resteront toujours ce qu'ils sont aujourd'hui : une non-fréquentation à l'amiable.

J'ai évoqué Paris comme une Amérique et voilà que, pour Crystelle comme pour Thomas, je viens plutôt de décrire une bulle. Un monde protégé de la société, telles ces chambres stériles que l'on réserve aux enfants privés de défenses immunitaires. Ou alors une sorte d'orphelinat en autogestion. Une maison d'enfants où l'on pourrait demeurer jusqu'à un âge très avancé. Peut-être jusqu'à sa mort. Dans le Paris de la fin du XXe siècle, on rencontre partout des pensionnaires de cet orphelinat. Ils appartiennent aux générations nées dans une société où le chômage est normal et banal. Ils ont grandi entre deux sortes d'institutions : celles qui leur paraissaient caduques et leur tenaient un langage incompréhensible, et celles qui, comme l'école, leur donnaient en permanence le sentiment de s'excuser d'exister, de n'avoir aucune confiance ni dans leur mission ni dans leur utilité. Année après année, ils en ont tiré la conclusion qu'il n'y a à vivre que pour soi. Il était donc logique qu'ils prennent la poudre d'escampette et laissent derrière eux un monde où l'on exerçait sur eux, même mollement, des pressions auxquelles on ne leur avait pas donné les moyens, ou l'envie, de se conformer. Pour « s'éclater », il leur fallait un univers d'indifférence. Et, tant qu'à vivre des surplus de la société, autant que ce soit là où ils sont les plus abondants et les plus variés : à la capitale.

Paris-l'Amérique, ce serait plutôt la ville de Song. À vingt-cinq ans, arrivé de Chine par une filière dont il ne veut pas décrire le cheminement parce qu'elle sert toujours ou qu'elle pourrait resservir, il a été pris en charge par des « oncles » installés en France depuis une dizaine d'années. Pendant deux ans il a exercé, dans un de leurs restaurants, tous les métiers, depuis la plonge jusqu'au service en salle. Pour vingt-cinq mille francs, il a acheté un vrai passeport d'un pays d'Asie dont la nationalité permet d'obtenir de l'administration française le statut de réfugié politique. À partir de là, tout est allé vite. Les « oncles » lui ont trouvé un bistrot à vendre dans le nord de Paris. Ils lui ont prêté le million et demi nécessaire pour acheter les murs et le fonds, qui ne valait plus grand-chose, et pour transformer le bistrot en restaurant « chinois-vietnamien ». Song a dix ans pour les rembourser, mais il compte se dégager plus tôt.

Bien que ses prix soient très bas, sa marge est substantielle. Là encore, il ne souhaite pas s'étendre. Ils font tourner la boutique à deux : lui et un Chinois d'une cinquantaine d'années, confiné dans la cuisine, qui ne parle pas cinquante mots de français et qui habite dans une tour près de la porte de La Chapelle. Song, lui, dort dans la petite pièce du dessus, vendue avec le restaurant. Il fait des journées de quatorze ou quinze heures et ne s'endort pas sans avoir consacré au moins une heure à se perfectionner dans notre langue en écoutant des cassettes pédagogiques. Dès que possible, il demandera la nationalité française. Parmi ses clients réguliers, il compte une inspectrice de la Préfecture, qui lui a promis de l'aider. Quand on déjeune dans son restaurant, on le voit s'affairer d'une table à l'autre avec une amabilité de tous les instants. L'endroit est mieux que propre, pimpant. Décoré de chinoiseries colorées que Song a achetées, comme ses meubles, sa vaisselle, ses couverts, ses nappes, ses serviettes et ses rideaux, chez un grossiste chinois installé au sud du périphérique. Tous les lundis, jour de fermeture, Song reçoit un comptable envoyé par les « oncles », qui tient les comptes et, surtout, s'occupe du maquis des charges sociales, impôts, patentes, etc.

D'ici à deux ou trois ans, Song compte se marier. Par amour ? Si ça se trouve. Sinon, par l'intermédiaire des « oncles ». Le peu de loisirs dont il dispose, il le passe en grande partie chez eux, à jouer et à regarder la télévision, au moins autant pour apprendre le français que pour se distraire. Il ne comprend pas notre vie politique. Tout le monde s'engueule et dit des choses abstraites. Cela ne lui paraît pas sérieux et il a constaté avec une surprise dont il n'est pas près de revenir que, chez nous, les hommes politiques ne sont ni respectés, comme devraient l'être ceux dont procède toute faveur, ni craints. Il les trouve très jeunes. (Il ne dit pas « trop », mais il est aisé de voir que c'est ce qu'il pense.)

Quelquefois, Song se promène, seul, dans Paris. Ce qui

le frappe, c'est le nombre de maisons anciennes et de vieux monuments que l'on y trouve. Que nous ayons eu les moyens de construire des quartiers modernes sans détruire les anciens, cela lui donne à réfléchir. Le quartier Saint-Paul et l'île Saint-Louis ne cessent de l'impressionner, mais ce qui l'a conquis, c'est l'avenue Henri-Martin. Il n'éprouve aucune gêne à dire que c'est son aspect cossu qui l'a emballé. Quand il y a de pareilles réserves de riches, le business a devant lui de beaux jours...

Parmi les caractéristiques de Paris que Song tient à mentionner très favorablement, il y a la propreté et le métro. La propreté l'épate bien qu'elle renferme un mystère : comment Paris peut-il dépenser tant d'argent à nettoyer rues, trottoirs, caniveaux, et laisser les chiens déposer partout leurs excréments ? Dans les premiers temps de son installation, Song, qui avait entendu dire que les Indiens révèrent les vaches, pensait que, sans être à proprement parler une divinité, le chien avait acquis sous nos latitudes une respectabilité religieuse. Détrompé, il se perd en conjectures... Quant au métro, il le prendrait presque par jeu, s'il avait le temps de jouer ; sauf la ligne Clignancourt-Orléans, où il s'est fait bousculer et voler un porte-monnaie peu rempli, mais rempli quand même. Par des Arabes. Sûrement par des Arabes. Il ne les a pas vus opérer, évidemment, mais ils étaient nombreux ; deux ont fait semblant de se battre pour créer une diversion et ce doit être pendant ce temps-là qu'il s'est fait délester. De toute façon, les Arabes et les Noirs, autant ne pas en faire le sujet de la conversation...

Song est d'un racisme serein. Il ne lui viendrait pas à l'idée que l'on fasse du mal à des Africains ou à des Maghrébins au motif de leur origine, mais il ne considère pas davantage possible de les placer sur la même étagère que les Chinois ou les Européens. Étagère sur laquelle il ne rangerait pas non plus les Coréens ou les Cambodgiens, qu'il classe au-dessus des Arabes et des Noirs mais qui n'en constituent pas moins une race vouée au service et aux besognes obscures...

Si le monde où évoluent Crystelle, Thomas et leurs semblables n'a ni passé, ni avenir, ni (presque) repères, celui de Song est paisible et structuré. Les anciens sont respectés et obéis, les hommes ont le pas sur les femmes, la vie est faite pour le travail, le travail pour l'argent et l'argent, premièrement pour mesurer scientifiquement la puissance des uns et des autres et régler le jeu des hiérarchies comme on règle un moteur, deuxièmement pour jouer. Troisièmement et éventuellement, l'argent sert à devenir français si les voies et moyens officiels sont engorgés ou obstrués. (Toute demande de précision constituerait une sottise et une faute de goût.) Car Song entend faire sa vie à Paris et y procréer de petits Français. L'idée qu'à la génération de ses petits-fils il y ait, dans sa famille, des mariages mixtes ne lui cause ni frayeur ni déplaisir. Le tout est que, d'un âge à l'autre, les valeurs survivent. Ce sera sûrement le cas. Dans la communauté de ses « oncles » dont certains éléments sont installés en France depuis trente ans et plus, Song a observé que rien de fondamental n'avait été entamé et que même ceux des petits-enfants auxquels on n'avait pas jugé utile d'enseigner le chinois se comportaient conformément aux règles.

Paris n'a pas, ici, prise sur l'essentiel. À moins que les Chinois de la capitale ne modifient la composition de l'essentiel en question au fur et à mesure que Paris grignote leurs modes de pensée et multiplie les confrontations avec d'autres façons de voir les choses et de les vivre ? En tout cas, tant que la communauté chinoise saura trouver un travail à chacun de ses enfants, elle tiendra le fil qui le maintiendra à elle et continuera à faire de lui un Chinois de Paris et non un Parisien d'origine chinoise. Ce lien demeurera d'autant plus longtemps qu'il ne représente pas une contrainte bien forte, et qu'en échange de l'acceptation de cette contrainte, il offre une quantité incomparable de points d'appui, dans une ville qui n'en fournit guère.

Les Chinois, David sait ce dont ils sont capables. Dans le Sentier, ils ont déjà bouffé la moitié des commerces et provoqué, chez les « sefs », une douloureuse réorganisation. Les séfarades, David en est, par sa mère. Son père, lui, est ashkénaze. Une union ni très rare ni très fréquente mais, à Paris, l'antagonisme entre juifs d'Afrique du Nord et juifs d'Europe centrale s'est d'autant plus estompé que l'avantage numérique des premiers est devenu écrasant après la décolonisation de l'Afrique du Nord. Du coup, les grands lieux de rassemblement, religieux ou profanes, de la communauté se sont déplacés et répartis davantage à travers la capitale. En même temps, les rivalités ont glissé et elles opposent plutôt les « Tunes » aux Marocains et aux Algériens, les Algériens aux Tunisiens et aux Marocains, les Marocains aux deux autres groupes. Leur principal sujet de joute oratoire porte sur la qualité du couscous. Une fois entendu que les juifs le font infiniment mieux que les Arabes, il reste une large place pour disputer de celui qui atteint la perfection. De toute façon, David dispose d'innombrables critères pour différencier – et, le cas échéant, hiérarchiser – les sous-groupes de sa communauté. Les (juifs) Algériens sont plus intellectuels, enfin, ceux de Tlemcen... Les Tunisiens plus solidaires mais moins entreprenants. Les Marocains plus ambitieux. Non, c'est le contraire... En tout cas, les trois se retrouvent pour affirmer que les ashkénazes sont plus guindés et plus religieux. (« Alors que nous, on est surtout traditionalistes. On se retrouve toujours pour le dîner du sabbat, mais pour ce qui est de la synagogue... ») Sans compter que les « sefs » sont beaucoup plus fêtards et qu'ils adorent claquer leur fric, tandis que les ashkénazes sont radins. « Les vrais juifs, c'est eux », proclame David en riant de bon cœur, tandis que Rudy et André-Marc, ses deux copains séfarades, se poussent du coude en pouffant à leur tour... C'est sans doute le côté fêtard des « sefs » qui a fait pencher David du côté des origines de sa mère. Après des études minimales, il travaille pour la société de son père, qui vend des vêtements pour homme sous plusieurs marques de qualités différentes mais toutes bien implantées. Il a ses habitudes dans deux ou trois discothèques du côté des Champs-Élysées dont les clients sont pratiquement tous de la communauté. Le premier samedi de septembre, eux et leurs parents se retrouvaient, naguère, au pub Renault, sur les Champs. Aujourd'hui, le lieu de rendez-vous s'est déplacé chez le glacier Häagen-Dasz, sur les Champs aussi. Bien sûr. « Les Champs, c'est à nous. » Il ne veut pas dire : « Ça nous appartient » mais : « C'est là qu'on se retrouve. » Là et du côté de Bonne-Nouvelle, vers le faubourg Montmartre et la rue Richer, dans quelque restaurant casher réputé ou dans un chinois casher ou un italien casher. Ou dans un salon de thé. L'après-midi, les dames élégantes qui se réunissent pour y faire la causette ont l'air de sortir de l'univers des blagues que les juifs aiment tant raconter sur leurs mères. Et de fait, sans avoir besoin de tendre l'oreille, on les entend parler sans s'écouter l'une l'autre de la merveille de fils qu'elles ont mis au monde. On ne se méfie jamais assez des lieux communs et des clichés : le plus souvent, ils sont vrais.

Récemment, deux ou trois films ont pris pour cadre ou pour sujet la communauté juive de Paris et principalement les « sefs ». Cela a donné des clichés animés. Des clichés parfaitement exacts. David se définit comme « un super déconneur qui ne plaisante pas avec la tradition ». On peut compter sur lui pour donner cent exemples de la frime de ses copains du Sentier, pour se payer la tête de la génération qui le suit : « Tous des échappés de boys band : le jean très serré, le tee-shirt très moulant, le cheveu hypersoigné, le bronzage UVA et, sur le haut du crâne, les lunettes de soleil. Et tout ça avec le nom de la marque bien en évidence. » N'empêche, c'est eux et leurs grands frères que David retrouve en boîte et à la synagogue, quand il y va. « C'est surtout pour se faire voir et pour discuter avec les copains. Les chrétiens n'ont aucune idée du foutoir que ça peut être une synagogue. En tout cas une synagogue sef. » David n'a pas la conscience tout à fait tranquille quand il parle de son attitude envers la religion. Enfant, il était beaucoup plus consciencieux. Puis, au milieu de l'adolescence, il a commencé à devenir un « juif de Kippour », un pratiquant saisonnier et relâché. Aujourd'hui, à vingt-cinq ans, il conserve ses distances, bien qu'il ne sorte jamais sans avoir une kippa dans sa poche. (Et d'ailleurs il me la montre, en précisant que son tissu fantaisie signifie son soutien à l'État d'Israël.) De toute façon, la religion, il sait qu'il la retrouvera plus tard. Quand il aura des enfants et qu'il devra leur raconter l'histoire de leur peuple et les conduire à la synagogue. « Comment savez-vous que vous conduirez vos enfants à la synagogue ? Vous êtes sûr qu'ils seront juifs ? Vous êtes sûr d'épouser une juive ? » Son rire éclate et interloque un instant les clients de l'ancien hammam de la rue des Rosiers transformé en café branché et communautaire. « Vous êtes fou ou quoi ? Ma mère elle me tue !... » Et il repart de plus belle, dans un rire où il se moque tout à la fois de l'incongruité de ma question et du caractère stéréotypé de sa réponse. Il appartient à sa communauté, sans discussion. Même les soirs de foot, quand le match promet d'être intéressant ou que son enjeu revêt une particulière importance, c'est dans une brasserie du 17e arrondissement – pourtant aux antipodes de chez lui – que David ira regarder la télévision, entouré d'un public à quatre-vingt-quinze pour cent séfarade.

J'ai eu un peu de mal à comprendre quelle est l'institution qui entretenait et nourrissait cette appartenance. David parlait tout le temps des Zéhis. Rudy et André-Marc aussi. « D'ailleurs, c'est là qu'on s'est connus. » Aux Zéhis. Aux quoi ? Aux Zéhis. Aux éclaireurs israélites (É.I.), les scouts juifs. Trois mille garçons et filles à Paris. Un mouvement à peine religieux, où l'on reste souvent assez tard, en y prenant des responsabilités plus ou moins régulières d'encadrement. Un mouvement d'intégration à travers les jeux, les sorties, les camps et aussi les discussions sur Israël et la transmission de la mémoire des persécutions. « Et une des meilleures agences matrimoniales de Paris, ajoute David toujours rieur. En compétition avec l'Union des étudiants juifs de France, mais ça n'est pas de jeu : presque tous les cadres de l'UEJF sont des anciens Zéhis. » D'ailleurs, les Zéhis et les responsabilités qu'il y exerce ont servi à David de prétexte et de couverture pour quitter la côte d'Azur, où sa famille réside, et s'installer à Paris, où il respire plus librement. Non qu'il ait le moindre reproche à adresser à ses parents. Il ne se passe pas de jour sans qu'il leur parle au téléphone. Pas de mois sans qu'il leur rende visite. Mais enfin, on s'apprécie mieux quand on n'est pas tout le temps les uns sur les autres. Et, à Paris, on se sent comme aiguillonné, poussé, tiré, bousculé. Est-ce qu'on y fait des choses très différentes de celles qu'on faisait sur la Côte ? À bien y penser, non. Un peu moins de sport, un peu plus de boîtes, peut-être. Mais ce qui compte, c'est que l'on ne tombe pas constamment sur les mêmes gens et que, même si on sort presque toujours dans les mêmes endroits, au moindre signe de saturation, il suffit de faire un pas de côté pour basculer d'univers ou, tout simplement, pour faire une cure de solitude dans des endroits où l'on est anonyme à deux pas de chez soi.

Anonyme, on ne l'est confortablement que perdu dans une foule. À tout le moins, entouré de gens en grappes ou en raisins, hommes ou femmes, vieux ou jeunes, de la ville ou de passage. Ils ont pour fonction de nous enserrer, mais à bonne distance, de nous distraire par leurs bruits, par ce que nous pouvons capter, saisir ou deviner de leurs conversations, par leur façon de se tenir, la manière dont ils sont vêtus, ce que nous déchiffrons du journal qu'ils lisent, ce que nous imaginons qu'ils sont, par leurs mouvements et le renouvellement régulier de leurs effectifs. Ils forment une mer de visages, de sons, de présences, sur laquelle nous pouvons nous laisser dériver sans appréhension, que nous roulions des pensées moroses, incertaines, agréables ou simplement vagues...

Le Parisien entretient, avec le café ou le bistrot où il peut trouver ce bain amniotique d'humanité, un rapport tissé de contradictions. D'une part, il entend que nul ne vienne troubler sa retraite momentanée, d'autre part, il attend du bistrot qu'il soit le lieu par excellence d'une rencontre-surprise (et bonne). D'un côté il va au café pour être M. Tout-le-Monde. De l'autre, il apprécie de ne pas y être un client parmi d'autres. Résoudre cette contradiction est possible. Il y faut un exceptionnel doigté. Assiah et Dermott possèdent au plus haut point cette qualité.

Assiah, fille de harki, née en Algérie et embarquée encore au maillot pour Marseille puis pour un camp d'hébergement provisoire qui, près de quarante ans plus tard, existe toujours, s'est jadis accrochée à l'école comme à sa seule planche de salut. Soutenue par une principale de collège rapatriée de Tlemcen, elle a obtenu un diplôme de comptabilité. Dermott, natif de Galway, au nord-ouest de l'Irlande, venu en vacances à Paris l'année de ses vingt ans, a décidé de s'y établir. Quelques mois plus tard, il faisait partie du personnel au sol d'une compagnie aérienne qui devait l'employer douze ans, avant qu'il ne devienne transitaire à la solde d'un Américain, puis à son compte.

Assiah, pendant quinze ans, a pris son café du matin dans le même bistrot, tenu par un couple âgé. L'homme est tombé malade. Assiah a d'abord donné un coup de main à sa femme puis, sans prendre le temps de réfléchir, elle s'est proposée lorsqu'il a fallu mettre le bistrot en gérance. Aujourd'hui, elle en est propriétaire. Dermott, lui, fréquentait, assidu, les cinq pubs irlandais que comptait Paris jusqu'en 1988. Il a décidé d'en ouvrir un sixième parce que aucun des autres ne lui convenait tout à fait. Deux mois de prospection, et il a trouvé un restaurant d'artisans avec deux petites salles, l'une tout en largeur, l'autre tout en longueur. Les clients habituels disparaissant avec leurs échoppes, l'affaire s'est vite et raisonnablement conclue.

Parmi les clients de Assiah figurait un jeune accordéoniste. Elle lui a proposé de jouer un samedi en fin de journée. Son répertoire allait des goualantes d'avant-guerre au jazz. Cette variété a plu. L'accordéoniste avait des copains aussi éclectiques et pas plus vieux que lui. Une fois par semaine, puis deux, ils ont pris l'habitude de venir se produire, créant une ambiance bon enfant, acceptant, de temps à autre, de jouer à la demande. Leurs diverses qualités ont fait le fond de la conversation entre Assiah et ses habitués. « Quand celui-ci reviendra-t-il ? » « Est-ce que celui-là ne pourrait pas donner une soirée guinguette ? » « L'un ou l'autre n'aurait-il pas dans ses relations un joueur de bandonéon ? » En parlant musique, on a lié connaissance. À l'occasion, on s'est raconté à Assiah. On l'a instituée en camarade. Elle s'est volontiers prêtée à ce jeu, prenant soin de ne jamais solliciter une confidence et même de n'aller vers un client, fût-il des plus réguliers, qu'à son initiative. Comme si la permission de se montrer amicale devait être renouvelée tous les jours. Avec leurs airs de rester sur leur quant-à-soi, les deux tiers des habitués ont fini par se livrer corps et âme. Le tact de Assiah, sa patience, l'ingéniosité de ses conseils et de ses réflexions, ont créé un climat de confiance. Un bon peu de clients des prédécesseurs de Assiah qui avaient changé de crémerie pour ne pas aller chez une Arabe ont perçu qu'il se passait quelque chose et ont repris leurs anciennes habitudes, heureux qu'en leur absence la clientèle se soit rajeunie, très satisfaits de l'accordéon, même s'ils vilipendent son usage en tant qu'instrument de jazz ou, pis, de thrash-music, ravis lorsque tel ou tel des nouveaux chalands se risque à les saluer ou, comme Paul, un boute-en-train employé par un architecte du quartier, les affuble d'un surnom et leur fait le plaisir de leur balancer une vanne, ouvrant ainsi une joute verbale où les rôles, jeunots ignorants d'un côté, vieux Parigots momifiés de l'autre, sont répartis une fois pour toutes, Assiah distribuant, à la fin de la partie, les compliments et les palmes au camp vainqueur, non sans avoir veillé à ce qu'un mot de trop ne vienne pas gâcher le plaisir de tous. D'une saison à une autre – l'endroit a maintenant une terrasse –, Assiah a réussi un café aussi parisien que s'il sortait d'une photo de Robert Doisneau, avec son mélange de gens et son décor années cinquante juste toiletté. L'air de rien, Assiah gagne très bien sa vie. Elle initie Yasmine, une beurette d'à peine trente ans, qui a d'abord été cliente, à l'art subtil de tenir un troquet. Elle lui en confiera la gérance d'ici à cinq ans pour se retirer dans le Lot, où elle a acheté une petite ferme avec René, ancien client lui aussi et instituteur. Ils réaliseront un de leurs rêves communs : élever des chevaux. « Je ferai peut-être aussi quelques chambres d'hôte, des fois qu'il y ait des habitués d'ici qui veuillent s'offrir un séjour au grand air. »

Dermott a d'abord travaillé seul. En plus des Irlandais qui l'ont suivi et de qui, parmi les quinze mille compatriotes expatriés de la capitale, sont sortis des immeubles de l'arrondissement à la vue d'une enseigne de pub comme des escargots attirés par un champ de laitues, la (petite) clientèle du démarrage a été constituée de professeurs et d'étudiants encore nombreux dans cette partie du 5e. Puis, au début des années quatre-vingt-dix, l'Irlande eut le vent en poupe. Sa réputation de pays rude, pas trop riche, peu favorisé par le soleil mais peuplé de fous élégiaques, d'ivrognes mystiques et de curés boxeurs, formait un heureux contraste avec l'uniformité internationale des golden boys chipotant leur Perrier. Les bars high-tech et les cafés post-modernes tout en verre, métal et lampes halogènes commencèrent à lasser. Patrie supposée de « l'authentique », son exotisme rendant tolérable son archaïsme catholique, l'Irlande devint l'antidote à l'Italie des scandales, à l'Espagne des scandales, à la France des scandales, et le fameux laconisme de *L'Homme tranquille*, le contrepoint à la superficialité communicatrice apparue sous Giscard et adulée sous Mitterrand. Cet engouement a eu des retombées sur les pubs marqués du trèfle. En dix ans, il s'en est ouvert trente-cinq. De ces trente-cinq, trois ou quatre étaient d'anciens bistrots dont les propriétaires bougnats flairèrent qu'une transformation du tout au tout permettrait de rattraper et peut-être même de grossir une clientèle de moins en moins fidèle. Ces transformistes furent aidés dans leur mue par une grande marque de bière irlandaise qui, pariant sur la pérennité de l'engouement pour l'Irlande, proposa aux cafetiers de Paname cinq modèles de pubs clés en main garantis comme à Dublin et d'autant plus « authentiques » qu'ils étaient fabriqués avec des matériaux de récupération.

Cette Irlande vendue en kit provoque chez Dermott un mélange de moquerie et de colère. Ce qui fait le pub irlandais, c'est l'Irlandais, pas le jeu de fléchettes accroché au mur, ni – encore moins – les saumons naturalisés et les photos du Connemara, de Joyce, de Wilde, de Beckett et de Charlotte Rampling dans *Un taxi mauve*. L'Irlandais est au comptoir. Les clients lui adressent directement leur commande, sans l'intermédiaire d'un serveur. Forcément, on finit par se dire un peu plus que : « Bonjour, s'il vous plaît, une pinte de Guinness. » Surtout que, s'agissant d'une bière qui se tire en deux fois, en attendant que la mousse ait formé son épais édredon blanc on a le temps d'échanger quelques phrases. L'Irlandais se sent une âme de capitaine. Il est responsable de l'ambiance du bord. Il est aussi un peu missionnaire, un peu ambassadeur et facilement nostalgique. « Nous voulons tous diffuser la culture irlandaise. » Alors, un soir ou deux par semaine, des musiciens et des chanteurs venus du pays prennent possession d'un coin du pub, comme à Clifden ou à Bantry. Ou bien quelqu'un se lance dans une *poetry reading*. Il existe même une compagnie spécialisée dans la représentation de courtes pièces de théâtre à peu de personnages.

La musique irlandaise draine vers les pubs une clientèle de Bretons de Paris. (Toujours ce besoin du Parisien de choyer les racines dont il s'est arraché.) Le rugby attire les Méridionaux. On le regarde ensemble dans la seconde salle et, quand l'un des matchs du Tournoi des Cinq Nations a lieu à Paris, Dermott achète des places pour qui veut et l'on s'y rend en délégation. Cela se pratique aussi pour le football mais à une moindre échelle, et un petit groupe, presque une secte, se retrouve pour des compétitions de tel ou tel sport gaélique, dont les règles rivalisent de complexité.

Les pubs irlandais, contrairement aux bistrots français, ne campent pas dans un isolement hautain. Ils mettent leurs moyens en commun pour que le coût de leurs attractions soit le plus bas possible et ils organisent d'amicales compétitions. Dermott ne laisse ignorer à personne que c'est l'équipe de son pub qui a remporté le dernier tournoi de fléchettes. Son capitaine est un Tunisien timide, presque farouche, qui s'est longtemps contenté d'un siège à l'écart et d'une bière sirotée méticuleusement jusqu'à ce qu'un jour quelqu'un (on a oublié qui) le convainque de s'essayer aux fléchettes, auxquelles il s'est avéré mystérieusement prédisposé. Il a conduit les siens à la victoire, battant une sélection d'Irlandais pur tweed, qui ruminent des idées de vengeance contre cette phalange où coexistent trois ou quatre nationalités...

Dermott prospère à pas feutrés. Il doit bien y avoir un équivalent irlandais de notre « Bonne renommée vaut mieux que ceinture dorée », mais, au lieu de « vaut mieux », le verbe doit être quelque chose comme « apporte ». Les patrons de nos « bons vieux » bistrots parisiens, eux, se réunissent en colloque pour gémir à l'unisson. Leurs affaires piquent du nez lorsqu'elles ne sont pas situées au milieu d'un flux abondant de population : près des gares, des hauts lieux touristiques, des grands établissements culturels. Chaque année un nombre croissant de tenanciers met la clef sous la porte. Que fait le gouvernement ? s'indignent-ils. Vite, une subvention, de l'aide, des exonérations, des détaxes ! Ne leur dites pas qu'ils offrent à leurs clients de 1997 les mêmes prestations qu'à ceux de 1950. Ne cherchez pas à établir la proportion de ceux qui conservent comme des « lieux de mémoire » nimbés d'on ne sait quel sacré leurs repoussants cabinets à la turque éclairés par une minuterie d'harpagon qui commande une ampoule digne de la médaille commémorative de la dernière guerre. (Dans l'un de ces endroits sans gloire, au milieu des habituelles obscénités, une main farceuse a écrit : « Tirez la chasse avec modération. Ou alors portez des palmes. ») Ne leur parlez ni du pain insipide de leurs sandwiches, ni du supplément de deux francs pour les cornichons (peut-être l'expression la plus saisissante de la mesquinerie « à la française »), ni de la cherté de leur café et pas davantage des regards hostiles du patron que doivent affronter ceux qui s'attardent à leur table plus longtemps que la modicité de leur consommation ne les y autorise selon les barèmes de l'hospitalité bistrotière.

Ne leur montrez pas ce que quelques-uns d'entre eux, rares, savent offrir : un décor moins mastoc et moins stéréotypé, un mobilier confortable aux lignes légères, un espace aménagé de sorte que l'on ne s'y entasse pas et non pour rentabiliser le moindre pied carré, un service qui n'ait pas l'air de compter les minutes et qui ne prenne pas la commande avec la mine de la désapprouver, bref, un ensemble accueillant où l'on sait flatter juste ce qu'il faut – mais flatter n'est-il pas un art que doit maîtriser tout tenancier accompli ? – une clientèle qui n'a plus grand-chose à voir – qu'on le regrette ou pas – avec celle que décrivent les romans de Simenon, qui ne s'accommode plus de la promiscuité, de la saleté, du bruit, des coups de gueule du tyran de comptoir rudoyant les garçons, qui aime qu'on lui tende des miroirs dans lesquels elle se trouve jeune, décontractée, sympathique, dans le coup.

Ne les conduisez ni chez Dermott l'Irlandais ni chez Assiah la beurette, il se pourrait bien (puissent les mânes du commissaire Maigret et de l'inspecteur Janvier ne pas nous en tenir rigueur !) que l'esprit sociable et bon enfant du bistrot ait trouvé là l'asile où il s'est réincarné…

Aucune transition décente ne permet de passer du comptoir d'un bistrot, même irlandais et donc catholique, au cimetière privé de Picpus. Et, moins que tout autre jour, en ce vendredi soir de juin où Xavier et Isabelle, que leurs trente ans n'empêchent pas d'être comte et comtesse de V…, se rendent à la messe en compagnie du baron et de la baronne de C… de T…, les parents d'Isabelle. Une messe ? Un vendredi ? Oui-da, messire. Concélébrée par un évêque en exercice, un chanoine à particule et un révérend père lui aussi particulé. Suivie d'une cérémonie placée sous la présidence d'un duc et d'un comte. À l'abri des murs hauts et pleins derrière lesquels les blanches religieuses de la congrégation des Sacrés-Cœurs de Jésus et de Marie et de l'Adoration perpétuelle du Saint-Sacrement mènent sans bruit le train de leurs dévotions ordinaires entre leur couvent sans grâce mais non sans charme, leur chapelle trapue et leur improbable jardin, dans une atmosphère de douceur lente et mélancolique, pareille à celle que Rostand a imaginée pour le dernier acte de *Cyrano*… « Qu'elles aillent prier, puisque leur cloche sonne… »

On croirait que, de l'autre côté de la clôture, c'est encore le village de Piquepusse, celui où Henri IV possédait un pavillon de chasse, celui où les chanoinesses régulières de Saint-Augustin, conformément aux obligations de leur constitution, célébraient par une procession, chaque 7 octobre, la victoire remportée sur les Turcs à Lépante par don Juan d'Autriche, celui où Ninon de Lenclos se retirait pour écrire à Saint-Èvremond et recevoir de savants épicuriens, celui où le marquis de Sévigné disputa le duel qui lui fut fatal, celui où la reine Christine… mais je m'égare et le sang bleu me monte à la tête…

Il n'y a plus de village, plus de Piquepusse… et plus beaucoup de religieuses de la congrégation des Sacrés-Cœurs de Jésus et de Marie et de l'Adoration perpétuelle du Saint-Sacrement : les plus jeunes sont septuagénaires. Il y a, au sud de leur couvent, l'hôpital Rothschild et, au nord, des tours dont les balcons ont, sur leur jardin et sur le cimetière qui le prolonge, une vue imprenable. Les petites sœurs ne sont pas à l'échelle. Et ce qu'elles font entre les murs qui ne les isolent plus de rien est sans doute doublement incompréhensible : jour et nuit, elles prient. Qui plus est, depuis 1805, elles prient pour le repos de l'âme des victimes de la « Grande Terreur », guillotinées entre le 14 juin et le 27 juillet 1794 (et pour que la miséricorde de Dieu s'étende à leurs bourreaux)…

La place de la Nation, jadis place du Trône, avait été rebaptisée place du Trône-Renversé. La guillotine, dont on ne voulait plus dans son ancien quartier d'élection, excédé qu'on était par la puanteur des chariots de cadavres et par leur bruit incessant, avait été installée à la barrière du Trône, au début de l'actuel cours de Vincennes. Elle débitait ferme. C'est là que Sanson établit son record personnel : cinquante-quatre raccourcis en vingt-quatre minutes. Deux minutes vingt-cinq secondes par tête tout compris : installation sur la planche à bascule, décollation et dépôt dans le panier à son. Dans les cinquante-quatre, au moins cinq garçons et filles entre seize et dix-huit ans.

On voit le linteau de bois sous lequel passèrent, comme le rappelle une plaque, « les tombereaux sanglants de la guillotine », car le jardin de ce qui était à l'époque la maison de santé du docteur Coignard fut partiellement réquisitionné pour l'installation de deux fosses communes. À côté de la porte charretière, « les fossoyeurs établirent leur bureau [dans un ancien oratoire], où ils se répartirent les vêtements dont ils dépouillaient leurs victimes ». Mille trois cent six corps sont ensevelis dans ces deux fosses de six mètres et demi de profondeur, de quarante et de soixante mètres carrés de superficie. Les têtes étaient jetées dans les intervalles. Cent quatre-vingt-dix-sept femmes : sept religieuses de Paris, cinquante et un ex-nobles, cent vingt-trois femmes du peuple (est-ce qu'on enseigne à l'école que la Terreur fut si prodigue de la vie des petites gens ?) et seize carmélites de Compiègne. Celles du *Dialogue* si vigoureux et si troublant de Bernanos. (« Ce n'est pas la règle qui nous garde, c'est nous qui gardons la règle. ») Celles qui chantèrent sur les marches de la guillotine jusqu'à ce que la prieure, les gravissant la dernière, n'ait plus que sa voix à faire entendre...

Mille cent neuf hommes : cent soixante-dix-huit gens d'épée, cent trente gens de robe, cent huit gens d'Église, cent huit ex-nobles, cinq cent soixante-dix gens du peuple. Ces six semaines-là, le bourreau avait dû se lever tôt. C'est qu'il avait du boulot : il décolla autant de particuliers en quarante jours à la barrière du Trône (-Renversé) qu'en treize mois place de la Concorde (de la Révolution). C'est en mémoire de ces suppliciés qu'est dite, chaque année au mois de juin, la messe à laquelle assistent Xavier et Isabelle, comte et comtesse de V..., votre serviteur dans leur sillage. Soyons juste, c'est surtout la mémoire des aristocrates qui est évoquée ici. D'abord parce que la quasi-totalité des cent vingt-trois femmes et des cinq cent soixante-dix hommes du peuple ensevelis dans ces fosses n'ont pas été identifiés par leurs fossoyeurs mais seulement comptabilisés. Ensuite parce que les familles des nobles guillotinés, lorsqu'elles connurent l'emplacement des charniers où reposaient les leurs, formèrent une société qui acheta l'ancienne maison de santé du docteur Coignard, transforma une partie du jardin en cimetière réservé aux descendants des suppliciés et établit à côté de lui le couvent puis la chapelle des religieuses des Sacrés-Cœurs.

Dorment ici les restes du plus beau linge de l'armorial de France : Lévis, Montmorency, Biron, Noailles, La Rochefoucauld, Luynes, Nicolaï, et le général La Fayette, mort dans son lit en 1834, mais gendre de la duchesse d'Ayen, guillotinée en juin 1794. Nul ne trouve à Picpus le repos éternel s'il ne peut faire la preuve de ses quartiers. À l'exception de Théodore Gosselin dit G. Lenotre, l'auteur de *Vieilles Maisons, vieux papiers* et de *Captivité et mort de Marie-Antoinette*, best-sellers du début du siècle dont le succès contribua à consoler un peu les descendants des suppliciés.

De la sortie de la chapelle à l'emplacement des fosses communes, des dizaines de bougies ont été déposées au sol, dessinant un sentier qui traverse le cimetière. Tout à l'heure, tandis que la messe touche à sa fin, Xavier et Isabelle et trois autres jeunes couples sortiront pour les allumer, chacun armé d'un chalumeau relié à un camping-gaz… (Le progrès fait rage.) C'est par ce chemin de lumière que les deux centaines de descendants des guillotinés se rendront à l'ossuaire, tantôt récitant le chapelet (« pour les malades », « pour ceux qui sont sans espérance »), tantôt chantant l'*Ave Maria*, le *Regina Cœli* ou le *Salve Regina* (« *Eia ergo, advocata nostra, illos tuos misericordes oculos ad nos converte…* ») Une méchante odeur, sucrée, chimique, flotte sur cette procession où j'ai pris rang. Comment est-ce possible ? Nous sommes en plein air, dans un jardin, un soir de printemps… Serait-ce l'hôpital voisin qui nous expédie ces effluves ? Non. Ce sont les lumignons posés au sol. En fait, il s'agit de bougies déodorantes (et antimoustiques) que leur pot d'emballage protège du vent et de ses brusques sautes. Il y en a sans doute trois ou quatre cents réparties le long du chemin à raison d'une tous les mètres. Chacune dégage ce « parfum » propre aux « purificateurs d'ambiance » et qui écœure lorsqu'une seule bougie brûle. Alors, quatre cents…

Des balcons des tours mitoyennes – les unes plus

cossues que les autres – et bien qu'il soit l'heure du film à la télévision, de petites grappes humaines observent le défilé sans commentaires audibles d'en bas et sans agitation. Que pensent-ils ? Peut-être sont-ils habitués à cette manifestation annuelle. Sans doute la prennent-ils pour une cérémonie religieuse parmi d'autres et ignorent-ils que le flux qui coule sous leurs terrasses fréquente plus souvent le Jockey-Club que le 12e arrondissement (dont le maire a rejoint le cortège). D'ailleurs, rien ne distingue évidemment le groupe de ces deux cents pèlerins du reste de l'humanité. Celui-ci, incontestablement, pourrait tenir dans un film l'emploi du vieil aristocrate. Sec et droit, le nez un peu long mais fin et bien dessiné, l'œil blasé juste ce qu'il faut, de belles mains, un costume gris sombre avec lequel il semble être né, une démarche sûre et calme… Oui, mais son épouse, fagotée dans une robe qui la boudine, porte un sac à main dont la (grande) marque est visible à cent pas et un chapeau comme ceux que l'on mettait en Provence aux mules pour les protéger du cagnard. À trois rangs de ce couple, voici une paire de bons vivants, dont les formes et le teint couperosé laissent penser que l'on a un château à la campagne. À vrai dire, on les prendrait aussi bien pour des bouchers enrichis. Leurs enfants, qui sont en train de négocier le tournant de l'adolescence, ne prêtent qu'une médiocre attention à la cérémonie. Ils se chuchotent on ne sait quoi, sous l'œil courroucé de leur suivant immédiat, qui, lui, en fait trop dans le genre sang bleu à tous les étages… Il a la tête de Noël Roquevert (je suis sûr qu'il soigne cette ressemblance avec ce comédien spécialisé dans les rôles de scrogneugneu), taille sa moustache et sa barbe « à l'impériale » et bombe le torse sous un gilet noir piqueté de motifs gris. Il ne lui manque, pour être complet, qu'un monocle. (Je serais assez content d'entendre un titi d'une des tours voisines lui lâcher l'une de ces vannes qui ont fait la réputation de l'esprit de Paris, mais il y a peu de chances…)

Quelques jeunes gens s'appliquent à « faire genre ». Celui-là pose au dandy. Pantalon bronze, veste moutarde, gilet marron, cravate noire, cheveux mi-longs... Attention, romantique en phase d'éruption. Chez d'autres, l'absence de menton ou le vide du regard trahissent peut-être un excès de consanguinité dans les mariages des générations précédentes. Mais, dans son ensemble, la seule caractéristique qui pourrait différencier ce groupe, c'est l'allure militaire d'une proportion remarquable de messieurs, la sagesse – pour ne pas dire la platitude – de la toilette des dames (mais c'est une cérémonie de deuil, pas un défilé de mode), les cheveux courts des garçons et la coiffure avec bandeau ou cercle des filles.

Voilà la nécropole traversée – un œil attentif peut y lire les traces du tribut payé à la patrie en 14-18 et pendant la dernière guerre par les descendants des guillotinés. Nous sommes devant les fosses communes que recouvre un simple gazon. Bien entendu, c'est ici l'endroit le plus émouvant de ce cimetière, dans sa nue simplicité. Après la bénédiction du charnier par l'évêque, que suivra celle de la cohorte des participants, j'aperçois, sur le mur qui sépare le cimetière et les fosses, une plaque rappelant le souvenir d'« André de Chénier, fils de la Grèce et de la France [qui] servit les muses, aima la sagesse, mourut pour la vérité. 1762-1794 ».

Je ne jurerai pas que les *Ïambes* que composa à la Conciergerie dans ses dernières heures celui qui avait été un partisan de la Révolution, dont il devait mourir en en maudissant la pente terroriste et liberticide, comptent parmi les poésies que l'on fait connaître aux élèves des lycées et collèges.

> Comme un dernier rayon, comme un dernier zéphyre
> Animent la fin d'un beau jour
> Au pied de l'échafaud j'essaye encore ma lyre.
> Peut-être est-ce bientôt mon tour ; [...]
> Quoi ! nul ne resterait pour attendrir l'histoire
> Sur tant de justes massacrés ;

Pour consoler leurs fils, leurs veuves, leur mémoire ;
Pour que des brigands abhorrés
Frémissent aux portraits noirs de leur ressemblance ;
Pour descendre jusqu'aux enfers
Chercher le triple fouet, le fouet de la vengeance,
Déjà levé sur ces pervers ;
Pour cracher sur leurs noms, pour chanter leur supplice !
Allons, étouffe tes clameurs ;
Souffre, ô cœur gros de haine, affamé de justice.
Toi, Vertu, pleure si je meurs.

Non. Je ne crois pas que l'on connaisse beaucoup ces vers. L'enseignement de la littérature ne saurait contredire celui de l'histoire, tout entier dominé (et encore aujourd'hui, jusqu'à quel point ?) par l'ukase selon lequel « la Révolution est un bloc ». Nous ne cessons de proclamer notre soumission à l'impératif catégorique du « devoir de mémoire » envers les victimes des dictatures, des tyrannies, des totalitarismes. Mais nous détournons encore les yeux lorsque l'on évoque les geôles de 1794 remplies de personnes arrêtées sur simple dénonciation, privées de tout droit par des terroristes se réclamant des droits de l'homme et conduites sans jugement à la mort, qu'elles aient quinze ou quatre-vingt-cinq ans, qu'elles soient homme ou femme, charrette après charrette, accompagnées des vociférations de la pire des foules, celle qui se nourrit de ressentiment, camoufle sa lâcheté sous son nombre et se grise de constater que le monde est assez veule pour lui laisser libre cours...

Il est tout de même étonnant que ce soit les participants à la messe et à la cérémonie de ce soir et eux seuls qui accomplissent ce devoir de mémoire, même si, pour la plupart d'entre eux, il s'agit surtout, et peut-être uniquement, d'un rite de caste, et que beaucoup seraient choqués que l'on englobe dans la même sollicitude leurs distingués ancêtres et les enfants de fourreurs émigrés de Pologne rassemblés au Vélodrome d'hiver ou les pitoyables zeks des camps d'Union soviétique...

Les derniers du cortège ont maintenant accompli leurs devoirs. Xavier et Isabelle, avec quelques amis, débarrassent le jardin des sœurs blanches des bougies qui marquaient le chemin. On se congratule, on se demande des nouvelles. Plusieurs vicomtes rencontrent plusieurs vicomtes. Ils se racontent leurs histoires habituelles. Le comte de G..., qui préside l'association organisatrice de cette cérémonie, reçoit des compliments. J'y joins les miens, en m'étonnant qu'un vendredi tiède et ensoleillé de juin on puisse trouver autant de volontaires pour célébrer un souvenir si pâle qu'il est presque effacé. « Oui, sur six cents membres, il devait y en avoir ce soir entre le tiers et la moitié. — Six cents membres ? Diable ! Belle réussite ! — Oui, fait écho le comte, depuis quelques années nos effectifs ont sensiblement progressé. Le bicentenaire nous a beaucoup relancés... » (Les voies de Dieu sont décidément impénétrables.) « Ce soir, reprend le comte-président, c'était tout à fait réussi. Dommage que Philippe de M. [c'est le duc que le programme des festivités annonçait comme coprésident de la cérémonie] n'ait pas pu venir. Je ne comprends pas ce qui lui est arrivé. » C'est à moi qu'il semble demander une explication. Avant que j'aie le temps d'avouer ma propre perplexité quant à l'absence du noble personnage, le gardien du cimetière surgit et nous éclaire : « Monsieur le duc a téléphoné, monsieur le comte. Il a été pris dans des embouteillages terribles. Il a préféré renoncer que d'arriver en retard. Il a appelé de sa voiture. Il était furieux. Il était positivement furieux. » J'adopte un air que j'espère très bon genre et, d'un ton rassurant, je confie au gardien, qui en reste médusé : « Ne vous inquiétez pas, mon vieux. Furieux, c'est comme ça que doit toujours être un duc ! » Et je sors par le fond.

Le Parisien aime à avoir le mot de la fin et à se donner l'illusion que c'est lui qui règle la comédie. Et, comme je l'ai dit : « *Ich bin ein Pariser...* »

Asphalt jungle

Voir Paris sans voir La Courtille
Où le peuple joyeux fourmille,
Sans fréquenter les Porcherons
Le rendez-vous des bons lurons,
C'est voir Rome sans voir le pape.
Aussi, ceux à qui rien n'échappe
Quittent souvent le Luxembourg
Pour jouir, dans quelque faubourg
Du spectacle de la guinguette.
Courtille, Porcherons, Villette,
C'est chez vous que, puisant ces vers,
Je trouve ces tableaux divers.

Vadé, *La Pipe cassée*, 1750.

Cette presse me plaît, j'en aime le tracas.

Du Lorens, *Paris*, 1646.

Il n'est pas défendu d'avoir un but, mais à l'arrière-plan et à condition que l'on se sente avec lui de grandes libertés […] mes promenades restent pour moi des surprises […] comme le bon nageur de Baudelaire « qui se pâme dans l'onde ».

Jules Romains, *Les Hommes de bonne volonté* (*Crime de Quinette*), 1934.

Paris est une ville cyclable. Je dirais même une ville éminemment cyclable. C'est d'ailleurs l'un de ses mystères. Son relief, en effet, est rien moins qu'encourageant. Si l'on excepte deux étroites bandes de chaque côté de la Seine – dont l'une, rive droite, s'élargit aux dimensions du Marais et l'autre, rive gauche, s'évase au Champ-de-Mars et se rétrécit au fur et à mesure qu'elle suit le boulevard Saint-Germain, Paris a les artères en pente. Le cycliste s'en rend compte mieux que quiconque et à ses dépens. La plaine Monceau se mérite, au départ de Saint-Augustin. L'Étoile se conquiert de quelque point qu'on l'aborde. De l'île de la Cité à la place d'Italie, il faut appuyer ferme sur les pédales. De l'Opéra au canal Saint-Martin, il est vain d'espérer avancer souvent en roue libre. Gravir la rue des Martyrs peut s'apparenter à un calvaire. Atteindre le cimetière de Belleville depuis le cimetière de Charonne ressemble assez à un exercice de pénitence : en toute saison on en sort en nage. Pour gagner Montparnasse, on souffle. Pour atteindre Montmartre, on peine. De la République à la Nation, la pente est longue mais régulière. Elle a même l'air douce. N'en croyez rien, c'est une sournoise. Quant à escalader la Butte, on fera bien de ne s'y risquer qu'après une copieuse ration de sucres lents. Le cycliste du dimanche se moque des délais et se fiche de n'atteindre son but qu'en sueur, mais celui qui a adopté la bicyclette comme véhicule de tous les jours doit supporter le désagrément de se sentir humide de transpiration où qu'il aille, et quelquefois la chemise boutonnée et la cravate rendues nécessaires par son métier ou par l'importance du rendez-vous auquel il se rend lui donnent une apparence de dignité au rebours de ce qu'il ressent intimement.

S'il atteint l'objectif qu'il s'était fixé et s'il en revient sain et sauf, le cycliste conséquent se doit de consacrer quelques minutes d'action de grâces à son saint protecteur. Les associations défendant le vélo ont calculé que toutes les cinq cents heures l'*homo velocipedis* est victime, à Paris, d'un accident sérieux. Pour quiconque a utilisé une bicyclette ne serait-ce qu'une fois, ce chiffre paraît extrêmement faible. Car c'est peu dire que, dans la capitale, le cycliste est entouré d'ennemis : il vit et circule sous la menace perpétuelle de prédateurs. Ne parlons pas des voleurs de bicyclettes : le risque de figurer parmi leurs proies est en moyenne d'une fois par an. Au moins leur geste a-t-il pour conséquence de mettre leur victime (provisoirement) à l'abri des dangers du trafic, sinon de la honte du retour en métro et de la fureur de constater qu'il habite une ville où rien n'est à l'abri de personne.

En plus des voleurs, dont l'ingéniosité, l'industrie et le culot viennent à bout des meilleures précautions, le cycliste doit se garder de tous. Et d'abord des deux-roues à moteur, motos, scooters ou cyclomoteurs. La cylindrée compte peu sauf, peut-être, au moment du choc. Tous ces engins roulent à peu près à la même vitesse. Il n'y a que les pointes qui les distinguent et tous ont pour spécialité d'aborder la bicyclette par l'arrière, de n'importe quel côté et d'une manière telle que celui qui pédale ressent avec vivacité non seulement le risque qu'il vient d'encourir, mais encore l'humiliation de quelqu'un qui ne compte pas, n'existe pas, ou alors comme une gêne dont la persistance agace à l'instar d'un insecte... Tout dans leur conduite laisse supposer que les livreurs de pizzas et les coursiers sont exclusivement recrutés à la sortie des cours d'assises des mineurs et qu'ils suivent un entraînement élaboré jusqu'à ce qu'ils atteignent le stade de projectile humain. Aucun obstacle ne les arrête. Aucun ne les freine. Les feux de circulation ne retiennent pas leur attention. Ils peuvent indifféremment surgir d'un trottoir ou couper soudainement la rue pour se réfugier sur l'un d'entre eux. L'interdiction qui leur est faite d'utiliser les pistes dessinées pour les vélos agit sur eux comme un puissant excitant et sa transgression leur est tout à fait habituelle. Ils connaissent par cœur les sens interdits, qu'ils empruntent chaque fois que cela peut leur faire gagner du temps. Rouler à l'envers d'un sens giratoire leur est une friandise. Ils sont imprévisibles car même ce qui les met en position de courir un danger grave n'a pas d'incidence sur leur comportement. Pendant la prochaine guerre, on constituera avec eux des légions de kamikazes.

Si les coursiers et autres livreurs ne craignent pas ce qui peut leur nuire, on imagine que les bicyclettes ne leur font même pas lever un sourcil. Ils ont adopté un point de vue *ne varietur* : « Les vélos n'ont qu'à faire gaffe. » Les vélos font gaffe. Ils ne font même que ça, mais pour échapper à un vélomoteur de Pizza Speed, ils se placent bien malgré eux sur la trajectoire d'une mobylette de Presto Deliver à laquelle ils n'échappent qu'en frôlant la course d'un scooter de chez Éole Plus, peint aux couleurs de l'enfer, ou en tutoyant le parcours d'une Vespa noir Borniol dont le coffre indique qu'elle est chevauchée par un cosaque de chez Chrono Plus.

(Les sociétés de courses parisiennes portent rarement des noms qui incitent à leur prêter une conception pacifique de leur activité. « Les Messages », « M. le Coursier », « Les Mousquetaires » ou « Les Goélands » font figure d'exception. « Icare » ou « Pégase », « Météor » ou « Mistral », peuvent encore prétendre au bénéfice du doute. « Extrem », « Défi », « Km Heure », « Vitesse Maximum », « Drakkar », « Cible Express », « Au but » ou « Boomerang » ne laissent subsister que deux hypothèses : ou bien le dessein de ces entreprises est de faire figurer la livraison et la messagerie au nombre des disciplines olympiques [section sports de combat], ou bien il s'agit d'officines vouées à la préparation de la guerre civile urbaine que certains films d'anticipation nous présentent comme l'inéluctable aboutissement de notre civilisation. Dans cette seconde hypothèse, je n'exclus pas que les sociétés de courses envoient leur personnel s'entraîner secrètement à

Bogota, ville dans les rues de laquelle on se savate pour un oui et on se révolvérise pour un non.)

Bien qu'ils soient moins à craindre que les hommes-canons dont je viens d'esquisser les performances, les motards – j'entends les chevaucheurs de confortables cylindrées – n'en constituent pas moins une menace constante pour le cycliste. Le motard parisien est un frustré permanent. Sauf entre dix heures du soir et six heures du matin et mis à part les voies sur berge et le périphérique, il ne parvient que rarement à passer la troisième et à conserver une allure qui justifie ce passage. Placé, en raison de l'abondance des carrefours et de la densité des encombrements, dans l'impossibilité de faire usage (et, accessoirement, de faire montre) de la puissance qui vrombit entre ses cuisses, il a tendance à compenser en surestimant la maniabilité de son engin et en exagérant sa capacité à se faufiler dans la moindre anfractuosité du trafic.

Or c'est précisément là, dans ces poches de vide entre deux files de voitures, dans ces sillons étroits entre un autobus et un trottoir, dans ces dépressions inexplicables et imprévisibles que laisse se former le maelström de tôles, que le cycliste, après s'y être délicatement glissé, poursuit sans bruit la modeste affaire de son déplacement. Sa seule présence suffit à briser la manœuvre sinueuse du motard et, souvent, à forcer ce mamelouk des temps modernes à connaître la dernière des humiliations : mettre un pied à terre. Le motard montre les dents. « Sire, dit le vélo, que Votre Majesté ne se mette pas en colère, mais plutôt qu'elle considère que je m'en vais me déplaçant infiniment moins vite qu'elle et que, par conséquent, en aucune façon je ne puis en troubler la locomotion. — Tu la troubles », reprend le motard plein de rage et, d'un huitième de tour de sa poignée d'accélération, il se place devant la bicyclette et lâche au nez de son conducteur une épaisse bouffée de gaz carbonique...

Encore est-ce là le cas de figure le plus civil. Ce n'est pas le plus fréquent. D'ordinaire, le motard qui découvre un vélo dans un espace dont il visait la conquête ou qu'il entendait traverser en vainqueur adopte le parti de foncer ostensiblement sur lui, en faisant bien voir qu'il considère – souvent à juste titre – que, dans la jungle des villes, les petites bêtes n'ont pas de meilleure sagesse que de se tenir à l'écart des grosses.

À l'exception de ces deux catégories de deux-roues à moteur, le cycliste n'a guère à craindre – redouter serait un verbe plus approprié – que les voitures, les camions, les camionnettes, les fourgons postaux (toutes catégories qui déboîtent à l'aveuglette, s'arrêtent à leur gré et ouvrent les portières au petit bonheur), les autobus de la Régie autonome des transports parisiens – ils puent et n'aiment rien tant que doubler un vélo et puis se rabattre serré pour stopper à l'arrêt qu'ils savent proche –, les cars de police, les voitures de police, les motos de police, quelquefois les chevaux de police – ceux de la Garde républicaine –, les véhicules en livraison, les taxis en circulation, les taxis à l'arrêt, les taxis hélés depuis un trottoir incertain par un passant invisible, les taxis caractériels qui considèrent que la tolérance accordée aux bicyclettes pour circuler dans les couloirs qui leur sont réservés constitue : premièrement, une offense personnelle ; deuxièmement, le signe le moins discutable de la fin de notre civilisation chrétienne occidentale, de l'avènement du règne du je-m'en-foutisme et de la perte irréparable que notre pays a connue avec la mort du général de Gaulle (qui, de toute façon, mais ne le faites pas remarquer, aurait eu cent sept ans l'année où paraît le livre que vous tenez entre les mains). L'ensemble de ces constatations conduit le taxi susnommé à coincer le vélo contre le trottoir tout en lui jetant régulièrement un regard destiné à lui signifier que cette manoeuvre n'est nullement due à une faute d'attention mais qu'elle est délibérée et ne prendra fin qu'avec la certitude que le cycliste est tombé. Ce résultat atteint, le taxi caractériel se carapate au diable vauvert raconter à ses copains de CB qu'il vient d'enrichir son tableau. (Lecteur, tu voudras bien croire que les phrases que tu viens de lire sont le fruit d'une expérience et d'une observation directes, enrichies des confidences qu'ont bien voulu me faire d'autres rescapés.)

En saison – de mai à novembre – il est prudent de compter avec les sautes d'humeur des conducteurs de cars de touristes. Je n'entrerai pas dans le détail des différences entre ceux de ces véhicules qui sont affrétés et conduits par des Français et ceux qui viennent du pays des individus qu'ils transportent (Pologne, Tchécoslovaquie, Roumanie si vous avez tiré le gros lot). Disons simplement que les principaux inconvénients des premiers sont d'écraser le cycliste, de stationner là où il trouve habituellement refuge et de lâcher inopinément, comme une bique ses crottes, une quantité d'êtres humains désorientés qui encombrent la chaussée et entreprennent des déplacements brusques et contradictoires. Ce que l'on peut reprocher aux autobus de la seconde catégorie est exactement de la même nature. Il convient d'y ajouter de fréquentes hésitations sur l'itinéraire le plus approprié et donc des caracoles qui exigent du cycliste une vigilance de pilote de chasse. Elle lui est d'autant plus difficile que les gaz qui s'échappent de ces mastodontes sont toxiques dès la première inhalation et qu'il se dégage de ces véhicules une impression de vétusté – et donc de fragilité – si forte qu'elle engendre la crainte de les voir se détacher en pièces tranchantes et rouillées dont ce serait bien le diable s'il n'y en avait pas une pour tomber sur la margoulette du vélocipédiste.

Enfin, et c'est bien là le plus sympathique des inconvénients que présente ce second type d'engins, ils sont occupés par des gens pour qui la pauvreté est un souvenir proche, le voyage un privilège récent et Paris un nom magique. N'étant pas encore blasés, ils manifestent volontiers leur joie d'y être enfin et leurs bonnes dispositions à l'égard des Parisiens en leur adressant des saluts dont ils espèrent légitimement qu'on les leur retourne. Pour une raison que j'ignore – peut-être le vélo jouit-il, chez eux, d'un statut différent de celui qu'il a conquis dans notre capitale –, le cycliste attire particulièrement l'attention des touristes de ce deuxième type, qui lui envoient volontiers leurs saluts en priorité. Lâcher son guidon, même d'une seule main, constitue ce que l'on appelle volontiers aujourd'hui une « prise de risques ». Personnellement, la perspective de voir surgir un livreur de Pizza Speed ou un coursier de Chrono Plus au moment où j'adopterai cette attitude m'a toujours conduit à observer une certaine réserve avec les étrangers voyageant en car à travers Paris. Je me déculpabilise en ne manquant jamais de leur faire les signaux les plus affectueux lorsque, du haut d'un pont ou du bord d'un quai, je les vois passer en bateaux-mouches. Malheureusement, j'ai l'impression que ce ne sont jamais les mêmes.

Que reste-t-il d'autre à redouter au vélocipédiste ? Peu de chose. Les patineurs à roulettes, peut-être, dont les engins portent aujourd'hui des noms anglais, sans doute en hommage à l'amélioration spectaculaire de leurs performances. Si spectaculaire qu'elle leur a fait changer de nature : les patins étaient un instrument de promenade ou de jeu, les « rollers » et les « skaters » sont des engins balistiques qu'il convient de ranger dans la même famille que le bobsleigh. Il est rare, toutefois, qu'une bicyclette emprunte une piste de « bob », tandis qu'il est fréquent qu'un roller dispute à un vélocipédiste son couloir de circulation. Or, si le roller vise à atteindre la vitesse du springbok – ou antilope d'Afrique australe – (soit à peu près quatre-vingt-quinze kilomètres heure), il se déplace plutôt à la manière d'un crabe, tirant des bords de droite et de gauche. L'aire de sa course atteint donc une largeur telle qu'elle démultiplie sa capacité de faucher ce qui la contrarie. Les progrès techniques mentionnés plus haut ayant rendu les rollers presque silencieux et celui qui les a chaussés n'étant équipé d'aucun avertisseur sonore ni de grelots, ce n'est qu'à un effort d'attention épuisant que le cycliste doit de ne pas expérimenter ce que le produit de la masse par le carré de la vitesse peut représenter d'énergie.

Cette vigilance, le conducteur de bicyclette doit aussi l'exercer à l'égard du piéton. Le piéton appartient à une espèce urbaine dont Paris exacerbe la dangerosité. Il semble qu'il considère le cycliste comme un relaps, voire un Judas. Dans le meilleur des cas, il le punit par le mépris, en l'ignorant. Le piéton s'installe donc, en attendant que le feu rougisse, sur la portion de chaussée qu'empruntent ordinairement les vélos. Pas plus que le motard parisien n'accepte de mettre pied à terre, le piéton de Paris n'envisage de regagner le trottoir en marche arrière. Il préfère adopter à l'égard du vélo un comportement glacial et téméraire, comparable à celui qui enflamme les aficionados du matador de toros Jesulin de Ubrique, fameux dès l'époque où il n'était encore que novillero pour le flegme avec lequel il a toujours reçu la charge de son adversaire, droit, immobile, attirant la bête au plus près de son corps, semblant se soucier de rien d'autre que de conserver impeccable son habit de lumière, malgré la poussière soulevée par les attaques de l'animal.

Face à un adversaire de cette classe, le cycliste se sent une bête, presque une brute. Le tintement de sa sonnette, aigrelet, ridicule, n'a sur le piéton aucun effet positif. Au contraire, il ne fait qu'exciter son dédain, le conduit à raidir sa pose, à affirmer sa position. C'est pourquoi le vélocipédiste a quelquefois équipé son engin d'une corne à poire, pensant que son gros « pouet », qui évoque les farces des clowns, sera de nature à détendre l'atmosphère et à envoyer au bipédiste un message subliminal contenant tout à la fois des excuses pour la gêne occasionnée, une supplique pour obtenir le passage et un clin d'œil signifiant : « Quand même, il y a plus de proximité entre toi et moi qu'entre nous et un automobiliste. » Il est rare que son message atteigne son destinataire, même s'il est accompagné d'un sourire (faux et forcé) tendant à souligner la bonne volonté du cycliste. Il ne reste donc plus qu'à viser entre le piéton et les voitures, en espérant que le premier n'avancera plus et que les secondes ne tourneront pas à droite. (On observera que, parmi les différentes espèces de piéton, la plus dangereuse, sans contredit possible, est celle qui pousse une voiture d'enfant. Traversant hors des clous et au feu vert, ses représentants regardent ostensiblement devant eux et semblent dire au vélo : « Vas-y si tu l'oses, abuse, sur un enfant, du droit que te concède le code de la route. » Cette tactique du bouclier humain – rarement employée lorsque ce sont des voitures ou des deux-roues à moteur qui se présentent au carrefour – est très éprouvante pour le moral du cycliste. Habitué, en effet, à vivre dans la peau d'une victime virtuelle, entraîné aux réflexes du gibier, voilà qu'on le transforme en agresseur, en barbare, en Wisigoth.)

Un autre danger menace le vélo : les autres vélos. Quoi qu'il en coûte, il faut reconnaître que le bicycliste parisien brûle les feux rouges chaque fois qu'il le peut pour s'épargner la fatigue de trop nombreux départs arrêtés et continuer à profiter de la vitesse acquise. Il remonte les sens interdits, bondit sur les trottoirs, zigzague entre les voitures, déboule de derrière un camion, tourne sans avertir, s'offre une soudaine pointe de vitesse qui oblige ses congénères à se jeter de côté ou, au contraire, adopte un pédalé majestueux et un train de sénateur qui forcent, pour le dépasser, à prendre le risque d'empiéter sur la trajectoire des « à moteur ». Bref, l'imprévisibilité et l'irresponsabilité sont aussi les deux mamelles de la circulation à bicyclette et les deux piliers de la précarité de la condition du cycliste, dont il faut rappeler qu'il connaît rarement d'autres accidents que sérieux.

Ces accidents sont favorisés par plusieurs facteurs. On ne sait pas assez, par exemple, qu'à Paris le vent souffle souvent et qu'il affectionne de s'exprimer par rafales. Le vélocipédiste est souvent déporté sans qu'il y aille de sa faute et sans que la malveillance y soit pour quelque chose. D'autre part, le pavé de la capitale est fréquemment recouvert d'huile échappée de divers « à moteur », ou de débris de verre laissés là par quelque accident. Certaines artères – la rue Tiquetonne, la rue Montorgueil et aussi la place Vendôme – ont été récemment repavées avec de petits blocs d'un minéral étonnant. Gris clair à l'origine, il tourne très rapidement à une variété de gris sale que ne parvient à modifier aucun nettoyage. Il a la propriété de fixer les déjections canines et de potentialiser leurs effets de dérapage. En outre, les pavés se déchaussent très souvent, formant de petits cratères ou de conséquents nids-de-poule que la voirie parisienne ne réussit pas à combler. Tout se passe en effet comme si, dès qu'un pavé de ce genre nouveau quittait son emplacement, il devenait nécessaire de dépaver et de repaver entièrement la rue pour réparer ce dégât en apparence bénin. La cherté d'une telle opération – et la fréquence à laquelle elle devrait se répéter – conduit les services municipaux à préférer réinstaller tant bien que mal des pavés disjoints entre lesquels se forment un sillon fatal aux roues de bicyclettes, ou des monticules de pavés dont deux ou trois laissent saillir une arête vive, ce qui ne peut qu'aggraver les effets du sillon que je viens d'évoquer. Par temps de pluie, on ne doit pédaler sur un tel revêtement que si l'on possède l'assurance absolue que l'on n'aura pas à freiner.

Spontanément et sans être influencée par aucun résultat d'élection, la Mairie de Paris décida, au printemps 1996, de se préoccuper de la circulation des bicyclettes, que de nombreux Parisiens avaient ressorties des caves pendant l'éprouvante grève des transports en commun de l'hiver 1995. C'est alors que naquirent les couloirs réservés aux vélos. Conçue avec tous les raffinements de l'esprit des bureaux tel qu'il est cultivé à Paris depuis que cette ville est capitale, cette invention fut d'abord accueillie comme le fruit d'un programme de protection et de sauvegarde des vélocipédistes. À peine était-elle en place que les esprits les moins clairvoyants revenaient sur leur erreur. Il s'agissait en fait d'un système destiné à résoudre la question du déplacement des vélos par l'extermination des cyclistes au moyen de couloirs de la mort. Par un effort d'économie digne d'éloges, ce système faisait appel non à des exterminateurs municipaux mais aux usagers ordinaires (non cyclistes) des rues, avenues et boulevards, modestes contribuables auxquels aucune rémunération particulière ne serait versée pour leur participation à ce vélocipédisticide.

Que l'on se figure une bande, large d'environ un mètre cinquante, délimitée, à droite dans le sens de la circulation, par le trottoir et, à gauche, par une succession de boudins en caoutchouc en demi-cylindre d'environ quarante centimètres par dix, espacés d'à peu près un mètre et par des bitoniaux en plastique souple-dur hauts de soixante-quinze centimètres, fichés verticalement à l'entrée et à la sortie de cette bande et partout où les services municipaux ont jugé bon qu'ils soient érigés sans que le principe qui préside à leur plantation soit intelligible.

Désormais, le cycliste est tenu de ne circuler qu'à l'intérieur de l'espace ainsi délimité, partout où il existe. Des agents de police, à peine installés les premiers couloirs de la mort, ont courageusement montré qu'ils ne craignaient pas d'affronter le vélocipédiste en infraction avec cette prescription plutôt que le cyclomotoriste venant de brûler un feu rouge pour ne pas livrer sa pizza en plus de trente minutes. (Coût de l'amende : deux cent cinquante francs, soit un dixième du prix d'un vélo de ville haut de gamme. L'équivalent serait de dix mille francs pour le possesseur d'une berline de moyenne gamme. Notons qu'un tel possesseur, pour risquer une amende de cette importance, devrait écraser un piéton. Et encore… Il vaudrait mieux pour lui être récidiviste.)

Le demi-cylindre en caoutchouc est trop haut pour que le cycliste puisse le franchir sans danger ni dommage, et beaucoup trop bas pour qu'il lui assure, vis-à-vis des autres véhicules, la plus infime protection. Ces derniers ne s'en soucient d'ailleurs pas plus que d'une guigne et, qu'ils aient deux ou quatre roues, qu'ils soient de tourisme ou de transport public, tous le passent allégrement, souvent sans même s'en apercevoir, et fondent sur le cycliste comme la lionne sur la gazelle. (On sait que, chez le roi des animaux, la répartition des tâches fait échoir le devoir de la chasse à la lionne tandis que le lion reçoit en partage la charge de la sieste.)

Il est notoire que, dans la savane, la gazelle a quand même une chance. Mais c'est à condition qu'une lionne ne surgisse pas tous les vingt mètres, ce qui est le cas dans le couloir de la mort et permet d'évaluer les chances du cycliste à epsilon, d'autant que le bitoniau vertical souple-dur, s'il est assez souple pour plier sous le choc d'une voiture, d'une moto ou d'un deux-roues et se redresser immédiatement après, s'avère trop dur pour se conduire de la même manière s'il est heurté par un cycliste, auquel il résiste à peu près comme le ferait un muret (il en a la hauteur). On peut donc profiter de la concentration forcée des vélos dans leur couloir pour aller les y chasser directement ou, si l'on a l'esprit plus farceur, pour les conduire par serrements successifs soit à s'écraser contre le bitoniau vertical, soit à perdre l'équilibre en heurtant le bord du trottoir, soit encore à s'abîmer dans un périlleux zigzag après une ou plusieurs rencontres avec le demi-cylindre en caoutchouc (lequel, par temps humide, constitue une mini-patinoire).

Remarquons que le piéton est admis à prendre sa part de ce jeu à suspense. Il lui suffit d'occuper, si possible inopinément, une partie du couloir réservé au cycliste pour que celui-ci soit contraint soit de heurter le bitoniau vertical souple-dur, soit d'affronter la succession de demi-cylindres en caoutchouc glissant, à moins qu'il ne préfère, s'il a la chance de se faufiler entre deux de ces demi-cylindres, rejoindre la portion de chaussée sur laquelle les automobilistes se meuvent désormais avec d'autant plus d'insouciance qu'ils sont convaincus que les vélos sont contenus dans leur espace réservé. C'est pourquoi la brusque apparition d'un cycliste en dehors de sa réserve provoque à plus ou moins court terme ce que provoque toute sortie inopinée hors d'une réserve depuis que ce gracieux concept a été inventé : un accident malheureux.

Au moment où j'écris ces lignes, les statistiques sur le populicide des vélocipédistes n'ont pas encore été dressées. En me fondant seulement sur le résultat de mes observations personnelles directes et sur les récits recueillis de la bouche de témoins et de survivants dignes de foi, je pense seulement pouvoir affirmer que quiconque persiste, après l'invention des couloirs réservés, dans son intention de se déplacer dans Paris à bicyclette se montre aussi raisonnable qu'un homme qui, au lendemain de la Saint-Barthélemy, aurait arrêté dans la rue un sbire du duc de Guise pour lui demander le chemin du temple de l'Oratoire.

Chacune des raisons de craindre pour sa sécurité que j'ai énumérées dans les pages précédentes est plus que largement suffisante pour renoncer à l'usage de la bicyclette dans Paris. Pourtant, je l'ai dit, Paris est une ville éminemment cyclable et quiconque s'y est essayé à enfourcher un vélo s'en est trouvé persuadé pour longtemps. C'est en pédalant que l'on découvre le mieux et que l'on goûte le plus la diversité des quartiers. L'automobiliste est aveugle. Il ne voit que sa montre et sa destination. Il écoute la radio. Il téléphone. Il ne s'intéresse qu'à lui sauf lorsque, sur l'une ou l'autre des voies sur berge que sa présence enlaidit, la beauté du fleuve s'impose à lui ou l'élégance de l'île Saint-Louis le frappe avec la même force que la première fois. Dans le reste de la ville, personne n'a jamais entendu dire que quelqu'un était allé faire une promenade en voiture. L'auto, c'est pour circuler et dans circuler, il n'y a rien à voir.

Le piéton, lui, se promène, hume, explore et voit. Il est assez comparable au plongeur qui tourne autour d'un récif de corail. Chaque descente lui est occasion de remarquer un aspect nouveau de l'objet de sa curiosité affectueuse. La répétition n'est pas, pour lui, une source de monotonie mais, au contraire, la cause, le principe du renouvellement de ses émerveillements. Hier, le piéton a poussé une porte que ne fermait aucun digicode. Il a découvert une courette comique, avec un arbre vaillant et maigrichon, un escalier intérieur sans prétention mais fringant, une ancienne loge de concierge comme dans les films en noir et blanc, sur la porte de laquelle, d'ailleurs, est suspendu un écriteau rogue, digne d'une méchante bignole : « Aucun bruit dans la cour. Tenez vos enfants. » Aujourd'hui, il a poussé son exploration jusqu'au carrefour suivant et, en levant la tête, il a remarqué, au cinquième étage d'une bâtisse plutôt banale, une minuscule terrasse, plantée avec goût et qui donne un air allègre aux immeubles qui la jouxtent. Demain, il se régalera d'une façade, d'une devanture de boutique, de la courbe d'une ruelle, de l'animation d'un marché. Le piéton est un gastronome de quartier. Ou plutôt de fragment de quartier. Il approfondit, il cultive le détail. Quelquefois il s'y noie. (Bien entendu, je parle ici du piéton en balade, pas de celui qui, chaque jour, effectue mécaniquement et sans aucun plaisir le même trajet pour rejoindre sa station de métro ou d'autobus.)

Le cycliste est bien plus frivole. Il ne part pas en expédition : il se laisse attirer par la ville. Il y passe d'un univers à un autre. De la Bastille, par la rue Saint-Antoine, le voilà place du Marché-Sainte-Catherine. C'est, sinon le cœur, au moins le foie ou la rate du Marais touristique. À deux pas, la rue de Turenne, où l'on peut encore lire les traces du Marais noble et du Marais laborieux qui y nichait avant la guerre. Un coup d'oblique rue de Saintonge, voici le boulevard du Temple, qui n'a pas, comme le Saint-Martin, le Bonne-Nouvelle ou le Poissonnière, perdu tout son caractère ni abdiqué toute son originalité. Sans risquer une entorse au cerveau, on peut encore imaginer l'animation qu'il connut, ses promenades, ses arbres (que n'en replante-t-on ?), ses théâtres, ses tréteaux (marchands de galettes, avaleurs de serpents, dresseurs de puces ou de lapins), ses cafés, ses kiosques, ses maisons de plaisir… Il se jette dans la place de la République, qui a des allures de terminus. (Elle en a, aussi, la gaieté.) Mais que peut-on espérer d'une place dont cent quinze mètres de façade abritent une caserne Second Empire ? Oui, mais il suffit de snober cette caserne, d'en longer la façade nord sans lui prêter attention et en vingt tours de pédalier on entre au pays du canal Saint-Martin. L'eau, toujours, incite à une autre allure. Quelquefois à la halte et à la contemplation. Placide, on remonte le quai de Jemmapes, dont la pente exige un effort. À main droite, s'ouvre une rue bizarrement large et courte. Une rue trapue, qui a été promue au rang d'avenue, grade qu'elle a du mal à honorer, ne mesurant, en longueur, que cent vingt mètres. N'importe : son étrangeté même est attirante et on fera bien de se laisser aller à cette attraction. À l'extrémité de cette avenue Richerand se trouve l'une des plus discrètes merveilles de Paris, l'hôpital Saint-Louis et sa cour Henri-IV, plus charmante encore que la place des Vosges, dont elle a le brun chaud des briques, le blond apaisant des pierres de chaînage, les proportions avenantes, la douce austérité et la situation à l'abri de la ville. Quelques malades, à pas menus, y reviennent à la santé. Des mères de famille savourent sur ses bancs le récit du dernier adultère monégasque tandis que leurs enfants s'aèrent. Des amoureux rêvent de pouvoir s'y aimer… Les uns et les autres ne forment pas une population bien nombreuse. La cour de l'hôpital Saint-Louis est à l'écart et elle entend le rester. C'est l'un de ces ailleurs absolus enchâssés dans Paris. (Il y a même un ailleurs dans cet ailleurs : le musée de la Dermatologie, où plus de quatre mille moulages, dessins, croquis, etc., donnent à voir les maladies de peau les moins ragoûtantes. Un musée Grévin des horreurs. C'est délicieux. Et on n'y est pas dérangé.)

L'hôpital Saint-Louis est une sorte de quatre-quarts architectural : d'Henri IV, on glisse à Louis XVIII, de Louis XVIII à la IIIe République et de la IIIe à des bâtiments résolument fin XXe siècle. C'est dire que la transition est progressive et que l'on reviendra sans traumatisme dans la ville grouillante et affairée. Au passage on aura croisé, puisque, depuis le saint roi, toutes les affections de la peau ont été traitées et étudiées ici, un établissement scolaire fin de siècle créé pour certains jeunes malades sous le nom avenant d'« école des enfants teigneux »... On rêve d'en être fait élève *honoris causa.*

À Saint-Louis, on a fait le piéton. C'est le privilège du cycliste parisien. Là où il lui en prend fantaisie, pourvu qu'il trouve de quoi accrocher sa machine, il se donne le plaisir d'approfondir les impressions qu'il a ressenties sur ses deux roues. Imbibé de la douceur de se laisser vivre dans la cour Henri-IV, il remonte en selle et rejoint son monde. Il grimpe la rue Sainte-Marthe. Elle est en sens interdit, mais peu fréquentée. D'ailleurs, dans le quadrilatère formé par la rue du Faubourg-du-Temple, le boulevard de la Villette, la rue de la Grange-aux-Belles et la rue Saint-Maur, les fonctionnaires préfectoraux qui ont décidé du sens de la circulation des artères devaient être atteints du haut mal. Pour passer de l'une à l'autre, si l'on se conformait à leurs décrets, il faudrait tourner si longuement autour du but que l'on y laisserait le caoutchouc de ses pneus. La rue Sainte-Marthe est étroite, pauvre, quelquefois lépreuse. L'architecture n'y a aucun gras. Derrière les façades, on peut imaginer une populace pareille à celle qui courait volontiers aux barricades. Lorsque la rue s'évase, vers le haut, et forme une place sans apprêt mais non sans charme, on rencontre, presque complètement protégés des voitures, toutes sortes d'indigènes profitant de l'insularité du lieu. Des enfants disputant un match de football réduit à ses plus infimes dimensions, des anciens attendant sur un banc l'heure de la télévision, un groupe d'hommes du Maghreb tenant, debout, une palabre incompréhensible, des consommateurs plutôt « branchés » qui, peu à peu, deviennent la population ordinaire des appartements rénovés d'alentour et qui ont fait du bar à vins et du petit restaurant installés sur la place leurs points de ralliement.

Comment définir ce qui fait le modeste attrait de Sainte-Marthe ? Comme de nombreux recoins parisiens planqués entre de grandes artères haussmanniennes, c'est un endroit sans prétention. Sans prétention architecturale. Sans prétention à tenir le moindre rang dans la ville. Banal, mais d'une banalité parfaite. On peut aimer ces petits immeubles sans génie comme on aime une maison basse de pêcheur sur la côte bretonne, un buron couvert de lauzes sur la montagne d'Aubrac, une gare de chemin de fer dans une sous-préfecture des Ardennes. Aucun historien d'art ne s'arrêtera à expliquer ce qui fait la réussite de ces bâtisses uniquement construites pour être utiles à moindres frais. Le matériau n'en est pas noble ou, s'il l'est, c'est par un heureux hasard. Le dessin n'en a été réfléchi qu'en fonction de l'usage. Ni l'ordonnateur ni le constructeur – à supposer qu'ils n'aient pas été une seule et même personne – n'ont exprimé, fût-ce dans leur for intérieur, d'exigence esthétique. Cependant leur bâtiment est beau. Ou plutôt il a ce que l'on appelle, faute de mieux, une indéniable beauté. Sa banalité empêche qu'on s'y attarde, voire qu'on la remarque. Ainsi en est-il des pommes de terre en robe de chambre que personne n'aurait l'idée de citer en exemple gastronomique ni de faire entrer en compétition avec un lièvre à la royale ou une mousseline de brocolis, mais qui n'en sont pas moins un mets qui conduit au bonheur. Ainsi en est-il de certains vêtements de tous les jours. Ni leur coupe, ni leur matière, ni même leur couleur, ne méritent que l'on s'y attarde. On sait qu'ils sont impropres à certaines occasions. On ne s'indigne pas, on ne s'étonne pas non plus que personne ne nous en ait fait compliment. On serait incapable d'expliquer pourquoi, mais on sait de source sûre que ce sont des vêtements qui nous vont.

S'il fallait défendre la place Sainte-Marthe – et il a fallu la défendre et avec elle la rue et les rues voisines –, il n'y aurait tout compte fait rien d'autre à dire que ceci : c'est un endroit aimable. Cela justifie que messieurs les promoteurs aillent promoter ailleurs. L'obstination d'une association d'habitants les en a convaincus. Ils ont, dans Paris, remporté tant de victoires, eux et les faiseurs de ZAC, qu'ils peuvent bien passer cette défaite à leur compte de pertes et profits…

À cent bonnes appuyées de pédales, on est boulevard de la Villette. On pourrait tirer un bord jusqu'à Belleville, mais on a l'humeur à descendre. C'est pourquoi on se retrouve place du Colonel-Fabien. L'immeuble incurvé d'Oscar Niemeyer est l'un de ceux qui font la preuve qu'à Paris on peut marier des époques et des styles pour le bénéfice de tous. Cependant on est ici davantage sur un rond-point que sur une place : trop de circulation arrive de sept rues, boulevard, avenues, et brasserie ni terrasse ne donne envie de stationner. Autant redescendre vers le canal, glisser, en roue libre, jusqu'au square Villemin, lui aussi arraché par l'effort de militants obstinés à l'aveugle paresse des « décideurs » de la mairie et aux mange-sans-faim de la promotion immobilière. Du square Villemin, si on se sent en jambes, on va attraper Magenta, percé sans grande personnalité mais d'où l'on peut apprécier la plus belle des gares de Paris, celle de l'Est. Yvan Audouard en a saisi d'une phrase l'attrait méphitique : « Il y a des jours où l'on se sent si mal que l'on a envie d'aller gare de l'Est, voir si la guerre n'a pas été déclarée »…

Rue de Paradis, rue du Faubourg-Poissonnière et c'est déjà l'avant-poste du Sentier, les camionnettes garées n'importe comment, les diables surchargés dont on n'aperçoit qu'un petit bout du porteur, les coups de gueule en provenance d'une cour, les silhouettes qui tournent en rond, une main plaquant le téléphone mobile contre l'oreille et l'autre argumentant par une infinie succession de mouvements dont l'interlocuteur ne risque pas d'être impressionné. Cette fourmilière se densifie et accélère son mouvement brownien au fur et à mesure que l'on passe le boulevard – devant ce dinosaure des salles de cinéma qu'est le Rex – et que l'on pénètre dans le quadrilatère sacré de la fripe. Lever la tête, c'est signer son bon de parterre plus sûrement qu'en lâchant son guidon. De partout sortent des portefaix. Ils sont arabes, chinois, blancs et quelquefois noirs. Leurs trajectoires sont imprévisibles, calculées au plus juste et modifiées sans cesse en fonction du déplacement ou de l'arrêt d'un camion, de l'irruption d'un diable, du croisement de plusieurs chariots, du brusque arrêt d'une colonne de cartons au-dessous de laquelle sue un porteur fatigué d'avancer à l'estime. Tout Paris, toute la France, sans doute, sait qu'il est impossible de circuler dans le Sentier, mais entre ceux qu'une livraison oblige à s'aventurer rue d'Aboukir ou rue de Cléry et ceux qui pensent pouvoir forcer le destin, on peut assister chaque jour ouvrable, de neuf heures à sept heures du soir, à des embouteillages d'anthologie, à une congélation de trafic. Même à vélo, il faut godiller, jouer des reins, guetter sans cesse la trouée et savoir à l'avance qu'elle sera brève, respirer de grandes bouffées de gaz noir. Pour savourer les façades néo-égyptiennes de la place du Caire, on reviendra dimanche. Il n'y aura pas âme qui vive, ou seulement un vieil Arabe dans une cabine téléphonique, appellant au pays, parlant très fort, comme on le faisait autrefois dans les campagnes où l'on tenait craintivement le combiné d'ébonite.

Celui qui atteint la rue Réaumur a raison de se considérer tiré d'affaire. Qu'il file jusqu'à la rue du Mail, où il peut – où il doit – regarder en l'air (les coursiers qui sortent du *Figaro* sont des gentlemen qui dédaignent de s'abaisser à chasser la bicyclette), car le Grand Siècle commence à se faire sentir. La place des Petits-Pères est à quatre cents mètres et à quatre cents ans du Sentier, si l'on considère l'église Notre-Dame-des-Victoires. Le souvenir de Louis XIII fait face à celui des congrégations, mais qui s'estompe. Il ne reste plus qu'un magasin de bondieuseries : statues des principaux saints, livres de prières, cassettes vidéo des grands voyages papaux, chapelets, cierges, images pieuses, biographies de grands mystiques, santons, crucifix... La vitrine fait la fière et semble ignorer qu'on la regarde avec goguenardise, mais elle doit méditer sur le sort de sa voisine, La Maison Bleue, autre boutique sulpicienne acquise au milieu des années quatre-vingt-dix par un fripier italien qui s'est affublé d'un nom anglais et donne dans le sportswear. Les Monuments historiques l'ont obligé à conserver, dominant sa façade, la statue de la Vierge qui signalait l'activité de son prédécesseur. Un Italien ne peut que trouver avantage à cette obligation-là.

Rue du Mail, j'ai dit que le Grand Siècle se faisait sentir. Le voici, place des Victoires. Le vélo tourne autour de l'équestre Roi-Soleil et constate que le carré (de la place Vendôme ou de celle des Vosges) suppose toujours une certaine idée de l'ordre, fût-il doux et harmonieux, et appelle au rassemblement, tandis que le cercle évoque plutôt le jeu, le mouvement, voire la plaisanterie. En tout cas la gaieté. Cette place minérale, dont plus de la moitié des édifices n'est qu'une succession de faux et de pastiches postérieurs aux destructions du Second Empire a toujours l'air prête à accueillir Scapin méditant un tour de sa façon, Arnolphe ruminant ses cornes, Pourceaugnac cherchant où fuir, Valère et Marianne roucoulant, Dorine jasant avec quelque commère. Le cercle, ça ne fait pas sérieux.

La place des Victoires est l'un des meilleurs endroits pour apprécier ou déprécier l'œuvre d'Haussmann. La rue Étienne-Marcel, assez large pour un quadruple rang de voitures, l'a éventrée à l'est, avilissant son harmonie mais rendant possible une circulation un peu plus fluide. Si les moyens mécaniques de l'époque l'avaient permis et si la guerre de 1870 n'avait pas arrêté la marche des travaux, la rue des Petits-Champs, à l'ouest, aurait elle aussi doublé de largeur et les deux hôtels qui la bordent ne seraient que des souvenirs de gravure. Mieux encore : prolongée jusqu'au boulevard Beaumarchais, la rue Étienne-Marcel eût été une saignée au cœur du Marais, ratiboisant par douzaines les demeures des grands du Grand Siècle. De son côté, la rue des Petits-Champs, après avoir rejoint l'avenue de l'Opéra en réalisant des dégâts symétriques (adieu, hôtel de Lully), serait allée se jeter dans la place de la Madeleine. Ah, la belle ville de garnison que serait devenue Paris !

Pour rentrer à la Bastille, le cycliste va souffrir d'un accès de son embarras habituel, l'embarras du choix. Supposons qu'il garde pour un autre jour la descente de la place des Victoires jusqu'à Beaubourg (là aussi, on voit que les styles les plus éloignés peuvent faire un solide ménage et que seule l'audace paie comme le montre également l'Institut du Monde arabe, au quai Saint-Bernard). Admettons qu'il néglige la traversée du Marais par la rue Rambuteau, la place des Vosges et un petit bout (pas le meilleur) du boulevard Beaumarchais. Décidons qu'il ne pense pas à filer par la rue Réaumur jusqu'au carreau du Temple, de là aux Filles-du-Calvaire puis, par Saint-Sébastien, à rejoindre le Chemin-Vert et, enfin, la colonne de Juillet. Considérons qu'il préfère longer la Seine et qu'il la retrouvera entre pont des Arts et Pont-Neuf après avoir coudoyé la colonnade du Louvre et Saint-Germain-l'Auxerrois. Il lui reste encore plus d'un dilemme à trancher : va-t-il avaler les quais en enfilade, la Mégisserie, l'Hôtel de Ville, les Célestins, jusqu'au boulevard Henri-IV ? Ou, d'humeur buissonnière, va-t-il, dès le pont Neuf, rejoindre l'île de la Cité, saluer la mémoire de Maigret (et de Simone Signoret) en passant quai des Orfèvres, rattraper Notre-Dame, changer d'île derrière le square Jean XXIII, traverser l'île Saint-Louis par la rue Saint-Louis-en-l'Île ou préférer goûter les façades du quai d'Orléans et celles du quai de Béthune avant que, de Béthune en pont

Sully et de Sully en Henri IV, il ne se retrouve face à face avec l'édicule éléphantiasique que M. Carlos Ott a bâti et baptisé Opéra ?

On le voit, la vie du cycliste est une succession d'alternatives. Sa bicyclette fait de ses promenades quelque chose comme le parcours d'un jeu de l'oie dont le pion serait celui qui lance les dés. Elle lui permet de passer d'un petit monde à un autre, de traverser les frontières que constituent grandes avenues et larges boulevards pour aller dénicher tout ce qui subsiste de désordonné, de singulier, d'insolite entre et derrière ces grandes percées. Or Paris tel que nous l'a laissé Haussmann, c'est précisément le résultat d'un souci d'alignement qui ne s'est appliqué qu'aux nouvelles grandes artères. De même que l'on a sévèrement surveillé les façades des immeubles construits le long de ces voies neuves ou rénovées sans accorder la moindre attention à ce qui n'était pas visible – les cours intérieures, par exemple –, de même ceux qui ont œuvré au tracé de ces boulevards et avenues (c'est-à-dire, d'abord, à la longue démolition de ce qui existait sur leur site : il a fallu quinze ans pour achever l'avenue de l'Opéra) se sont contrefichus de ce qui subsistait ou de ce qui s'installait dans l'*hinterland*. Lâchez le boulevard Auguste-Blanqui et descendez la rue Corvisart pendant à peine deux cents mètres et vous changez d'époque, d'air, de rythme, d'ambiance. Un jardin, des maisons basses, une rue en courbe douce, on est dans la ville et en vacances de la ville. Quittez le boulevard Barbès ou le boulevard de la Chapelle et dites-moi où vous êtes, après quatre cents pas, si vous vous retrouvez face à l'église Saint-Bernard. Est-ce tout à fait Paris ? Déjà la banlieue ? Un morceau de province ? Aucun des trois. C'est une place cossue comme une sous-préfecture, amortie comme une banlieue moyenne-bourgeoise. Mais, dans Paris, sa tranquillité fait songer au repos, à la trêve, alors que dans un arrondissement de province elle pousserait plutôt à évoquer l'immobilité, voire l'immobilisme. Dans Paris, sa torpeur n'est que de la quiétude, parce que chacun sait qu'à un jet de pierre rugissent les boulevards et qu'en descendant vers la rue des Poissonniers on sera, en trois minutes, plongé dans le grouillement d'un marché africain qui déborde des trottoirs et grignote les trois quarts de la rue… Laissez tomber l'avenue Paul-Doumer et dégagez par la rue de Passy. Il ne vous faudra pas trois cents mètres pour passer des façades raides du 16e le plus opulent à une placette à bistrot-plat-du-jour et vin du patron. Certes, le serveur n'ira pas jusqu'à siffler les nombreuses clientes aux cheveux gris ou à leur claquer le baigneur, mais il plaisante avec elles et leur demande des nouvelles de leurs petits-enfants comme on ne le fait plus dans beaucoup d'estaminets parisiens. C'est qu'ici, à deux pas de « l'avenue », on n'est plus au royaume où l'on vit des intérêts des intérêts de son capital. On est dans la république des pensions de réversion, chez les veuves honnêtes qui sont à l'abri du besoin mais sans plus, qui discutent les prix chez les commerçants et qui ne croient pas que les plaisirs les plus goûteux soient les plus dispendieux. J'en ai vu un quarteron, à l'heure du thé, en pleine muffin-party dans un fast-food de Passy ; on aurait dit des collégiennes qui avaient fait le mur.

Ces univers, on les coud ensemble dans le sillage de sa bicyclette. On échappe à chacun d'eux dès qu'on en est las. On en additionne les parfums, les ambiances, les traits de caractère. On en fait ce que l'on veut, quand on veut, excepté, peut-être, quand il pleut trop fort trop longtemps. (Ces jours-là, on reste chez soi et on bouquine.) C'est à cause de ces mille et une villes dans la ville que toutes les raisons de renoncer au vélo se dissipent à la première pédalée. C'est parce que l'individualisme du Parisien trouve dans l'usage du deux-roues sans moteur sa dimension la plus joyeuse, la mieux épanouie, la plus indépendante et la plus facile que, dans Paris encore davantage que n'importe où ailleurs, la bicyclette constitue le symbole de la légèreté, de l'adolescence retrouvée à volonté, de la frivolité bien tempérée, du goût de vivre libre.

Petits métiers de Paris

Il règne à Paris une indifférence générale […] qui tient lieu de liaison, qui fait que personne n'est de trop dans la société, que personne n'y est nécessaire. Tout le monde se convient, personne ne se manque.

Charles Pinot Duclos, *Considérations sur les mœurs de ce siècle*, 1752.

Cette inconnussion *fait que chaque particulier dont ne sait ni les affaires, ni les relations, ni les fautes, ni les faiblesses agit avec la liberté, avec la dignité humaine tout entière.*

Restif de la Bretonne, *Avis aux confédérés du LXXXIII département sur les avantages et les dangers d'un séjour à Paris*, 1790.

Où rencontrer les Parisiens ? Je veux dire : où aller pour voir couler le flot de cette population si diverse, en apprécier les différences voire les divergences, en savourer le mélange ? Aux Champs-Élysées, un dimanche après-midi ? On n'y croise que des banlieusards, des provinciaux et des étrangers. Sur les Grands Boulevards, un samedi soir ? C'est à peine plus animé que le cimetière de Bagneux, exception faite du boulevard des Italiens, à cause de la concentration de salles de cinéma, du mouvement ondulatoire des files d'attente et de l'absorption du surplus de cette agitation par les restaurants plus ou moins exotiques (et tous entre le médiocre et l'infâme) qui se partagent les trottoirs. Aux Halles, dans la semaine ? Sans doute, si l'on aime regarder trotter les fourmis et se demander si elles savent d'où elles viennent, où elles se rendent et pour quelles diable de raisons elles se donnent tant de tintouin. Mais les Halles sont tout sauf un lieu de promenade, en surface comme en sous-sol. Et d'ailleurs, elles aussi se sont mises hors Paris et constituent dans son centre une sorte d'enclave de la banlieue.

Non, les Parisiens ne se trouvent sur aucun de leurs anciens champs de manœuvre, et pas davantage dans les grands music-halls (lesquels ?) ni dans quelque nouvelle zone de parade et de déambulation qu'aurait inventée le Paris de la fin du siècle, ni à l'intérieur et aux alentours de quelque grand lieu de plaisir brassant les milieux et les générations. Pour observer le Parisien, il faut désormais le débusquer. Heureusement, de même qu'il existe certains points d'eau où l'on est assuré de voir arriver, chacun à son heure ou tous ensemble, de même y a-t-il les différents spécimens de la faune, il y a, dans la capitale, certains lieux communs, communs à toutes les catégories sociales, où l'on peut voir, avec un peu de patience, quelques-uns des dessous de la vie et des mœurs de l'*homo parisiensis*.

Le bureau de poste, par exemple. Un jour ou l'autre, chacun doit s'y rendre, affairé ou insouciant, troublé par l'incertitude créé par l'« avis de passage » annonçant une lettre recommandée avec accusé de réception, excité par l'émission d'un nouveau timbre ou, plus généralement, contraint d'effectuer l'une de ces opérations ou de ces formalités qui ne peuvent être accomplies ailleurs. Si la bienveillance de l'Administration – aujourd'hui devenue une entreprise – vous le permet, passer de l'autre côté du guichet est une expérience saisissante, une complète inversion de perspective. Il n'y a pas beaucoup d'heures creuses dans un bureau de poste parisien et, dans le flot presque incessant d'hommes et de femmes qui y pénètrent, un point s'impose à l'observateur. Le Parisien est pressé, et la Parisienne autant que lui. Lorsqu'il franchit le seuil du bureau, son premier coup d'œil est pour repérer le guichet où la queue s'écoule le plus vite. Pour certains, cette opération demande un peu de réflexion : il ne s'agit pas seulement d'évaluer le nombre de ceux qui stationnent en ligne, mais d'estimer le temps pendant lequel chacun mobilisera le guichetier. Ici, il n'y a que trois clients, mais deux d'entre eux portent des paquets. Il faudra les peser et les affranchir un à un. Casse-cou ! Mieux vaut aller prendre rang dans la file voisine où ils sont cinq, mais apparemment moins chargés. D'autres jaugent la situation du premier coup d'œil et choisissent dans l'instant. Quelques-uns, inquiets du comptoir où l'on traitera leur demande ou désireux d'obtenir un formulaire qu'ils n'ont pas trouvé en libre service, s'enhardissent à ignorer la file, à venir se coller contre la vitre de séparation, à côté de celui dont on règle l'affaire, afin d'interroger l'employé et de ne pas attendre deux fois. On peut observer alors un jeu complexe de regards. Le brûleur de queue fixe l'employé dans l'espoir d'attirer son attention et tient la tête comme s'il portait des œillères, feignant d'être aveugle aux coups d'œil que lui jettent ceux qui attendent réglementairement leur tour. Cette attitude est sage, car ces coups d'œil sont lourds de menaces, de désapprobation, d'agacement, de fureur. Ils expriment la vigilance avec laquelle chacun entend que l'on respecte son droit et annoncent la perspective d'une intervention sèche pour rétablir l'ordre des préséances. (En réalité, la plupart du temps, ce n'est pas le délinquant qui essuiera l'averse, si elle éclate, mais l'employé, qui se verra reprocher de s'être laissé détourner de son devoir, pour peu qu'il ait accédé à la requête du contrevenant et que cela ait nécessité plus qu'un bref échange.) Quelquefois, le client en deuxième ligne, celui dont le tour approche et qui est le plus immédiatement lésé par l'irruption de ce malotru, amorce, l'air de rien, un changement de position qui le rapproche du guichet convoité en le plaçant entre son prédécesseur et l'intrus, auquel il s'applique lentement à tourner le dos en même temps qu'il avance la jambe de son côté pour lui couper la route tout en contraignant celui que l'on est en train de servir à s'éclipser, son affaire terminée, par le côté opposé à celui qu'occupe le fâcheux. Dans ce cas, il ne reste à ce dernier qu'une possibilité : se coller à la vitre de séparation, pencher la tête en avant et attendre nerveusement le court moment où il pourra formuler sa demande, toujours comme s'il n'avait vu personne.

De son côté, l'employé a pour règle de sauvegarde de se concentrer sur l'opération qu'il effectue et d'ignorer toute autre personne que celle avec laquelle il traite. Selon l'appréciation qu'il a de l'état de tension régnant de l'autre côté de la vitre, il peut décider d'écouter la requête importune ou feindre d'être sourd et décourager par une indifférence ostensible l'idée d'une relance. Dans ce cas, une onde se met à circuler d'un membre à l'autre de la file d'attente. Elle exprime le triomphe personnel et collectif et atteint son paroxysme lorsque l'éconduit, piteux, quitte la place pour aller tenter la manœuvre à un comptoir voisin, voire, si son échec lui a fait perdre toute confiance en lui, pour occuper le dernier rang d'une autre queue en tournant le dos à celle qui a eu raison de lui.

Le moment de détente que procure cette victoire de l'ordre est, le plus souvent, bref. Voilà un homme qui avait élu le guichet numéro 3, l'estimant doté du meilleur taux d'écoulement. Il découvre que ses prévisions sont battues en brèche. Deux rangs devant lui, une dame se renseigne sur les délais d'acheminement garantis par le mode d'affranchissement en « Lettre », en « Chronopost » et en « Colissimo ». Ce qu'elle doit expédier n'est ni tout à fait un paquet ni tout à fait un pli. C'est une enveloppe molletonnée 21 x 29,7 centimètres, épaisse de six ou sept centimètres. Elle contient (« On saura tout », murmure le mauvais prévisioniste) un dossier que l'on attend demain en Gironde, mais la dernière fois que la dame a eu à expédier un tel document, le recours aux services de Chronopost s'est avéré plus que décevant puisque ce n'est pas vingt-quatre heures mais trois jours qui ont été nécessaires à l'acheminement.

Commence alors un dialogue marqué par la diplomatie autant que par l'absurde. Par la diplomatie parce que la dame, qui souhaite être déchargée de l'angoisse qu'elle éprouve tout en se vengeant sur l'employé du mauvais travail de Chronopost, s'efforce d'être impersonnelle dans l'expression de ses critiques et implorante dans sa demande de prise en charge. Il s'agit que le guichetier se sente spécialement redevable à son égard et donc culpabilisé par la mauvaise marche de son entreprise. Mais cette culpabilité doit être provoquée et entretenue sans qu'aucun mot ne puisse être considéré comme injurieux, ce qui donnerait à l'employé la latitude de clore la conversation et d'exiger de sa cliente qu'elle prenne une décision seule et tout de suite. (« *Vous m'excuserez, mais il y a des gens qui attendent…* »)

Le postier, de son côté, guette la faute. Ce n'est pas qu'il se refuse à rendre service, mais l'expérience lui a appris qu'il n'existe pas de réponse à la question qu'on lui pose. Sur le papier, on peut toujours établir que tel mode d'affranchissement correspond à tel délai d'acheminement, mais en réalité ce qui est présenté comme une certitude n'est qu'une probabilité plus ou moins grande. Il est impossible de confier cette vérité au client, le guichetier attend que son adversaire lui entrouvre une issue.

Pour le moment, l'adversaire aurait plutôt choisi de compliquer sa question tout en la multipliant. (Deux rangs derrière elle, le mauvais prévisioniste tourne en rond, danse d'un pied sur l'autre, regarde s'il n'aurait pas intérêt à changer de file puis, constatant qu'il n'en est rien, tapote *fortissimo* l'enveloppe qu'il est venu affranchir et expulse l'air par le nez, en saccades *sostenuto*, afin d'émettre en direction de la dame un message destiné à la fois à la presser et à lui faire honte. De l'autre côté de la vitre, non seulement on constate à quel point il est dans la nature du Parisien d'être pressé, mais encore on admire de quelles ressources il est capable d'user pour s'exprimer sans avoir recours au langage.) Finalement, en proférant un « De toute façon, vous pouvez me dire ce que vous voulez », la cliente, énervée par la tactique du guichetier, a commis la faute et créé l'ouverture attendues. « Si vous pensez que je vous réponds n'importe quoi, madame, alors ce n'est pas la peine de me poser de questions. — Je n'ai pas dit n'importe quoi [elle essaie de remonter la pente, mais elle sait qu'elle a perdu] ; j'ai dit *ce que vous voulez*. — Je ne vois pas bien la différence, madame. Enfin [le ton exagérément courtois et l'œil glorieux] je vais vous demander de vous décider. *Vous m'excuserez, mais il y a des gens qui attendent.* » La dame choisit : contre toute logique, elle va recommencer à utiliser Chronopost. Le mauvais prévisionniste passe des rafales de soupirs nasaux à une longue expiration buccale destinée à faire sentir à la dame le frein que son comportement impose au mouvement du monde. Par chance, son prédécesseur immédiat ne demeure qu'une poignée de secondes au guichet (il souhaitait seulement s'assurer qu'un pli ne dépassait pas vingt grammes) ; l'homme se sent soudain réconcilié avec La Poste et commence par déclarer à l'employé : « Des comme celles-là, il leur faudrait des guichets pour handicapés. » Il n'a pas fini sa phrase qu'un collègue vient demander au guichetier à quelle heure il finit et où il va manger. Étant donné que leurs horaires diffèrent d'une demi-heure et que l'un des deux aimerait bien attendre l'autre mais qu'il a a promis à sa femme de faire les courses, ils décident de déjeuner séparément. L'homme sent fondre comme beurre dans la poêle l'aménité qu'il recommençait à éprouver pour le service public. Bien que l'échange entre les deux postiers n'ait pas duré une minute, il est à ranger parmi les offenses majeures. Pour laisser la marque de son courroux, l'homme, tout en tendant à l'employé une lettre et un formulaire rempli de recommandé avec accusé de réception, tourne son regard vers moi qui, assis en retrait, griffonne le plus possible de notes et, sans s'adresser à personne en particulier, lâche du ton qui lui semble le plus hautain : « Quant à celui-là, il doit être trop bête pour qu'on lui confie même un guichet… »

Trop bête, il faut voir… Mais pas assez maître de moi, sans aucun doute. En regardant travailler les guichetiers parisiens de la Poste, j'ai rêvé à l'invention d'un instrument susceptible de mesurer les doses d'agressivité auxquelles peut se trouver exposé un être humain. Dès que le client – c'est plus vrai pour les hommes que pour les femmes, mais pas de beaucoup et, d'après les postiers, de moins en moins – pose un pied dans le bureau de poste, on voit qu'il est animé d'intentions belliqueuses qu'un rien servira de prétexte à exprimer. La poste est le lieu par excellence où le Parisien, excédé par nature, trouve quelqu'un à qui s'en prendre. Et pas n'importe quel quelqu'un, mais un individu qui permet, lorsqu'on l'engueule, d'engueuler en sa personne l'État, l'Administration et l'Esprit public en pleine dégénérescence.

On n'entre pas dans un commissariat de police pour passer un savon aux gardiens de la paix. Les occasions de dire ce que l'on pense d'eux aux employés de la Sécurité sociale sont rares. Les pompiers, les ambulanciers, les infirmières et les médecins des hôpitaux, lorsque l'on entre en contact avec eux, c'est presque toujours dans une situation d'infériorité. Les fonctionnaires des impôts, moins on les voit, mieux on se porte, et les convocations qui provoquent leur rencontre ne sont pas de celles où l'on se rend dans l'idée d'en découdre. Il est exceptionnel pour la plupart d'entre nous d'avoir affaire à un juge. Lorsque cela arrive, ou bien l'on a quelque chose à attendre de lui, ou bien à redouter. Ce n'est donc pas le moment le mieux choisi pour l'apostropher sur les lenteurs de la justice, son caractère approximatif ou l'inégalité de traitement que connaissent devant elle les justiciables. Le service militaire, puis national, aura été, dans la seconde moitié de ce siècle, la seule occasion pour la population masculine d'avoir un contact avec l'armée. Ce n'est jamais en position de commenter le fonctionnement de cette institution que se trouve l'appelé du contingent… À vrai dire, les seuls fonctionnaires de l'État envers qui l'on a pu se montrer insolent ou désagréable sont les enseignants. Encore ne vient-il à l'idée de personne de leur en faire voir de toutes les couleurs en tant que représentants de l'État, ou même du ministère de l'Éducation nationale. Le professeur paie pour lui-même. Seul, à ma connaissance, le postier parisien règle la note pour tout ce dont l'usager a décidé qu'il portait la responsabilité. Je ne dis pas que le provincial n'en fait pas volontiers autant, mais il n'en est pas tenté aussi souvent que l'habitant de la capitale. Il lui manque l'énervement et l'ambiance toujours un peu explosive qui règne à Paris, en surface ou dans le sous-sol, il lui manque ce sentiment d'être unique qui va avec la solitude du Parisien et le pousse facilement à interpréter tout dysfonctionnement comme une offense personnelle. Il lui manque la fréquence avec laquelle on trouve, sur les bords de la Seine, à se faire engueuler par quelqu'un à qui l'on ne peut répliquer (un agent de police qu'il convient d'écouter avec déférence, un chauffeur de taxi qui remonte prestement sa fenêtre après vous avoir attribué des mœurs infamantes, un conducteur de scooter qui s'enfuit en trois coups de reins à peine vous a-t-il comparé à tue-tête à ce que l'humanité peut avoir de plus bas). Tout cela provoque chez le Parisien une sorte d'enflure de coups de gueule rentrés qui ne demandent qu'à s'échapper brutalement… Enfin, le provincial ne saurait piquer une colère en public sans que cela finisse par se savoir. Sa réputation risque d'en être affectée, surtout si cette colère se répète. Le Parisien, lui, indifférent à un voisinage qui, le plus souvent, ne le connaît pas et presque toujours ne lui importe aucunement, cuirassé par l'anonymat comme par un blindage, mi-Matamore, mi-Jérémie, peut se lancer autant de fois qu'il le souhaite à l'attaque de tous les moulins à vent du monde : il ne risque rien. À peine un peu de ridicule, suggérera-t-on. Sans doute mais, à Paris, le ridicule ne tue ni ne blesse. Il permet souvent de montrer que l'on vit. En tout cas que l'on existe.

Du côté du guichetier, on voit donc entrer dans un bureau de poste parisien des visages marqués par une irascibilité que la journée se passe à désarmer ou, au moins, à empêcher d'exploser. Mais on accueille aussi quantité de gens qui n'ont pas leur place dans le carrousel de la capitale, qui vivent à un autre rythme, à une autre échelle. À onze heures du matin, une vieille dame échappée d'un dessin de Sempé, fagotée dans un manteau sans âge, tenant un cabas en toile bleu sale, le cheveu ni très net ni très coiffé et un peu rare, s'aligne à un guichet « Toutes opérations ». Son tour venu, elle salue le postier – ce n'est pas si fréquent même si celui-ci prend un soin appuyé à dire bonjour à chaque client – et lui tend son livret de caisse d'épargne en réclamant dix francs. Le guichetier, qui la connaît bien, reporte le retrait sur le livret, en la plaisantant gentiment : « Alors, madame Brossard, on va jouer au Millionnaire ? — Je voudrais bien, je me paierais des vacances », répond la petite dame, qui prend sa pièce et s'en va. Une demi-heure plus tard, elle est de retour et, sans un mot, elle dépose sur le comptoir du même guichet son livret et cinq francs dont le postier la crédite en lui souhaitant bon appétit. « Elle est allée acheter son déjeuner, explique-t-il. Elle fait ça tous les jours. Un jour où on avait un peu de temps, je l'ai fait parler. J'ai compris qu'elle recevait d'une association paroissiale des colis de nourriture. Elle les complète comme elle peut. Je crois avec du pain. Là, il lui restait un peu moins de cent quatre-vingts francs à son compte. Quelquefois elle est dans le rouge. Évidemment, on lui donne quand même ses dix francs. Hier, je me suis fait engueuler par un type pressé qui attendait derrière elle et qui m'a dit que si je voulais faire la charité je n'avais qu'à entrer dans les ordres. Je n'ai pu que hausser les épaules. Si je réponds sur le même ton, je me mets dans mon tort. »

C'est surtout la nuit que viennent à la poste ceux qui sont dans le besoin. Et, la nuit, il n'y a qu'un bureau ouvert à Paris – et même en France, et même en Europe –, celui de la rue du Louvre. Les cinq guichets ouverts un soir ordinaire font tous office de dépanneurs pour les titulaires de livret d'épargne. (Ceux qui ont perdu ou qui n'ont jamais eu le droit de posséder une carte bancaire.) Dans la limite de ce qui lui reste, chacun peut tirer mille francs. De dix heures du soir à deux heures du matin, un seul usager réclamera une telle somme. Les dizaines d'autres demanderont entre cent et quatre cents francs. Une quinquagénaire souhaitera tirer cinq cent vingt francs mais, en dépannage, on ne marche que par compte rond, par multiple de cent. Veut-elle donc cinq cents ou six cents francs ? Elle hésite. Cinq cents.

Les RMIstes viennent en deux fois retirer leur allocation, créant des embouteillages aux guichets les nuits de 1er et de 15. Pourquoi viennent-ils tard le soir ou aux petites heures du matin, et, dans ce dernier cas, à pied puisqu'il n'y a plus de métro ? Parce qu'ils dorment n'importe où, parce qu'ils n'ont pas envie d'affronter la clientèle « normale » de la journée, parce que c'est la nuit qu'ils se sentent le plus mal et que la visite à la poste leur procure une occupation, parce que les Halles sont à deux pas, où quelques bistrots sont ouverts sans désemparer, parce que, pendant les nuits froides, ils s'asseyent un long moment dans le bureau de poste, avant et après avoir touché leur argent… Longtemps certains d'entre eux ont obstinément essayé de dormir là. Les postiers venaient les réveiller et leur expliquer que, quand même, ils ne pouvaient pas se transformer en tenanciers d'asile de nuit.

Ceux qui travaillent à leurs guichets pendant que la ville dort ont une complicité visible et une humeur qui leur est particulière, faite de décontraction et d'amabilité goguenarde. Chacun d'eux a une vie un peu spéciale, qui l'a conduit à choisir cet horaire, qui leur vaut très peu d'argent en plus, mais beaucoup de congés de rattrapage. Celle-ci habite dans le Limousin. Son compagnon y a monté une ferme « bio » et elle parvient à l'aider une bonne partie du mois. Celui-là a une passion pour le Brésil, où il arrive à passer quatre ou cinq mois de l'année en faisant la nuit et les week-ends lorsqu'il se retrouve à Paris. Un autre consacre le temps qu'il épargne à un petit groupe politique. Une quatrième a choisi ce moyen pour être plus souvent avec la petite fille que lui a laissée un concubin évanoui dans la nature. Un cinquième est là sans raison particulière. « Parce que ça donne une certaine saveur au travail, que l'ambiance entre nous est bonne, que la hiérarchie pèse beaucoup moins lourd, que nous avons plus d'autonomie et de responsabilités… »

Certaines nuits, en effet, sont riches en saynètes pittoresques. Celles de pleine lune passent pour figurer en tête de liste, mais personne n'a établi de statistiques sûres, car nul ne tient à prendre le risque de démentir une croyance qui fournit le fonds de tant de conversations et d'une controverse de cantine aussi inépuisable que celle sur la poule et l'œuf. La lune modifie-t-elle les comportements (c'est la thèse que soutient la compagne du fermier « bio », qui fournit mille exemples empruntés à l'observation des bêtes comme des humains), ou alors serait-ce que les gens, habitués à l'idée qu'un astre qui provoque les marées puisse aussi induire des comportements particuliers, se conduisent différemment lorsqu'ils savent que la lune est pleine ? (C'est l'opinion que soutient le militant politique, habitué à traquer l'opium du peuple derrière toute pensée marquée par l'irrationnel.)

La nuit du 15 au 16 juin, en tout cas, est toujours une nuit spéciale. Le 15 à minuit est la date limite pour envoyer la déclaration de l'impôt de solidarité sur la fortune (ISF), mais aussi pour expédier à la Fédération française de football les demandes de transfert. L'affluence aux cinq guichets est constante et les files d'attente, telles des tranches napolitaines, alignent RMIstes, jeunes footballeurs et gros contribuables. De l'autre côté du guichet on voit, plus que jamais, défiler le monde.

Il vient retirer cent francs. Pour toute pièce d'identité, il ne peut présenter qu'un permis de conduire déchiqueté dont l'adresse, malaisée à déchiffrer, ne semble plus être la sienne. Le postier essaie d'obtenir une domiciliation plus fraîche : la photo du permis est trop ancienne pour être sûr que c'est bien son titulaire qui se présente. L'homme se lance dans une explication à tiroirs et, pour éclairer sa situation actuelle, développe une histoire en zigzags qu'il fait remonter à la fin de son service militaire. Le postier grommelle, puis coupe court et verse la somme demandée : au moins dix personnes attendent leur tour, la soirée est encore jeune et s'annonce pleine de promesses.

Elle doit avoir entre vingt et vingt-cinq ans. Elle tend son livret et demande sa position. Le guichetier interroge l'ordinateur : cinq francs. Comme il a prononcé « saint francs » et non « cinque », elle prend un air satisfait qui étonne d'abord, mais que l'on comprend quand elle déclare : « Cent francs ? Je vais les retirer. — Pas cent, cinq, cinque... — Ah !... » Son visage change et, sans un mot, elle s'en va. (Tout à l'heure viendra un quadragénaire assuré, portant costume et tenant un attaché-case. Lui aussi voudra savoir combien il lui reste : « Avoir disponible, douze francs »... Il n'y touchera pas et repartira sans rien montrer de ce que provoque en lui l'information que l'on vient de lui donner.)

Il se présente pour déposer la déclaration de son ISF. Chemin faisant, il a laissé tomber l'enveloppe. Elle est un peu tachée. Pourrait-on lui en vendre une propre ? On peut. Il est soulagé. En partant, il laisse dix francs sur le comptoir. Ça m'a tout l'air d'être un pourboire.

Il voudrait le timbre qui a été émis ce matin et qu'il n'a pas pu encore acheter, ce qui va faire un trou dans sa collection. « Revenez demain, à cette heure-ci nous n'assurons pas de service philatélique. » Il essaie de parlementer : on voit bien qu'il va connaître une nuit agitée s'il ne peut rapporter à la maison l'objet de sa convoitise (et dont il pourra se procurer tous les exemplaires qu'il voudra dans quelques heures). Il accepte de renoncer, mais seulement après que le postier a répété que les timbres spéciaux sont au coffre et qu'il n'a pas la clef.

Ils sont trois, un Noir, un Arabe et un Blanc, comme les Rois mages. Ils ne totalisent pas soixante ans. Ils veulent quitter leur club de foot et doivent, pour le faire dans les règles, expédier une lettre recommandée avec accusé de réception à la Fédération et une autre à la formation qu'ils abandonnent. Le postier traite leurs six formulaires en même temps. Au cinquième, il marque un temps d'arrêt, écarquille les yeux et demande : « Qui c'est, Machin ? — C'est moi, pourquoi ? » répond le Blanc, sourcils froncés, menton en avant et voix mauvaise. « Vous avez tout rempli à l'envers. Vous avez mis votre nom à la place du destinataire et celui de la Fédération comme expéditeur. » Le Blanc le prend mal. « Qu'est-ce que tu dis, toi ? Qu'est-ce que j'ai fait avec ton putain de formulaire ? » Ses deux copains se fendent la pipe et le vannent. Le postier, puisqu'on le tutoie, tutoie à son tour. « Il faut que tu remplisses deux autres formulaires. [Il les lui tend.] C'est pas grave, t'énerve pas, ça arrive à tout le monde. » Mais le garçon est à vif. Ses copains suggèrent qu'au contraire cela n'arrive qu'à lui et que, de toute façon, sur le terrain de foot ou dans la vie, il n'est qu'une tache. Alors le Blanc implose et, d'une voix dont la puissance stupéfie, il hurle que lui, il n'est pas allé à l'école, lui, il n'en a rien à branler de tous ces machins administratifs que les mecs comme le guichetier utilisent toujours pour faire chier les gens, lui, on va pas lui prendre la tête et on va lui envoyer sa demande de transfert parce qu'il va tout niquer si ça part pas maintenant. Quand il reprend haleine et parce que ses copains, redevenus sérieux, s'emploient à le calmer tandis que, dans les files d'attente, chacun regarde le plancher ou le plafond, le postier tend les deux formulaires vierges au Noir et lui demande d'aller les remplir tranquillement avec son copain. « Vous avez qu'à ne pas faire la queue en revenant, je garde vos lettres », lâche-t-il en ultime contribution à l'apaisement. Dix minutes après, les rois mages se repointent, tous les trois détendus et rigolards. Le postier remplit son office et, pendant qu'il termine, le Blanc se penche vers le guichet : « Je m'excuse pour tout à l'heure, je croyais que vous vouliez pas envoyer ma demande… »

Elle sort d'un film des années quarante. Coiffure frisée remontée, robe en tissu imprimé coupée façon Danielle Darrieux dans *Battements de cœur*, ceinture placée au plus haut de la taille. Si je m'écoutais, je me lèverais pour voir si ses chaussures n'ont pas des semelles de bois. Elle souhaite expédier un fax. Le guichetier prend le document qu'elle lui tend et se rend au télécopieur. Il revient en lui annonçant que le numéro de son correspondant est occupé. Mais la machine va le recomposer automatiquement jusqu'à ce que la communication soit établie. Toutes les cinq minutes, pendant une demi-heure, il ira voir si c'est fait. Elle, collée à la vitre de séparation, ne cesse de le fixer du regard tandis qu'il sert les clients qui la suivaient. On dirait qu'elle le soupçonne de quelque chose. Le numéro ne se libère pas, le fax reste en carafe. Elle décide de l'expédier en lettre recommandée. Quand il lui donne son reçu, elle prend avec ostentation le temps de l'examiner, puis elle lâche : « Vous n'avez pas mis le tampon. — C'est inutile, madame, l'ordinateur porte automatiquement le jour et l'heure de l'expédition. Voyez, c'est là à droite. C'est ça qui fait foi, maintenant. — Je préfère que vous mettiez le tampon. » Il s'exécute. Cent fois, sans exagérer, il entendra au cours de la nuit la même demande. Il apportera la même précision mais tous, sans exception, joueurs de football ou assujettis à l'impôt sur la fortune, expéditeurs de documents juridiques ou de plans d'architecte, tous préféreront qu'il mette le tampon.

Un confrère qui est aussi une vague connaissance se présente à l'un des guichets. Il me regarde de l'autre côté et, d'abord, ne me voit pas, bien qu'il me fixe. (J'ai rarement connu meilleure illustration de l'expression « ne pas en croire ses yeux ».) Soudain, cela percute. « Ben, qu'est-ce que tu fous là ? » Je lui montre mon carnet et mon crayon : « Je viens relever les noms des journalistes qui paient l'impôt sur la fortune. » Trois secondes de confusion teintée d'inquiétude dans son expression, puis, me montrant une enveloppe kraft : « Non, non, moi, c'est un truc pour mon propriétaire. »

Une (vraie) payeuse de l'ISF s'inquiète de savoir quand arrivera son envoi. On la rassure. C'est la date d'expédition qui compte. Oui, mais si elle opte pour le recommandé avec accusé de réception, cela ne va-t-il pas retarder l'acheminement ? Pas du tout ? C'est sûr ? Bon, et combien ça coûte ? Vingt-six francs cinquante. Elle hoche la tête et il me semble que c'est pour montrer qu'elle trouve ce prix raisonnable…

Ils ont quarante ans et ils voudraient envoyer un colis à leur fils en séjour linguistique en Angleterre. Quel est le moyen le plus rapide ? Ce sont des biscuits. Ils n'arriveront pas trop brisés ? « Vous comprenez, dit-elle, c'est la première fois qu'il part seul… »

Il a bu. Non. Il *est* bu. Il veut cinq cents francs, auxquels il a parfaitement droit, et entamer une conversation avec le postier, à qui il demande une adresse d'hôtel pas cher dans le quartier. Impossible de s'en défaire. Le postier devra faire appel au responsable des équipes de nuit, qui ira de l'autre côté de la vitre et attirera l'ivrogne loin du comptoir pour, finalement, l'aider à s'asseoir du côté où les comptoirs sont fermés et le laisser là cuver une heure ou deux. Une fois assis, l'homme ne tardera pas à glisser dans une somnolence agitée de soubresauts et ponctuée de grognements sonores… Un Japonais voudrait envoyer en urgence… des photos. On lui annonce qu'il lui en coûtera deux cent quatre-vingts francs. Banco…

Au fur et à mesure que minuit approche, le flot des ISF et des footeux grandit. Et aussi la tension dans les files d'attente. Chacun redoute d'arriver trop tard. Le guichetier accélère l'allure. J'évalue qu'il met une minute et demie à effectuer une opération qui lui en demanderait cinq s'il se ménageait. Son rythme est cassé par une quinquagénaire à cran. Elle a expédié en fin d'après-midi une lettre recommandée dans laquelle elle a glissé, par erreur, un document qu'elle doit ab-so-lu-ment récupérer. Il faut qu'on lui rende son pli. Le guichetier essaie de couper court puisque c'est matériellement (et administrativement) im-po-ssi-ble. Elle s'accroche, contre toute raison. « Mais enfin, c'est *ma* lettre… » Derrière elle, et par-dessus sa tête, un monsieur à ISF interpelle le postier. « Ça suffit. On attend. Vous voyez bien qu'elle ne veut rien comprendre. » Le postier lui demande de ne pas lui compliquer la tâche. « Minable. Vous êtes minable. » Le guichetier ne réplique rien. Lorsque le responsable de nuit est parvenu à le débarrasser de la dame que l'on entend répéter ses arguments tantôt sur un mode plaintif, tantôt sur un mode imprécatoire, et que vient le tour de l'insulteur, le postier, donnant une légère emphase à chacun de ses gestes, se lève, s'approche d'une armoire en retrait, y prend une bouteille d'eau minérale, en boit une gorgée au goulot et revient s'asseoir. Puis il accomplit son devoir sans un mot, tandis que son vis-à-vis, les dents serrées, le regarde avec une haine que l'on pourrait saisir à pleines mains…

La nuit constitue de moins en moins un monde à part. Presque plus, en fait. Les plus anciens des équipes nocturnes racontent que jusqu'à il y a seulement une quinzaine d'années, jusqu'au début des années quatre-vingt, l'arrivée derrière le guichet des membres de la brigade de nuit correspondait à l'apparition, de l'autre côté de la vitre, d'une population tranchant vivement sur la clientèle de jour. Des gens plus détendus, causants, « folklos », pas avares de bons mots et de plaisanteries en tout genre. Des gens pour qui la poste de la rue du Louvre représentait l'un des points de repère, l'une des institutions de l'univers de la nuit. Ils venaient en prendre possession sans hâte, vérifiant avec soin que les diurnes avaient bien cédé la place et que le bureau de poste avait moins l'air d'un bureau de poste. Pas mal de ces clients-là venaient des Halles, de leurs travailleurs et de leurs fêtards nocturnes. Leur flot a survécu dix ou quinze ans à la démolition des pavillons de Baltard. Son débit s'est peu à peu ralenti, puis il est devenu un souvenir. Aujourd'hui, la nuit n'est plus un autre monde. C'est une commodité. On y vient effectuer les opérations que l'on n'a pas eu le temps de faire de jour. On y vient parce que l'on sait que l'attente sera moins longue que pendant les heures de bureau. On y prolonge le jour : j'ai vu, à deux heures du matin, un homme âgé de trente ou trente-cinq ans entrer pour acheter des SICAV… Entre le jour et la nuit, il n'y a plus de Pyrénées…

Quand l'envers du décor parisien ne va pas à la poste, c'est La Poste qui va à lui. Aux environs de huit heures du matin, serrées dans des camionnettes, les « brigades » de facteurs sont lâchées au milieu de leur zone d'opération, à raison d'un facteur par demi-quartier administratif. Sur dix d'entre eux que l'on interroge, dix expriment leur étonnement, au début de leur prise de fonction, de découvrir la différence entre les façades et les intérieurs des immeubles, entre les attitudes à l'extérieur et les comportements à domicile, entre l'idée qu'ils se faisaient des habitants de la capitale et ce qu'ils en ont découvert. Comme les exemples de ces décalages fusent autour de la table où les facteurs prennent leur déjeuner, il n'est pas facile de saisir quelles surprises ont été les plus fortes. La saleté de beaucoup d'appartements, peut-être, et quel que soit le quartier. La saleté et les émanations. On dirait que la plupart des fenêtres ne sont jamais ouvertes. Du coup, un grand nombre de logis dégagent une senteur forte. Chacun la sienne, ou presque, mais toujours forte. Celui qui a dit qu'à la Goutte-d'Or, là où abondent familles africaines et maghrébines, il y avait un « problème d'odeur » aurait dû monter les escaliers d'un immeuble de la rue de Bagnolet, de la rue de l'Épée-de-Bois, de la rue de Gergovie ou de la rue des Dames et pénétrer dans les appartements. Les parfums n'y sont pas les mêmes, mais ils sont tenaces. On respire ici la naphtaline comme si les occupants en hébergeaient une fabrique. Là se sont superposés des effluves de cuisine dont il n'est plus possible de distinguer les composants, dominés par la graisse. Ailleurs, ça sent le « sent-bon » : l'air est sucré grâce à des jets réguliers de bombes aérosol vendues comme « purificatrices ». Et tant d'autres odeurs, sures, aigrelettes, piquantes ou épaisses, sans parler de l'odeur de poussière. À croire que le Parisien nourrit à l'égard de l'air de sa ville une méfiance de tous les instants. Ou qu'il imagine se protéger de la pollution en maintenant ses fenêtres closes trois cent soixante-cinq jours par an. Ou qu'il éprouve le besoin de faire de son chez lui un terrier et d'y marquer son droit d'occupant à la manière de tous les animaux. Certains logements ont des croisées neuves, constituées de fer, de plastique et de vitrage épais. La mode s'en répand à grande allure, car elles atténuent sensiblement les bruits de l'extérieur (et rendent donc plus sensibles les sons et les rumeurs en provenance des autres appartements, notamment ceux des postes de télévision), mais elles diminuent également et fortement l'arrivée de l'air extérieur. Les fragrances domestiques s'épanouissent avec vigueur à l'abri de ces fenêtres nouvelles.

Quand les facteurs restent en surface, je veux dire quand aucun pli particulier ne les conduit à monter en plongée dans les étages, il leur arrive encore assez souvent d'avoir affaire à un ou une concierge, à un gardien ou une gardienne. (Le concierge est concierge vingt-quatre heures par jour, le gardien a des horaires.) Au hit-parade établi par les employés des postes figurent en tête concierges et gardiens portugais, qui reçoivent les palmes de l'amabilité (sourire et café au facteur) et de la conscience professionnelle. En dernière position, l'unanimité se fait sur (ou contre) les Yougoslaves. (Pas là, pas courtois, pas sûrs. Confient la loge à des cousins interchangeables et constamment renouvelés. Restent rarement. Ne connaissent pas leurs locataires. Forcent à rester sur leur seuil et donnent l'impression que, de l'autre côté de leur porte, ils fabriquent une bombe atomique clandestine.)

À l'époque des impôts et des appels de cotisations sociales patronales, le facteur voit beaucoup de boîtes aux lettres de boutiques ou de petites sociétés disparaître pendant une quinzaine de jours. Il lui faut alors renvoyer à leur expéditeur les paperasses et les demandes de fonds avec le tampon « N'habite pas à l'adresse indiquée ». Car il est interdit au postier de déposer les plis dont il est chargé ailleurs que dans la boîte portant le nom du destinataire.

Bien entendu, la plupart des personnes que rencontrent les facteurs en tournée, à qui ils vont porter à domicile colis ou lettres recommandées, ont un point commun : si elles se trouvent chez elles dans la matinée, c'est qu'elles ne travaillent pas. Beaucoup sont seules (plus de la moitié des appartements de Paris sont occupés par un unique habitant) et une partie notable est âgée ou sur le versant de l'âge. Souvent, le postier a donc affaire à des clients pour qui son passage est l'un des événements attendus de la journée. On se le dispute, quelquefois, à coups de petites gentillesses. Un café, des sablés… C'est pour mieux le retenir, lui faire la causette, l'informer des dernières turpitudes d'un voisin, se plaindre de la concierge, lui réclamer une lettre, une carte, un catalogue que l'on attend et dont on est sûr qu'il a été expédié. D'ailleurs, l'argument est péremptoire, la carte de vacances de Pâques des petits enfants, Mme Untel l'a reçue. Et le catalogue de Damart, l'habilleur du troisième âge, l'an dernier à pareille époque, on l'avait déjà et on pouvait l'éplucher, tranquille, entre le feuilleton de quinze heures et celui d'avant le journal télévisé. « À Paris, s'amusent les facteurs, tout le monde attend une lettre importante tous les jours. » Il n'est pas rare que quelqu'un qui n'a pas reçu la visite du postier ou qui n'a pas réussi à l'alpaguer dans les escaliers ou dans l'entrée de l'immeuble téléphone au bureau de poste pour demander si sa lettre ou son paquet est bien arrivé… ou pourquoi ce n'est pas le cas.

Les personnes seules et âgées achètent beaucoup par correspondance, qu'elles soient à l'aise ou gênées aux entournures. Les gens de marketing disent que c'est parce qu'elles sont rebutées par la cohue des grands magasins, qu'elles aiment prendre le temps de choisir et qu'elles craignent de quitter le pâté de maisons où elles font leurs courses tous les jours. Les facteurs savent que c'est pour voir le facteur. À qui d'autre raconter le divorce des enfants, les études des petits-enfants, leurs examens, leurs « fréquentations », les soucis qu'ils causent ? À qui parler de la vie qu'on avait avant, du « cher disparu » qui, depuis sa mort, progresse en beauté, en bonté et en sagesse chaque année ? Avec qui commenter les (terribles) nouvelles du journal de vingt heures de la veille ? À qui demander un service quand on est malade ? Car le facteur, à l'occasion, descend chercher le pain, ou les médicaments que le docteur a prescrits. Et – que les esprits suspicieux se rassurent – ce n'est pas par intérêt : la loi leur interdit d'hériter d'un client et de détenir une procuration de sa signature.

Le facteur, c'est la seule jeunesse avec qui avoir un contact régulier. À Paris, en effet, la corporation compte parmi les moins âgées. Les femmes y sont de plus en plus nombreuses et plus d'une, d'abord désappointée, avec bac plus deux, voire plus cinq, de « n'avoir trouvé que ça », a découvert un métier dont elle dit aujourd'hui qu'elle ne le troquerait pas contre un emploi mieux payé, mais dans un bureau. Malgré les toqués et les déceptions.

Les toqué(e)s (« On dirait qu'il y en a chaque année un peu plus ») ont toujours une querelle prête et entendent que le facteur se range à leurs côtés. « Je sais que vous remettez mon courrier au gardien, mais il ne le monte pas. Il le donne à son chien qui le mange. C'est à vous de faire quelque chose. Vous, la police vous croira. » Les déceptions sont de mille sortes : la vedette de télé installée dans un duplex avec terrasse dans l'un des immeubles de la tournée. Il a pris son recommandé sans jeter un regard au postier, en grommelant qu'il fallait toujours qu'on l'emmerde. La star de cinéma qu'on croyait grande dame. Elle a ouvert sa porte à grand peine, fin soûle, enveloppée dans une robe de chambre maculée de reliefs divers et, quand la factrice lui a tendu son paquet, elle a fondu en larmes et s'est effondrée les quatre fers en l'air (c'est décevant, mais ça fait quand même une histoire à raconter). Le monsieur apparemment classieux, et qui s'est livré à des privautés – vite interrompues – sur la personne d'un jeune préposé qui n'envisageait pas de lui rendre ce genre de service. Furieux de ce refus, il a distribué insultes et menaces, puis écrit au bureau de poste pour demander que la tournée soit attribuée à un autre postier, moins insolent et mieux élevé. « Heureusement, j'avais raconté l'histoire à la brigade et personne n'a été dupe. Je me suis quand même fait vanner pendant trois mois. Après chaque tournée du matin, on me demandait : "Alors, violé combien de fois, aujourd'hui ?" Quand il y avait une lettre recommandée pour le type qui m'avait embêté, je ne montais pas voir s'il était chez lui, je mettais systématiquement un avis de passage dans sa boîte. Eh bien, il a écrit pour se plaindre !... J'ai raconté tout ça à mes parents, dans le Jura. Mon père voulait écrire à son député pour qu'il alerte l'administration sur nos conditions de travail. Faut dire que c'est un vieux cégétiste. Je l'ai dissuadé. Il s'est laissé convaincre à regret et il m'a dit : "Fais attention. À Paris, ils vivent comme des bêtes. Le danger, c'est de s'habituer." Moi, je crois plutôt qu'à Paris, même si tout est plus cher, plus tendu, plus difficile, on a tellement de possibilités que c'est là qu'on vit le mieux. Quelquefois, le dimanche, je reviens dans le quartier de ma tournée juste pour me balader et regarder en détail certains immeubles. J'emmène ma copine. Elle bosse comme secrétaire dans une tour de la Défense. Elle dit que je suis superchanceux. On habite porte d'Orléans, mais on cherche plus près du centre, 10e, 11e. La seule chose sûre, avec tout ce que je vois, c'est que, quand on n'est plus dans le coup, il ne faut plus habiter Paris, c'est trop dur. Remarquez, l'autre jour, j'ai dit ça à un couple de vieux à qui je portais un paquet. Ils se plaignaient de tout : du bruit des marteaux-piqueurs, de la cherté des commerçants, des enfants qui ne viennent pas souvent les voir alors qu'ils habitent à une demi-heure de métro... Je leur ai dit : "Mais pourquoi vous n'allez pas vivre dans votre maison de famille, dans le Berry ?" Ils ont sauté au plafond. D'abord, il paraît que quand ils y vont, ceux qui étaient là-bas à l'école avec eux leur font plus ou moins la gueule. Ils sont jaloux parce qu'ils n'ont pas osé partir et aussi parce que lui, il a fait une belle carrière. Ensuite, au bout de deux semaines, ils s'ennuient. Enfin, comme a dit le monsieur : "Toute cette agitation, à Paris, ça n'a pas que du mauvais. On se sent toujours en vie." C'est une remarque qui m'a fait drôle. C'est vrai aussi pour des jeunes comme nous, finalement. Ici on a toujours des projets. »

Si le facteur peut être pour celui qui veut connaître les dessous de la ville ce que le diable boiteux qui soulevait les toits était pour l'étudiant Cléophas, insatiable curieux, le pompier de Paris jouera encore mieux ce rôle. Car ce militaire est appelé au secours près de deux cent mille fois par an, plus de cinq cents fois par jour. Or, de ces deux cent mille appels, guère plus de six mille sont motivés par un incendie, qui peut consister en un feu de cuisine (souvent) ou en un embrasement du Crédit lyonnais (très rarement). Le feu ne représente que trois à quatre pour cent des causes de sortie des sapeurs-pompiers. (Dans leur jargon, une sortie s'appelle un « décalage ». Le terme remonte à l'époque des voitures à chevaux, dont on dégageait les cales à chaque départ en opération.) À peine le double des appels causés par une corniche d'immeuble qui menace de tomber ou par la fuite d'une cuve d'essence dans un garage, de mazout dans une cave. Deux fois moins que les sorties liées à une canalisation d'eau qui éclate ou à une émanation de gaz (réelle ou supposée), trois fois moins que les accidents de la circulation, à peine plus que les fausses alertes, qui comptent pour deux pour cent dans le total des activités de la brigade des sapeurs-pompiers de Paris (BSPP).

Il faut s'y résoudre, Paris ne brûle pas. Ne brûle plus. La plupart des incendies se produisaient non chez les particuliers mais dans les usines et les entrepôts (il n'en reste guère) et dans les ateliers (il en subsiste de moins en moins dans la capitale). Si la BSPP n'avait mission que d'éteindre les feux, comme c'est le cas pour ses équivalents de Londres, de New York, de presque toutes les grandes villes, ses effectifs seraient scandaleusement pléthoriques. Mais, bien que dans chaque caserne on s'y prépare tous les jours par un entraînement physique soutenu, par des manœuvres appliquées et par un entretien méticuleux des véhicules et des équipements, bien que chaque sapeur rêve d'incendie et que ceux qui ont combattu les plus graves font et refont aux autres le récit de leurs batailles, le pompier de Paris est d'abord un travailleur social. Il ne l'est pas marginalement, comme c'est le cas pour le facteur. Il l'est pour les trois quarts de son activité, sous des dénominations qui ne doivent pas induire en erreur comme « assistance à personne » ou « secours à victime ».

Certes, ces rubriques statistiques renvoient en partie non négligeable à des interventions en urgence au milieu de vrais drames : intoxications par le gaz, par des médicaments, par des drogues (six mille cinq cents en un an), blessures à l'arme blanche (mille deux cents), malaises cardiaques (deux mille deux cents), accidents de la circulation (treize mille, dont cinquante-deux mortels et cinq centsclassés « graves » ou « très graves »). Mais, sous les mêmes appellations, les comptages rangent des dizaines de milliers de sorties provoquées par des histoires de queues-de-cerise, du moins en apparence, car souvent, comme on le verra, certaines interventions des pompiers, en apparence anodines, jouent néanmoins un rôle essentiel dans la vie quotidienne de la capitale, et ne peuvent être effectuées que par eux, non parce qu'ils en sont les seuls techniquement capables, mais parce que ce sont eux que les Parisiens veulent voir, c'est de leur présence qu'ils éprouvent le besoin à un degré que je n'aurais pas imaginé si je n'avais pas été admis à « décaler » à ma guise avec deux compagnies de la brigade, l'une au nord de la ville, l'autre à l'ouest.

Adieu, donc, à l'image des calendriers, celle de l'intrépide soldat du feu maîtrisant les flammes ou plongeant dans le fleuve froid et glauque pour secourir quelque désespéré(e). Cent noyés repêchés en un an – dont soixante ramenés à la vie –, on peut arguer que cela veut dire un saut dans la Seine tous les trois jours et demi. En soi, cela paraît beaucoup. Pour la BSPP, c'est un motif d'intervention six fois moins fréquent que la neutralisation ou la capture d'animaux. (L'enlèvement d'essaims de guêpes représente, à lui seul, deux cents sorties annuelles.)

Avant tout, le pompier de Paris est le polyvalent de l'imprévisible et l'apaiseur des tensions que connaît la vie quotidienne, lorsqu'elles atteignent un seuil (souvent bas) que les Parisiens jugent insupportable. L'imprévisible, c'est un arbre qui menace de s'abattre, des matériaux qu'il faut amarrer avant qu'ils ne tombent, un tout-à-l'égout à dégorger, une fuite de gaz à colmater (et des locaux à ventiler), une inondation à juguler, une personne menaçant de se jeter dans le vide à convaincre de n'en rien faire ou à récupérer saine et sauve, une autre à dégager de la cabine d'ascenseur ou du monte-charge où elle est soudain prisonnière, des acides, des hydrocarbures ou des produits dangereux répandus sur la voie publique qu'il faut disperser, une femme en couches à assister, un ivrogne à remettre en état, quelqu'un qui se trouve enfermé chez lui par la négligence d'un conjoint ou d'un enfant qui a pris sa clef et fait jouer les verrous, une porte qu'il faut forcer parce que l'on s'inquiète, dans l'immeuble, de ne pas avoir vu depuis un moment l'occupant de tel appartement. (À ce propos, essayons de tordre le cou à la légende selon laquelle Paris serait plein de cadavres attendant pour que les voisins s'en soucient d'être arrivés à un stade de décomposition avancée. Bien qu'il soit regrettable, et peut-être même fautif, de priver les Parisiens et les provinciaux du frisson délicieux que provoque l'évocation de ce genre de drame et des considérations entendues et affligées qu'elle entraîne – ah ! la solitude des grandes villes, la déshumanisation des métropoles, etc. – la brigade des sapeurs-pompiers n'a trouvé, en une année, que quatre-vingt-onze cadavres derrière des portes qu'il lui a fallu forcer. Si l'on précise que près des deux tiers de ces morts étaient la conséquence d'un suicide ou d'une surdose de drogue, cela ramène à une trentaine – sur deux millions d'habitants – le nombre de personnes ayant quitté cette vallée de larmes d'une manière « naturelle », sans que quiconque ne s'en préoccupe, ni même ne s'en aperçoive.)

La tension insupportable, c'est ce que, faute de mieux, on appelle la « crise de nerfs » d'un collègue, d'un voisin, d'un proche. Pour la calmer, on croit en la vertu de l'uniforme, qui représente l'autorité, et de la voiture rouge à pin-pon, qui figure la sécurité. C'est l'enfant qui n'est pas rentré de l'école, la vieille mère qui est partie « aux commissions » et qui n'est pas encore revenue, le mari ou l'épouse qui a quitté le domicile en claquant la porte, tout à l'heure, après un échange un peu vif, « mais il (elle) n'a rien emporté et ne doit pas être allé(e) bien loin ». Simplement, on ne voudrait pas qu'il (elle) ait eu un accident ni, quand même, alerter la police. C'est une dame élégante, très élégante, dont la bague inestimable, à la fois joyau précieux et souvenir adoré, est tombée, à la suite d'un faux mouvement, dans une excavation, dans un égout, dans la Seine. Vite un plongeur, un spéléologue : la BSPP en compte ce qu'il faut. C'est un monsieur qui téléphone parce que l'ascenseur fait de drôles de soubresauts et que la société qui l'entretient ne répond pas. Les pompiers pourraient-ils le mettre à l'arrêt ? C'est un particulier qui se sent devenir fou parce que l'alarme du magasin en dessous de chez lui hurle sans discontinuer (et sans la moindre raison) depuis maintenant trois quarts d'heure, qu'il est minuit passé et que, vous comprenez, il doit se lever à six heures. C'est une particulière qui appelle parce que son réfrigérateur a lancé un éclair bleu, qu'elle a « pris le jus », qu'elle est paralysée de trouille à l'idée de s'en approcher pour le débrancher et que seul son mari, en voyage, sait où est le disjoncteur. Est-ce qu'on pourrait venir mettre l'appareil hors tension ?

Toujours prêts, comme les scouts, les pompiers peuvent toujours. S'ils ne sont pas déjà ailleurs. Et, quand même, à condition que la demande d'intervention reste dans les limites du raisonnable. Au bout du 18, un centre de tri reçoit les demandes et les répartit sur les unités territorialement compétentes. Il en élimine environ un tiers. Passé ce filtre, la machine se met en branle, chacun de ses mouvements étant noté, archivé et informatisé. Dans la cour de la compagnie nord, un avertisseur beugle. Le nombre de ses beuglements indique la nature de l'intervention. Là, ce n'est pas très clair. Apparemment il y a un blessé. La police est déjà en bas de l'immeuble. C'est un Martiniquais. Il est en crise de manque. Il s'est donné des coups de couteau, crie qu'il est séropositif et qu'il veut contaminer son fils avec son sang. Sa compagne, imposante, mauvaise, engueule à la cantonade et menace de représailles ceux qui ont prévenu les flics. L'arrivée des pompiers l'incite à un peu moins d'agressivité. Un garçon de sept ou huit ans, assis par terre, regarde l'individu (son père ?), en slip sur le bord du lit, sanguinolent. Il laisse l'un des hommes de la compagnie l'approcher, montre qu'il n'a plus son couteau. Nettoyé, pansé, calmé, rhabillé, il se laissera emmener à l'hôpital. Partout sur les murs de l'appartement il y a des traînées de sang. L'un des sapeurs laisse des gants-vinyle à la grosse dame, qui roule toujours des yeux furieux. « Mettez-les pour nettoyer et ne laissez pas le gosse toucher ça. — Il n'a qu'à nettoyer lui-même, ce salaud de camé », aboie-t-elle. Elle a dû avoir une sacrée frousse.

Le décalage suivant est pour la rotonde de la Villette. Un blessé. Quelqu'un a appelé d'une cabine. Arrivé sur les lieux, le sergent-chef repère un groupe de clochards qui agitent la main en direction de la voiture. L'un des leurs est assis par terre. Jeune. Tout à l'heure, il déclarera avoir trente ans. (Les pompiers, après leur intervention, demandent l'identité et l'âge, mais pas les papiers. Une raison de plus de les préférer à la police.) Il ne peut plus marcher. Sa cheville. Elle a la dimension d'un ballon de handball. Un sapeur le déchausse et enlève sa chaussette. Donnez-moi un pied comme celui qui apparaît et je vous soulèverai n'importe quel cœur. « Ils laveront tout ça à l'hôpital », dit le pompier, qui grimace puis sourit et commence à placer une bande de contention. « À moins qu'ils le trempent dans l'acide. » Le clochard et ses copains rigolent. « Les pompiers, c'est les meilleurs », proclame l'un d'eux. Sous les couches de crasse percent ça et là, autour de la cheville, des éléments de tatouage. Deuxième voyage pour l'hôpital. Les infirmières se moquent des soldats du feu. « Vous pourriez apporter des fleurs...— Vous inquiétez pas, ça sent la rose... »

Avant que la voiture n'ait regagné la compagnie, la radio l'envoie ailleurs. Une petite fille a été renversée par un motard. Elle est choquée mais ne semble pas blessée. On l'emmène dans un autre hôpital, avec sa mère, pour plus de sûreté. Un opticien et une gardienne s'offrent comme témoins. Il faut attendre la police. Elle arrive à mobylette, vingt-cinq minutes plus tard. Les témoins sont rentrés chez eux...

L'appel suivant émane... d'un poste de police du quartier. Une contractuelle s'est fait une entorse : en banderillant les voitures de ses contraventions, elle a glissé d'un trottoir. « Vous pourriez l'emmener à l'hôpital en passant par le commissariat ? Toutes ses affaires sont là-bas. » En route ! Je rentre à la compagnie à pied, voir s'il n'y a pas le feu quelque part. Il n'y a pas le feu, mais on vient d'appeler pour une alerte au gaz. Grand branle-bas. Ce n'est plus le simple véhicule de premier secours qui « décale » mais le gros camion avec l'échelle, les lances et tout le fourbi. Youpi ! Les pompiers ont revêtu leur cuir, leur espèce de passe-montagne est roulé à la base du cou, ils ont sorti les casques-miroirs façon Dark Vador. Ils finissent de s'habiller dans le camion. On sent une montée d'adrénaline. Arrivés à l'adresse indiquée, ils sautent sur le trottoir le casque à la main. Ne jamais le porter dans la rue. Ça affole les populations. On le met dans l'escalier, en grimpant les quatre étages.

Une femme attend sur le palier, la quarantaine, maigre, nerveuse, triste. Elle conduit les sapeurs dans sa cuisine, là où elle a perçu une odeur caractéristique « sortant des tuyaux ». Personne ne sent rien. Pendant deux minutes, chacun renifle. Non. Pas d'odeur suspecte. « Je ne sais pas. C'était tout à l'heure », assure la dame, qui va fermer sa porte palière et explique : « C'est les voisins du dessus. C'est la concierge, elle vient d'acheter l'appartement. Ils n'arrêtent pas de faire des travaux n'importe comment. Je ne sais même pas s'ils ont le droit. C'est terrible. J'ai tout le temps peur. Je leur ai dit d'arrêter. Ils m'ont rembarrée. Vous ne pourriez pas aller vérifier chez eux ? Leur dire d'arrêter ? » Elle fond en larmes, secouée des pieds à la tête. Le sergent explique, posé, que non, il ne peut pas aller vérifier chez les voisins. « Mais je suis allée à la police, ils disent qu'ils ne peuvent pas intervenir. Vous ne pourriez pas faire un constat ? Ça les obligerait à se déplacer. » Non, les pompiers ne font pas de constat, et de quoi, d'ailleurs ? Ils peuvent juste noter qu'ils ont été appelés. Le sous-officier prend son temps. La dame se calme. Elle précise qu'elle est professeur. Les pompiers s'en vont.

Lorsqu'ils ouvrent la porte, la concierge est sur le palier. Elle a l'âge de la locataire, mais s'oppose à elle en tout : la rondeur, l'allure dynamique, l'œil vif. Elle explose : « Elle ne fait ça que pour nous emmerder ! Elle ne peut pas supporter qu'on ait acheté l'appartement ! Elle est jalouse ! Elle crève de voir qu'on réussit ! » Du palier du dessus, une voix d'homme – le mari de la concierge, sans doute – lui fait écho : « Cette salope ! Tu vas arrêter de nous faire chier, salope ! Tu crois qu'on va se laisser emmerder longtemps, salope ? » Le sergent monte trois marches et fait les gros yeux. « Ça suffit, monsieur. Vous n'avez pas à insulter les gens. » La voix bat en retraite et descend de deux tons : « Oui, mais c'est une salope ! — J'ai dit : ça suffit. Rentrez chez vous. » Il demande à la concierge de descendre et reste un moment, attendant que la paix provisoire soit établie. « Allez, madame, tâchez de vous arranger », dit-il au professeur, qui hoche la tête et rentre chez elle, brisée. Le camion, l'échelle et tout le fourbi regagnent la base. Les sapeurs enlèvent leur cuir, leur passe-montagne, et rangent les casques. « Encore une vie de sauvée ! » commente l'un d'eux, un sourire en coin.

La prochaine sortie sera pour le véhicule ordinaire. Une vieille dame a eu un malaise dans son appartement. Un petit deux pièces au dernier étage, surchargé de meubles trop grands, recouverts de toiles imprimées qui se font du tort les unes aux autres. Une grande télévision sur laquelle repose une poupée bretonne en coiffe. Aux murs, trois crucifix, deux vierges, des gravures du *Moniteur des modes* et un *Serment des Horaces.* La dame est dans son lit en robe de chambre. Un peu pâle, mais la parole aisée. « J'ai quatre-vingt-onze ans », déclare-t-elle d'emblée. « Et moi quatre-vingt-quatre », précise le mari en écho. Ils étaient allés faire une petite promenade aux Buttes-Chaumont « vu le temps ». Au retour, ils se sont arrêtés au café. Elle a bu un porto. Peu après, elle a eu un vertige. Il a pris peur. « C'est idiot, dit-elle. Il s'inquiète toujours. Je n'ai rien. J'ai quatre-vingt-onze ans. — Et moi quatre-vingt-quatre. » Le sergent rit et les complimente, puis négocie la prise de tension : 11-8. « Vous voyez bien ! — Quand même. Ça vous ennuierait qu'on appelle un médecin ? Juste pour rassurer tout le monde. » Quelques minutes de discussion, puis elle accepte. Le sergent téléphone, puis dit de gentilles banalités et tout le monde redescend. Dans la loge, dont la porte est ouverte, le gardien, assis devant une bouteille de vin qu'il a presque vidée, se lève et titube. « Merci beaucoup, marmonne-t-il. C'est des vieux… »

La journée se poursuit avec un évanouissement dans un restaurant. Une femme bien mise et assez jeune. Civière. Prise de tension. Hôpital. « Une simulatrice, diagnostique le sergent. Personne ne s'évanouit avec cette tension et cette respiration-là. » Au suivant ! Ce sera un malaise cardiaque dans un immeuble avec jardin, un peu plus *cosy* que les bâtiments voisins. L'homme, très gros, a déjà eu des problèmes. Il est d'un calme inattendu et, du coup, son épouse et ses deux enfants le sont aussi. En route pour l'hôpital, puis direction le mess, pour un repas si possible sans interruption.

Au mess, le sergent s'excuse auprès de moi de n'avoir pas eu d'incendie à m'offrir. Je l'absous et nous formons ensemble des vœux pour que le feu y mette du sien. « Vous seriez venu la semaine dernière… », me dit un autre sous-officier, soucieux de la réputation de son corps. Je m'efforce de le convaincre que je ne souhaite rien d'autre que participer aux activités ordinaires de la compagnie. Puisqu'elle ne « décale » que trois fois sur cent pour cause d'incendie, je ne réclame que ce quota. On me fait la politesse de me croire mais je vois bien que mes convives doutent que ces sorties sans gloire que nous venons d'opérer puissent être la matière d'un récit imprimé. Non que les sapeurs-pompiers éprouvent de la honte à rendre les services que la population leur demande. Mais ils ne peuvent accepter ce train-train de travailleur social que dans la mesure où ils restent les soldats du feu, et aussi parce que c'est le feu, sa mythologie et le courage nécessaire pour le combattre qui leur confèrent le prestige, l'autorité, l'immunité, le charisme, bref la grâce de leur état, celle qui les place au-dessus de toute contestation. Sans oublier que, s'ils passent chaque jour autant d'heures en salle de gymnastique ou en exercices de plein air, ils ont besoin de penser que ce n'est pas pour trancher des querelles de voisinage, transporter des chevilles foulées ni rassurer des nonagénaires.

En dehors de ceux que les règles de la brigade obligent à habiter la caserne d'où nous décalons, la plupart des cadres ne vivent pas à Paris ni en banlieue. Sur les six qui, autour de la table, disposent de la liberté de choisir leur domicile, quatre sont installés en province. Deux en Bretagne, un dans le Dauphiné et un en Alsace. Comme leur service est – la plupart du temps – de trois jours et trois nuits consécutives, suivi d'un repos de la même durée, et que les TGV mettent leur résidence à trois heures de Paris – sauf pour l'Alsacien –, ils ont deux vies cloisonnées et ils s'en félicitent. Si l'on considère que la plupart des sapeurs – appelés du contingent –, sont provinciaux ou grand-banlieusards et qu'une bonne part des militaires de carrière de la brigade sont dans la même situation, on remarque que les pompiers de Paris ne sont pas de Paris. Malgré le chômage et malgré l'intérêt d'un service national effectué à la BSPP plutôt que dans la plupart des autres armes, les Parisiens font rarement acte de candidature. « Paris ne les intéresse pas, commente un capitaine de l'état-major. Ils ne savent pas comment la ville fonctionne et ça ne leur fait ni chaud ni froid. »

L'opinion de l'un des sous-officiers est plus sévère : « Ils n'ont aucun sens des responsabilités. » C'est dit sans moralisme, sur le ton du constat. « Ils sont fiers, mais c'est une ville d'assistés. On appelle les pompiers parce qu'on s'est entaillé le doigt en coupant un fruit ou en bricolant une planche. En province, on téléphonerait à un taxi pour se faire conduire aux urgences. À Paris, le taxi, c'est la voiture rouge. »

Cette mentalité du Parisien, on en prend la mesure en discutant avec les pompiers des interventions qui sont provoquées non pas par le feu, mais par leur ennemi numéro deux (ou plutôt numéro un *bis*), l'eau. Les petites inondations sont si fréquentes dans la capitale que la BSPP a dû ériger en doctrine le refus de s'en mêler. (En ne traitant que les cas sérieux, elle sort quand même dix mille fois par an.) C'est que tout concourt, à Paris, à un désordre maximum dans l'aménagement des immeubles anciens. La loi de 48 limitant les loyers de certains appartements, si elle a permis le maintien dans les lieux d'une population pauvre, a poussé les propriétaires à n'entreprendre que des travaux indispensables à la simple conservation de leurs biens. C'est-à-dire souvent à négliger d'entretenir les canalisations jusqu'à ce qu'elles atteignent la limite d'âge. La radinerie et la mauvaise entente des copropriétés aboutissent à un résultat semblable. Mais le pire est dû aux marchands de biens et aux bricoleurs. Ils peuvent prétendre à être rangés au nombre des grands fléaux parisiens.

Les premiers achètent des immeubles qu'ils « rénovent » en démolissant quelques cloisons, en faisant repeindre les lieux et en y installant les commodités qui manquent. (En 1965, les deux tiers des logements parisiens n'avaient ni salle de bains ni cabinets.) Les seconds procèdent eux-mêmes à des aménagements identiques. Et les uns et les autres installent une baignoire à un endroit trop fragile pour en supporter le poids quand elle est pleine, branchent les évacuations là où ça leur coûte le moins cher, multiplient les conduites, confondent les eaux usées et les eaux de pluie, se raccordent à une canalisation voisine qui n'a pas la capacité d'absorber longtemps un débit supplémentaire, ne se soucient ni des immeubles voisins ni des occupants des étages inférieurs ni même des lois de la physique. Résultat, Paris est l'une des villes les plus humides en hauteur, et si l'on n'y trouve un plombier qu'à grand-peine, c'est parce qu'ils sont tous occupés à réparer incessamment les dégâts causés par tant d'aménagements absurdes. Les pompiers, eux, ont décidé de n'intervenir que lorsqu'il y un risque pour les personnes ou que les choses en sont à un point tel que les planchers menacent de s'affaisser ou les cages d'escalier de s'effondrer. (Les compagnies d'assurances, quant à elles, refusent de plus en plus fréquemment de couvrir les dégâts des eaux.)

Des exemples de l'égocentrisme, de l'irresponsabilité, de la mauvaise foi des Parisiens, les pompiers en ont de copieuses réserves. Ils les racontent sans acrimonie. C'est que, tout compte fait, cette ville leur plaît. Certes, ils ne la supporteraient pas s'ils n'habitaient pas ailleurs ou si, pour ceux qui y résident, ils n'avaient pas la perspective d'une affectation dans l'un des détachements qui dépendent de la brigade : celui de Lacq, là où l'on extrait le gaz, celui de Biscarosse, au Centre d'essais des Landes, ou en Guyane, sur le site de lancement des fusées Ariane. Mais sans doute ne goûteraient-ils pas leur vie ailleurs sans la perspective de ces plongées régulières dans cette ville curieusement peuplée et dont ils sont parmi les rares à connaître autant d'aspects. Affectés à la 7e compagnie, ils ont eu affaire aux agressions de nuit de Pigalle et aux touristes victimes d'intoxication alimentaire des circuits *Paris by night*. Ils ont découvert les ateliers d'artistes du boulevard de Clichy, exploré des bars fatigués et obscurs, monté des escaliers d'hôtel dont il vaut mieux que les murs ne puissent pas parler, ramassé des jeunes corps abîmés par la drogue sur le bac à sable d'un square.

Sapeurs à la 10e, ils ont repêché de tout dans le canal Saint-Martin, mis un terme à des bagarres de clochards dans un recoin de la gare du Nord ou à des rixes entre prostitués plus ou moins toxicomanes pour des histoires byzantines de dettes pas honorées et de clients qu'on se vole. Ils ont couru à la Goutte-d'Or pour un début d'incendie dans un meublé et leur plus grande difficulté a été de se frayer un passage au milieu d'une multitude polychrome que leur venue avait jetée dans la rue comme pour une fête.

En poste à la 5e compagnie, ils n'en croient pas encore leurs yeux qui ont pourtant vu, ce qui s'appelle vu, ces appartements de l'avenue Foch qui dépassent tout ce que les feuilletons télévisés leur ont donné comme représentation du luxe : dorures, marbres, moquette de haute laine profonde et immaculée, piscines, jacuzzis, saunas, couloirs où l'on pourrait s'entraîner pour le marathon de la brigade, cuisines grandes comme des dortoirs et salles à manger comme la cour de la compagnie… Des appartements « signalés », qui appartiennent à quelque émir, à quelque tycoon, à quelque croqueuse de maris. « On s'essuie longtemps les bottes avant d'y pénétrer. » Trois semaines après, dans le même immeuble, il faut emprunter un innommable escalier de service pour atteindre l'étage crasseux des chambres de bonne, où s'agglutinent des occupants craintifs. Comme ils n'ont pas le chauffage central, un radiateur électrique d'un modèle préhistorique a provoqué un début d'incendie. Puis la voiture rouge a roulé vers Bagatelle : au cours du match de rugby que l'École des mines dispute contre les Ponts, un joueur plaqué s'est démis l'épaule. Pendant son transport vers l'hôpital Ambroise-Paré, il s'enquiert, plaintif, de l'éventualité qu'on lui fasse une piqûre. Les sapeurs le chambrent et lui annoncent que ses fesses sont promises à devenir une pelote d'aiguilles. L'étudiant roule des yeux effarés et ne commence à se détendre que lorsque ses sauveteurs évoquent la perspective probable d'une amputation. Une heure et demie plus tard, en conduisant, cette fois, un footballeur de Bagatelle dont la cheville n'a pas résisté à un tacle, les sapeurs retrouveront leur rugbyman dûment bandé, attendant que sa famille le récupère et qui leur confiera, en les remerciant, qu'on lui a épargné la seringue.

D'une intervention à l'autre, les pompiers auront eu en une année deux cent mille fois des mots d'apaisement, des gestes de secours et de gentillesse, dont personne n'aurait bénéficié s'il n'existait pas, à Paris, des professionnels du bobo et de la catastrophe qui tricotent derrière le décor ce lien qui fait de la grande ville un lieu où l'on se sent en sûreté.

(J'aurai mon feu, finalement, au grand soulagement de mes hôtes. Pas un incendie ravageur et dévorant. Une omelette aux champignons qui a mal tourné, jetant dans la rue, affolés, deux garçons et une fille qui mitonnaient une dînette dans un deux pièces tendu d'étoffes indiennes et meublé de poufs et de coussins. Une fois le feu maîtrisé, très vite et en utilisant le minimum d'eau pour qu'une inondation ne vienne pas causer des dégâts plus fâcheux que les flammes, les trois dîneurs prendront la pause avantageuse de ceux à qui il est arrivé quelque chose dont le récit va pouvoir épater les connaissances. Une sorte d'ivresse après la grande colique de trouille. Les pompiers l'observent souvent.)

Si les postiers et les pompiers tissent incognito l'un des liens qui unissent à travers Paris des solitudes volontaires ou subies, les instituteurs, quant à eux, barattent les éléments les plus divers pour les amalgamer dans la pâte républicaine, laïque et universaliste, et s'efforcent d'offrir une communauté de destin à des enfants venus des cinq continents. Dans l'extrême nord du 11e arrondissement, à la frontière du 19e, l'école primaire publique compte deux cent quatre-soixante-et-onze élèves. Cinquante Français – dont seize Antillais –, six Portugais, deux Espagnols, deux Irlandais, deux Serbes, deux Polonais, un Albanais, un Macédonien, c'est-à-dire soixante-six Européens ; dix Turcs, qui ne sont dans l'Europe que d'un pied, cinquante et un Chinois, sept Sri-Lankais, trois Indiens, trois Laotiens, un Pakistanais, un Cambodgien, un Vietnamien : soixante-dix-sept Asiatiques plus ou moins orientaux ; vingt-huit Algériens, vingt-six Tunisiens, vingt et un Maliens, dix-neuf Marocains, onze Ivoiriens, dix Sénégalais, trois Guinéens, deux Gabonais, soit cent vingt Africains ; auxquels s'ajoutent huit « Américains » : six Haïtiens et deux Colombiens. Dans une école du 10e arrondissement, les trois cents élèves se répartissent en vingt-huit nationalités. Le directeur d'un établissement primaire du 18e raconte que, sur deux cent quatre-vingt-quinze enfants, cinq sont d'« origine gauloise ». (C'est l'expression adoptée en souriant par la plupart des enseignants du public pour ne pas avoir à utiliser celle de « Français de souche » dont se sert le Front national.) Là aussi, les Maghrébins dominent, suivis des Chinois, des Sri-Lankais, des Indochinois, des Maliens, des Zaïrois et même d'une Australienne. Dans le 19e arrondissement, l'institutrice d'une classe de trente élèves a eu l'idée d'organiser un repas imaginaire où chaque enfant décrivait une recette de son pays d'origine qu'il avait demandée à sa mère : seize cuisines nationales furent représentées à ce festin en paroles. « Voulez-vous mettre mon fils avec moins de Noirs ? » a écrit un parent d'élève à un directeur ; et un autre : « J'ai dit à ma fille de ne plus venir à l'école, à cause des mauvais résultats dus à trop d'étrangers… »

Car le paradoxe que doivent affronter les instituteurs des quartiers populaires de Paris consiste à s'efforcer d'incorporer des enfants venus d'ailleurs – qu'ils aient ou non acquis la nationalité française – à une population autochtone de moins en moins représentée dans leurs écoles. Quand la proportion d'allogènes devient forte, beaucoup de parents d'« origine gauloise » vont en effet demander au maire d'arrondissement une dérogation leur permettant d'envoyer leur progéniture dans un établissement « mieux fréquenté ». Rares, rarissimes même, sont les élus qui refusent d'accorder ce passe-droit. Lorsque cela arrive, les parents, s'ils le peuvent, inscrivent leur enfant dans le privé. D'autres, héroïques, acceptent de jouer le jeu de la carte scolaire, comme cette famille catholique militante du nord de Paris qui a maintenu ses trois garçons dans l'école primaire où les Français blancs ne représentaient pas trois pour cent de l'effectif. Deux ans plus tard, elle les avait retirés : « Nous l'avons décidé la mort dans l'âme, mais nous avons pensé que nous ne pouvions pas sacrifier la scolarité de nos enfants à nos convictions. Comparé à celui de leurs cousins inscrits dans des écoles “normales”, leur niveau était beaucoup trop bas. Il y a eu des gens pour se moquer de nous et même, dans une association à laquelle nous appartenons, pour suggérer que nous étions devenus racistes. Mais leurs enfants à eux n'avaient jamais connu que des classes équilibrées, alors que, dans l'école des nôtres, entre les gosses qui venaient de temps en temps, ceux qui ne savaient pas lire en CM2, ceux qui mettaient toute leur énergie à empêcher l'instituteur de travailler et ceux qui faisaient le coup de poing dans la cour de récréation, l'ambiance était intenable. »

Intenable ou pas, la plupart des enseignants du primaire font face. C'est qu'ils appartiennent à un corps beaucoup plus sûr de son utilité sociale et beaucoup moins sujet à l'introspection que leurs collègues du secondaire : quiconque enseigne dans un collège ou dans un lycée peut légitimement se demander à quoi bon disserter des guerres puniques, de la cage de Faraday ou des prépositions allemandes gouvernant le datif à des jeunes gens persuadés que leur avenir réside à l'Agence nationale pour l'emploi. Tandis que ce que l'on enseigne à l'école, comme le dit un instituteur, « même pour être chômeur, on en a besoin ».

La très grande majorité des directeurs d'école et des enseignants relativisent donc les problèmes qu'ils rencontrent et presque tous les décrivent avec bonne humeur. « Les enfants qui posent des problèmes sont ceux qui ne sont soutenus par aucune structure en dehors de l'école. Ceux dont les parents viennent d'Afrique noire ou des Antilles, par exemple. Les premiers vivent dans des familles à géométrie variable où l'on n'a pas de considération particulière pour la scolarisation. D'autant moins que beaucoup d'adultes cultivent la chimère d'un improbable retour au pays. Les seconds proviennent, dans une énorme proportion, d'une "famille monoparentale", comprenez qu'ils sont élevés par une mère célibataire qui éprouve assez de difficultés à nourrir et à habiller sa marmaille pour manquer d'énergie lorsqu'il s'agit de la suivre dans son travail scolaire. Les Turcs aussi nous causent des soucis. En général, les enfants sont avides de s'instruire et de s'intégrer, mais les parents font obstacle. Ils interdisent à leurs gamins de participer à toute activité extrascolaire. Ils ne valorisent pas leurs bons résultats et ils refusent le contact avec nous. Quand nous parvenons à leur parler, ils expliquent qu'ils ne veulent pas que leurs petits s'éloignent de leurs traditions et que, de toute façon, ils vont bientôt retourner en Turquie. Il est arrivé que de jeunes Turques qui réussissaient bien cessent de venir en classe du jour au lendemain. On envoie des lettres à la famille qui ne répond pas. On alerte un service social qui finit par apprendre que la gamine a été renvoyée au pays, à une grand-mère ou à des parents, "parce que c'était meilleur pour sa santé". »

Mais qu'elles soient turques, africaines ou antillaises, il existe aussi un bon nombre de mères qui prennent discrètement rendez-vous avec le directeur de l'école de leurs enfants, surtout si c'est une directrice. Celle-ci se transforme alors en assistante sociale, en conseillère conjugale, en tacticienne de l'émancipation. Des conciliabules se tiennent dans son bureau, aux heures où les maris travaillent ou sont occupés ailleurs. On complote à la prolongation de la scolarité du garçon ou de la fille, à son passage dans le secondaire, à sa participation à telle ou telle activité. On discute des rapports avec les hommes, on imagine comment ruser avec leurs habitudes d'autorité. On s'enhardit jusqu'à provoquer, sous un prétexte scolaire, une réunion de ces mères qui ne veulent plus de certains jougs, afin qu'elles se confortent et se soutiennent. On dresse l'inventaire de tout ce qui peut, par petites touches, arracher les enfants aux pesanteurs de leur milieu et, avec eux, leurs mères… Les directrices et les directeurs d'école avancent à pas comptés, mais, souvent, ils font état d'une sorte de mémoire institutionnelle de l'immigration qui est arrivée intacte jusqu'à eux : « Aujourd'hui, ce sont des Africains, mais hier et avant-hier, c'était des Yougoslaves, des Polonais, des Hongrois, des Italiens, des Portugais, des Espagnols. Bien sûr, ils ne posaient pas les mêmes problèmes de la même manière, et leurs structures familiales ou leurs modes de pensée nous étaient plus proches, mais, toutes choses égales par ailleurs, il fallait aussi les aider à surmonter les mêmes peurs, les mêmes crispations et les mêmes refus et, le plus souvent, cela passait pas les femmes… » Gare, cependant, quand les maris s'aperçoivent du complot : ce n'est pas tant qu'ils viennent faire des scènes, parfois bruyantes, dans le bureau du directeur ou de la directrice. Ils font pis : ils déménagent et mettent leurs enfants dans une autre école. Ou, quelquefois, ils les retirent du circuit scolaire, malgré les ennuis que cela entraîne avec les allocations familiales... Entre les élèves qui disparaissent dans ce genre de circonstances et ceux qui changent d'établissement parce que la situation professionnelle ou l'évolution des ressources de leurs parents conduisent la famille à s'installer ailleurs, dans certaines écoles primaires des zones d'éducation prioritaires de Paris, il n'y a pas plus de cinq pour cent des enfants qui restent de la 11e à la 7e (pardon ! du cours préparatoire au cours moyen deuxième année). Les instituteurs ne semblent pas s'en montrer découragés : les ZEP sont, dans la capitale, les secteurs scolaires où les demandes de mutation sont les moins nombreuses.

Serait-ce grâce aux Chinois ? Depuis le milieu des années quatre-vingt-dix, leur proportion dans les effectifs de l'école primaire ne cesse de grandir. Je parle ici des Chinois de Chine et non des descendants de ceux qui s'étaient installés au Vietnam ou au Cambodge – et que les Chinois de Chine regardent de haut – ou des émigrés de l'ancienne Indochine – encore plus mal vus –, les uns et les autres installés essentiellement dans le 13e arrondissement, alors que le véritable Fils du Ciel a plutôt porté ses pénates dans le 3e, le 11e ou le 19e arrondissement. Dans le 3e et le 11e, il est venu grossir une colonie de compatriotes souvent de la même région, dont les plus anciens arrivèrent en France au début du siècle, furent utilisés comme main-d'œuvre de substitution pendant la guerre de 1914-1918 et qui, communisme ou pas, accueillirent continuellement un petit flot de concitoyens cherchant fortune. Le flot ayant grossi jusqu'à devenir un petit fleuve, la colonie de Chinois de Chine a étendu son royaume au sud du 3e, au nord du 11e, puis au sud du 19e arrondissement. La discrétion que lui prête le stéréotype attaché à tout Oriental n'est pas une simple idée reçue. Pour s'en convaincre, il suffit d'aller par exemple du côté d'Arts-et-Métiers le jour du nouvel an chinois. Dégringolent alors des étages de presque chaque immeuble des quantités de Chinoises et de Chinois de tous les âges, dont l'habitué du quartier découvre l'existence avec un certain étonnement : en temps ordinaire, hormis dans quelques magasins de maroquinerie ou de confection, on les voit à peine, pas seulement parce qu'un certain nombre d'entre eux ne satisfait que très partiellement aux règlements sur les étrangers, mais parce qu'il est dans leurs traditions de ne pas attirer l'attention. Comme le raconte un habitant d'un immeuble récent du 19e arrondissement dont cinquante-quatre des cent deux appartements appartiennent aujourd'hui à des Chinois, alors qu'ils n'étaient que deux il y a cinq ans : « J'ai acheté en 1972 un logement dans le quartier natal de Maurice Chevalier et, le temps que je m'habitue à ce qu'il se transforme en quartier arabe, je n'avais plus que des voisins chinois. » L'instituteur, lui, avait mesuré longtemps avant tout le monde l'intensification de la présence chinoise au nombre d'enfants venus de l'empire du Milieu qui se trouvaient inscrits dans son école. Et il avait vite vu qu'il en tirerait surtout des raisons de s'en réjouir.

Ce n'est pas la discrétion que le maître apprécie le plus chez ses élèves chinois (encore qu'il en connaisse le prix), c'est leur ardeur au travail soutenue par un respect de bronze pour l'institution scolaire, ardeur et respect encouragés et entretenus à la maison par une « famille » qui n'a pas toujours de véritables liens de sang avec l'enfant mais qui n'en exerce pas moins sur lui une autorité sans faille. Sans faille et, assez souvent, sans les bornes que n'importe quelle autorité doit connaître. Plus d'un instituteur a fini par savoir que plusieurs de ses élèves chinois de neuf, dix ou onze ans, une fois leurs devoirs faits et leurs leçons sues, devaient travailler une partie de la nuit dans des ateliers n'ayant pas pignon sur rue pour payer leur nourriture et leur logement, lequel se réduit dans bien des cas à une partie d'un lit superposé dans une chambre-dortoir. Il n'en a d'ailleurs que plus d'affection admirative pour ces gamins arrivés sans parler un mot de français et qui, après deux ans d'une « classe d'initiation » destinée à leur enseigner notre langue et à les mettre « à niveau » dans les matières du programme, intègrent une classe « normale » dont ils prennent la tête en un trimestre. Et si, par impossible, un jeune Chinois se laisse aller à un geste d'indiscipline ou manque à l'une ou l'autre de ses obligations scolaires, pas besoin de sévir : il suffit d'une mention du forfait sur le carnet de correspondance avec les « parents », qui se chargeront avec promptitude de la rééducation du délinquant. « Au point que l'on hésite à les alerter, confie un directeur d'école, car on ne peut pas prévoir jusqu'où ira leur sévérité. Un jour, un jeune Chinois n'avait pas effectué, deux fois de suite, le travail que lui avait donné son institutrice. Nous étions embêtés parce que cela pouvait être la conséquence de la fatigue si sa "famille" l'employait de nuit dans un atelier. Donc, nous ne l'avons ni engueulé ni puni, mais je lui ai donné un mot pour "l'oncle" qui l'hébergeait et à qui j'écrivais que nous étions préoccupés de voir que le gamin ne faisait pas son travail. J'avais tourné la chose – du moins je le croyais – de manière à lui faire comprendre que son "neveu" était fatigué, ce qui était censé le faire réfléchir… Le lendemain, "l'oncle" s'est présenté à mon bureau avec l'enfant et, avant que j'ai eu le temps de réaliser, il l'a forcé à se mettre à genoux et à me demander pardon en lui criant dans les oreilles : "À moi tu dois le respect, alors à monsieur le directeur !…" C'est vous dire que les Chinois ne nous posent pas de problèmes de discipline… Le souci qu'ils nous causent, c'est qu'ils disparaissent aussi mystérieusement qu'ils sont arrivés. La "famille" nous dit qu'ils sont rentrés au pays, qu'ils sont partis chez un autre "oncle", au Canada ou dans un autre quartier de Paris. Nous n'avons ni le droit ni les moyens de le vérifier et d'ailleurs nous ne soupçonnons rien de grave. Simplement, nous aimerions être sûrs que tous ceux de nos anciens élèves qui avaient les moyens intellectuels et l'envie de poursuivre leurs études ont eu la possibilité de le faire. Je me souviens d'une gamine de six ans, inscrite par un "tuteur" qui nous l'a présentée comme originaire d'une province au nord de Pékin, et qui ne pouvait dire ni "oui" ni "non". Dix-huit mois plus tard, on lui faisait sauter une classe et non seulement elle réussissait en tout mais elle avait conquis les cœurs de tous, élèves ou enseignants, blancs, jaunes, noirs, bistres, rouges... À la rentrée en CM1, elle ne s'est pas présentée. Le tuteur nous a dit qu'elle était recueillie par un membre de sa famille dans l'Essonne. J'ai demandé son adresse. Il ne l'avait pas avec lui. Je n'ai jamais réussi à l'obtenir... »

Qu'ils reprennent leurs pupilles ou qu'ils viennent les inscrire, les Chinois plongent les directeurs d'école au cœur des mystères de l'Orient. Ils savent qu'on ne peut leur refuser d'inscrire un enfant de moins de douze ans et que cette inscription entraîne pour lui l'octroi automatique d'un titre de séjour. Ils ont très vite compris que, contrairement à ce qui se passait dans la Chine totalitaire, toutes les administrations ne sont pas liées – ni même en communication – et qu'un enseignant ne travaille pas main dans la main avec la police. « Ils m'amènent un gaillard dont je suis certain qu'il a au moins seize ans, peut-être dix-huit, et me déclarent qu'il en a onze et demi. Heureusement pour eux, ils sont imberbes, parce que, celui-là, je jure qu'il aurait pu avoir une barbe de briscard. Je sais que la Direction de l'action sanitaire et sociale a un système très au point de détermination de l'âge réel par un examen osseux. Les juges des enfants l'utilisent lorsqu'on leur présente des petits voleurs tziganes qui déclarent invariablement avoir treize ans. Mais vous me voyez aller chercher un juge ?... J'inscris et je fais comprendre que je ne suis pas dupe. Tous mes collègues en font autant et dites-moi à qui cela cause du tort... Évidemment, il m'arrive de résister : quand on m'amène deux jumeaux et qu'on me dit que l'un a neuf ans et l'autre onze et qu'en plus ils ont l'air d'en avoir dix-huit. Ou quand un vieux Chinois tout ridé de soixante-douze ans me sort une carte de sécurité sociale sur laquelle sont portés dix-sept enfants de moins de douze ans et qu'il vient en inscrire huit… Mais, franchement, il est rare qu'ils soient aussi peu malins. J'ai mis dehors le noble vieillard en lui disant qu'il m'insultait en me prenant à ce point pour un idiot. »

De l'élève venu de l'Orient extrême à celui originaire de l'Afrique du Nord, de l'Afrique noire, de la Macédoine ou du département de la Somme, les instituteurs naviguent sans se laisser dérouter par leurs états d'âme, sauf dans quelques écoles parisiennes, connues de toute la corporation et où l'absentéisme, l'alcoolisme, la dépression et le je-m'en-foutisme règnent sans partage. Dans les couloirs et les cours de récréation des écoles « bien tenues » des zones d'éducation prioritaires, les dizaines de nationalités réunies cohabitent sans antagonisme. Ce qui ne signifie pas que le calme règne : « Il n'y a pas de phénomène raciste entre les enfants, mais l'ambiance est musclée, le langage est vert et les poings et les pieds partent vite. C'est une violence de prolétaires, que le quartier a toujours connue. Des explosions entre deux accalmies. La seule chose nouvelle dans l'histoire de l'école telle qu'on se la transmet d'une génération d'instituteurs à l'autre et telle que les archives en conservent la trace, c'est le vol entre élèves et sa banalisation. Pour le reste, il y a certaines permanences amusantes : notre école a été invitée deux fois à l'arbre de Noël de l'Élysée, en 1974 et en 1993. Quand on nous a présentés à Giscard et qu'on lui a dit que nous venions de Belleville, il nous a regardés, puis il a lâché : "Ah ! Belleville…" avant de poursuivre son chemin. Vingt ans plus tard, Mitterrand, sur le même ton paternel, a soupiré : "C'est bien, Belleville…", puis il est allé serrer les mains d'à côté. C'est un parfait symbole de l'intérêt porté à ce quartier : son nom évoque la poésie de Paris, sa réalité n'intéresse pas grand-monde. Je me demande combien de responsables politiques savent qu'il y a des zones d'éducation prioritaires en plein Paris. Quatre-vingt-six pour cent des enfants qui mangent à la cantine ont une réduction. Les parents ne peuvent pas payer les dix neuf francs quatre-vingts d'un repas dont je suis convaincu qu'il est le seul équilibré que connaissent leurs gamins. »

Quelquefois, en sortant d'une école primaire et d'une série de conversations avec les directeurs et les enseignants, je me suis demandé s'ils n'avaient pas quelque chose à voir avec le dernier carré de la Garde. Autour d'eux, les institutions s'effritent ou s'effondrent. Les écoles privées se multiplient. Elles regroupent les enfants en fonction de leur religion ou de leur origine ethnique. L'Église de scientologie en ouvre une ici, une autre là. Les instituteurs, qui avaient déjà vu partir les gamins issus des classes moyennes, restent avec ceux qui ne peuvent aller nulle part ailleurs qu'à l'école publique et entretiennent la flamme sous le creuset où toutes les différences sont censées se fondre dans l'universalisme à la française…

Parmi ceux qui prennent à leur charge le souci du vivre-ensemble, on rencontre aussi à Paris tel ou tel individu qui a ajouté à l'exercice de son métier la mission de mettre un peu d'urbanité dans la ville. Édouard de Corvisart a pris rang parmi eux. Il ne vit pas dans la capitale, mais à cinquante kilomètres. Pour prendre son service à cinq heures et demie, il s'est levé à trois heures et quart. Il ne descend pas du baron-médecin de Napoléon. Il gouverne la station du chemin de fer métropolitain qui en porte le nom. C'est un voyageur qui lui a laissé un jour un petit mot lui conférant ce surnom à particule.

Édouard avait lancé un appel à « ses » habitués. Chaque matin, depuis son affectation à cette gare de la ligne 6 (Étoile-Nation par Denfert-Rochereau), il adressait aux voyageurs un clin d'œil de bienvenue rédigé sur une ardoise à feutre. « Bonjour, aujourd'hui nous fêtons les Arnaud. Votre citation du jour : "Toute révélation d'un secret est la faute de celui qui l'a confié" (La Bruyère). » Le chef de station remarquait bien que les usagers prenaient le temps de jeter un œil à son tableau, mais très rares étaient ceux qui se donnaient la peine de l'en remercier d'un regard, d'un geste ou d'un mot. Pour en avoir le cœur net, il décida de solliciter la collaboration des voyageurs et leur demanda, toujours par ardoise, de lui adresser les citations qui leur paraissaient dignes d'être partagées. Signé « Édouard V…, votre chef de station ». Pour un succès, ce fut un succès. Contrairement au poinçonneur des Lilas de la chanson, le chef de station de Corvisart sut qu'il n'était pas « le gars qu'on croise et qu'on ne regarde pas »…

Morales de La Fontaine, aphorismes de Montaigne, épigraphes de Camus, sentences de Barthes, maximes de divers moralistes, Édouard reçut un flot constant de propositions : « Cœur attaché, esprit libre » (Friedrich Nietzsche), « L'humanité n'est pas un état à subir, c'est une dignité à conquérir » (Vercors), « L'État ne doit pas faire ce dont les citoyens sont capables » (Abraham Lincoln), « Pauvres de jouissances, ils veulent être riches d'illusions » (Charles Fourier), « La solitude n'est pas un panier à remplir, c'est une plante à faire fleurir » (André Sève), « Il n'y a pas de bon vent pour celui qui ne sait où aller » (Sénèque)… Et même un apophtegme dont l'envoyeur se proclamait l'auteur : « L'amour, c'est comme le café, faut le prendre avant qu'il soit refroidi » (signé René).

L'utilisation de toutes ces citations demanda une grande prudence : seules pouvaient être retenues celles qui ne risquaient pas de choquer quiconque, d'être comprises de travers, de sortir des généralités d'un humanisme bon teint, plus grand dénominateur commun de toutes les croyances et philosophies. Pas question d'afficher « Si la femme était bonne, Dieu en aurait une » (Sacha Guitry), ni même « Les femmes n'ont rien à dire mais tout à raconter » (André Gide). Pas davantage « La gauche, c'est devenu un métier » (Régis Debray), ni « À droite on dort ; à gauche on rêve » (Gustave Thibon). Mais « Le génie, c'est l'enfance retrouvée à volonté » (Baudelaire), ça, oui ! Édouard de Corvisart a vite compris dans quelles limites il pouvait naviguer et, fort de son succès, il a acheté un livre d'or. Les voyageurs ont rempli quarante-cinq pages de félicitations. Le livre était placé un peu en retrait de la « loge », la cabine où se tient le chef de station, de façon à garantir l'anonymat du scripteur. Même pour exprimer des considérations aimables, le Parisien préfère les moyens indirects et le couvert de l'incognito...

Après la grande grève de l'hiver 1995, Édouard de Corvisart a regagné son poste le cœur rongé par l'inquiétude. Il a raccroché son ardoise à citations et s'est cantonné, pour la reprise, à un humour bon enfant : « Autrefois, je n'étais pas né, mais depuis, je me suis bien rattrapé » (Maurice Roche). La très grande majorité des voyageurs a enchaîné comme si de rien n'était. Les autres ont adressé à la loge des signes de soulagement, comme si usagers et personnels de la RATP venaient de sortir vainqueurs ensemble d'un affrontement qu'une puissance extérieure leur aurait imposé. De plus en plus, le Parisien semble considérer certaines grèves comme si c'était lui qui menait une sorte de fronde par personne interposée. Édouard a été tout à fait rassuré quelques semaines plus tard. Pour une raison jamais éclaircie, un crâne d'œuf de la Régie avait décidé de mettre un terme à l'opération qui consistait à afficher de courts poèmes à l'extrémité de chaque wagon. En trois jours, à la loge de Corvisart, une centaine de protestataires déposèrent un mot réclamant le rétablissement de « Poésie dans le métro ». Il n'y en avait pas eu vingt pour se plaindre de la grève.

Petits tableaux de Paris

Paris, il est rond comme un œuf
Une pelote ou un estœuf
Et vous savez que chose ronde
Porte la figure du monde
Pour quoi, que bien vous soit advis
C'est un monde que de Paris.

Anonyme, XVe siècle.

Vous êtes le vrai Parisien, vous ?
Tout à fait. Mère turque et père polonais.

Raphaël Sorin, *Parisiennes*, 1992.

Trois nouveau-nés baptisés l'an dernier, soit un de plus que l'année précédente : « Une augmentation de trente-trois pour cent », dit le curé en souriant. Deux enterrements. Aucun enfant inscrit au catéchisme. Pas de session de « préparation au mariage » ; pas de mariage non plus… Nombre d'habitants sur le territoire de la paroisse Saint-Louis-d'Antin : environ deux cent cinquante. Nombre de prêtres affectés à cette paroisse : trente et un. Un pour huit habitants ? Même aux époques les plus florissantes de la catholicité, même dans les provinces les plus constamment fertiles en séminaristes, on n'a jamais connu, ni imaginé, ni même souhaité une pareille proportion. Alors, en pleine période de désaffection pour la religion, d'effondrement de la pratique et de mise en cause de Rome et des hiérarchies qui en procèdent, quel étrange gaspillage que cette palanquée de vicaires pour cette poignée d'âmes...

C'est que Saint-Louis-d'Antin n'est presque plus la paroisse de ce coin de Paris situé entre l'Opéra Garnier et la gare Saint-Lazare, où les bureaux ont mangé tant d'appartements et dont la population âgée ne se renouvelle plus et diminue chaque année. À Saint-Louis, on célèbre devant quelques vieux indigènes, chaque dimanche à dix heures trente, une messe chantée en grégorien. En semaine, entre sept heures et vingt heures, on en dit onze, en français, chaque jour, dont trois à l'heure du déjeuner, qui s'enchaînent plus rapidement que dans le conte d'Alphonse Daudet. Et l'église est aux trois quarts pleine. Pleine ? Mais de qui ? De quelques-unes des deux cent mille personnes qui traversent, chaque jour ouvrable, le territoire de Saint-Louis-d'Antin ou qui y séjournent aux heures de bureau. Banlieusards de l'ouest de Paris que la gare Saint-Lazare refoule puis aspire, salariés des entreprises dont les sièges sociaux sont, ici, à touche-touche, employés et clients des grands magasins voisins, les anciens, tels Le Printemps ou les Galeries Lafayette, ou les nouveaux, comme la FNAC, tenanciers et chalands des mille et un petits commerces qui vivent dans la foulée de ces mastodontes et qui vont de la restauration rapide à l'amour à la sauvette.

Le jour, le quartier est une fourmilière. On y circule mal, même à pied, tant les trottoirs sont encombrés. La nuit, c'est une banquise de bitume, froide et déserte, vaguement animée lorsque les spectateurs sortent du théâtre Mogador, vers onze heures, et plus ou moins traversée par le flux des voitures qui montent vers la place Clichy. Les prostituées sont si peu nombreuses, à la brune, à arpenter leur morceau de rue, qu'on jurerait qu'elles ont organisé une sorte de permanence pour les cas d'une urgence extrême. Le matin, en revanche, et même à potron-minet, leurs effectifs sont alignés à la parade. Avant d'aller au boulot, il y a une clientèle (dont on dit qu'elle augmente) qui s'accorde volontiers un moment de détente. À l'heure du repas aussi, ces dames font le plein. Elles ont avec Saint-Louis-d'Antin quelques clients en commun, tout comme, dans le quartier des Halles, l'église Saint-Eustache partage quelques chalands avec les hétaïres de la rue Saint-Denis. Rien de tel qu'une bonne confession quand le péché est encore chaud.

Avec un mélange d'ironie, d'affection, d'admiration et d'envie, le clergé parisien a surnommé Saint-Louis-d'Antin le « self-service ». L'expression est bien trouvée : on offre ici tous les « produits » que peut proposer une église. Et d'abord la tranquillité. Dans une enquête réalisée auprès des fidèles par l'équipe paroissiale, c'est la motivation qui a été citée en tête. Un havre de paix au milieu d'un grouillement incessant, voilà ce que cherchent ceux qui, un jour ou l'autre, montent les marches de Saint-Louis et, catholiques souvent seulement de nom, s'asseyent quelques minutes sur ses bancs. Certains ne reviendront pas, ou rarement. D'autres assisteront jusqu'au bout à l'une des messes qui se succèdent presque « non stop ». Personne ne leur demandera rien et le regard de leurs voisins ne pèsera pas sur eux puisqu'ils ne se connaissent pas et que rien – à moins qu'ils ne le souhaitent – ne les appelle à se revoir.

S'ils cherchent davantage qu'un moment de paix et de silence ou un office « à la sauvette », des panneaux et des tracts leur indiqueront ce que Saint-Louis-d'Antin peut leur proposer, en plus des messes, et d'abord le sacrement de pénitence. C'est un article de plus en plus demandé. Selon les périodes liturgiques et les heures de la journée, entre quatre et quatorze prêtres se tiennent à la disposition de quiconque veut être entendu en confession. La demande s'est si fortement accrue qu'il a fallu aménager, au premier étage du presbytère voisin, une salle entièrement vouée à la satisfaire. Dans les semaines qui précèdent Noël et Pâques, elle ne désemplit pas.

Dans le prolongement de l'église, la paroisse a transformé un bâtiment en centre de conférences et d'expositions. C'est l'Espace Georges-Bernanos où l'on peut pénétrer de plain-pied, par la rue du Havre ou après être passé par Saint-Louis, dont l'entrée donne sur la rue Caumartin. On y expose les maquettes des vitraux qu'Alfred Manessier a réalisés pour l'église du Saint-Sépulcre d'Abbeville, aussi bien qu'un ensemble de documents sur le Rosaire et son histoire depuis le Moyen Âge, tandis que, dans l'auditorium, un altiste jouera les *Sonates du Rosaire* d'Heinrich Biber. À moins que l'on y présente la tradition artistique de l'Église chaldéenne, avant la célébration d'une messe dans son rite suivie d'une rencontre avec son évêque. Les conférences succèdent aux conférences. Quatre, en avril, autour de sainte Thérèse de Lisieux. Une, mais répétée trois fois, chaque semaine pendant un mois, sur les origines liturgiques de Noël. D'autres thèmes sont profanes ; ou plutôt, semi-profanes : « Matisse et la chapelle des dominicains à Vence » ; « Ramsès II et la Bible » ; « Véronèse et les noces de Cana ». D'autres sujets plongent dans le siècle : « Comment aider la personne à trouver sa place dans l'entreprise ? » ; « Le nouveau management, critiques et propositions chrétiennes » ; « Les Droits de l'homme face à la justice des hommes ». On donne aussi des lectures : neuf mille cinq cents personnes se sont succédé, jour après jour, pour entendre *Le Journal d'un curé de campagne.* « Cela représente trois fois la jauge de la salle du Zénith », fait observer le curé de Saint-Louis, qui a le triomphe modeste, habitué qu'il est au succès des manifestations qu'il organise avec son équipe pour ses paroissiens délocalisés.

Tout ici, en effet, trouve son public. Les groupes de prière qui se réunissent une fois par semaine à douze heures quarante-cinq. Les grands débats du jeudi, du vendredi et du samedi qui portent aussi bien sur « Les rois et les saints, de la légende à l'histoire », que sur l'« Actualité de Georges

Bernanos » ou sur « La ruée sur les livres de spiritualité ». Chaque lundi, une quarantaine de personnes s'initient à l'hébreu biblique, un peu moins au grec, un peu plus au latin. Tous les jeudis, d'autres se réunissent pour un cours sur l'Ancien Testament. Le mercredi, on réfléchit sur « Les mots clefs de la Bible ». On demande toujours une participation aux frais mais on n'exige jamais une forme d'allégeance. Saint-Louis-d'Antin est une paroisse destinée à des atomes de passage. S'ils veulent s'agréger et prendre ici leurs habitudes, c'est leur affaire. Aux éventaires du « self-service », on module sa consommation en fonction de son appétit. En 1995, deux cent cinquante adultes ont demandé et reçu le baptême. Depuis 1990, les néo-catéchumènes augmentent chaque année de trente pour cent.

La plupart des églises de Paris sont pleines le dimanche à l'heure de la messe. Certaines font salle comble et quiconque n'y arrive pas un quart d'heure avant l'*Introït* ne peut espérer une place assise. Ce « succès d'audience », pour employer une expression du marketingue du spectacle et de la télévision, est, en partie, le fruit d'un artifice : la très grande majorité des paroisses ne proposent plus qu'une messe le dimanche matin quand, il y a trente ans, elles en organisaient trois. Raréfiée, l'offre concentre la demande. Au demeurant, personne n'aurait l'idée de contester que la pratique religieuse s'est effondrée en France. À Paris, elle s'est d'abord écroulée dans les années soixante-dix avant de reprendre timidement au milieu des années quatre-vingt et, depuis 1990, de plus en plus nettement. Dans son extrême adaptation à l'individualisme et au volontarisme des nouveaux pratiquants, Saint-Louis-d'Antin traduit de manière spectaculaire la transformation de l'institution ecclésiastique comme de ceux qui la fréquentent et y picorent à leur fantaisie de quoi fabriquer leur miel.

Pour que les offices soient fréquentés, il fallait, naguère, une forte pression sociale. Le regard des voisins, le statut et la place dans la hiérarchie locale, les appartenances et les traditions claniques, tout cela envoyait plus de monde que la foi du *Credo* à la grand-messe de onze heures, suivie de la visite au pâtissier pour le dessert du repas en famille. Je me souviens d'une amie de jeunesse élevée dans la religion catholique, à laquelle elle n'avait pas adhéré un seul instant et qui, pourtant, accompagnait les siens à l'église chaque dimanche, emportant en guise de missel un volume de Balzac dans l'édition de La Pléiade, qu'elle lisait avec recueillement, chacun de ses proches étant tout à fait au courant. Comme elle ne manquait pas de caractère et que cette concession, pour ne pas dire cette hypocrisie, m'étonnait, elle me répondit, me montrant du doigt sa maison : « Je ne peux pas leur faire ça. Mon père y laisserait trop de plumes. » Il était avocat et adjoint au maire. Elle avait raison de croire qu'une fille absente de l'église chaque dimanche lui aurait coûté une part sensible de sa pratique et de ses électeurs. Elle aimait sa famille et, du moment qu'on ne l'obligeait pas à feindre de croire, c'est-à-dire à communier ou à réciter le *Credo*, il lui était indifférent d'être comptée au nombre des catholiques pratiquants.

On pourrait presque écrire que c'est aujourd'hui le contraire qui se passe à Paris et que la pression sociale y est si faible, presque inexistante, qu'elle favorise une pratique religieuse « à la carte », que chaque individu détermine selon l'état de son âme et dont il peut faire varier à volonté l'intensité, la fréquence, la forme, sans que nul ne vienne lui enjoindre de ne pas sauter telle étape, de ne pas manquer telle manifestation. Il s'ensuit que, si diverses que soient leur sensibilité et leur orientation liturgiques, l'atmosphère des églises de Paris se distingue nettement de celle qui y régnait il y a trente ans. À partir du moment où ne viennent plus à l'office que des volontaires (si on excepte les enfants jusqu'à l'adolescence), les pesanteurs du conformisme aux prescriptions de la société s'estompent jusqu'à disparaître et l'ambiance des cérémonies s'allège, perd sa grisaille de routine et rend un son de vérité à la place du ronron de prières mâchonnées qui reste dans l'oreille de tous ceux qui sont nés avant 1955 comme le « bruit de la messe ». Révérence parler, on se rend à l'église comme on va au cinéma. On s'incorpore à une foule qui vous entoure sans vous étouffer. Il suffit d'observer le rituel du baiser de paix – réduit à une poignée de main accompagnée de la formule : « La Paix du Christ. Amen. » –, que les fidèles sont invités à échanger depuis quelques années. On pourrait croire que, dans une ville où peu de gens se connaissent, un geste de cette nature serait gêné, gênant, furtif et un peu ridicule. C'est le contraire que j'ai observé. On se tourne vers son voisin – un inconnu, et qui va le redevenir –, on lui sourit de bon cœur, on prononce la formule, il répond et on revient à son quant-à-soi comme si l'on venait de matérialiser le lien social et, en même temps, d'en souligner les limites acceptables.

Passant d'une église à l'autre au hasard de la fourchette – ou plutôt de la bicyclette –, j'ai mis un certain temps avant de repérer le second signe qui, après le « baiser de paix », manifeste le caractère volontaire de la présence à l'office du dimanche et le changement de son atmosphère. De même que la lettre d'Edgar Allan Poe était introuvable parce que cachée bien en évidence, de même je remarquai d'emblée le nombre des fidèles mais je n'en tirai qu'une conclusion statistique. Or ce n'est pas le fait que les assistants soient en quantité qu'il fallait seulement prendre en compte. C'est aussi qu'ils étaient, pour leur immense majorité, présents dès le début de la messe. Tous ceux qui ont connu la période où l'observance du culte catholique était une obligation sociale comprendront ce que je veux dire. Ils se souviendront qu'en ce temps-là, pour peu que l'on ait la religion assez tiède, on arrivait le plus tard possible à l'église, et que chaque cancre du catéchisme connaissait au moins un point de droit canon, à savoir que l'assistance à la messe est valide dès lors que l'on est arrivé avant le dévoilement du calice, c'est-à-dire avant l'offertoire (soit pour le dernier tiers et après avoir échappé aux lectures de l'épître et de l'évangile et – *last but not least* – au sermon). Les églises de mon enfance se remplissaient lentement, incessamment et par couches successives. Avant l'heure, les veuves, les bigotes et les chouchous du curé. À l'heure ou aux environs de l'heure, les familles bien tenues et endimanchées. Puis, à partir du *Confiteor*, un ru ininterrompu charriant pêle-mêle des enfants rappelés *in extremis* à leur devoir en pleine partie de balle au prisonnier, des ménagères qui s'étaient attardées devant les étals du marché, des maris s'étant arrachés au comptoir d'un bistrot, des couples abîmés dans une grasse matinée émolliente, des distraits, des pas pressés et des mauvaises têtes effrontées faisant leur entrée à l'ultime seconde de l'ultime minute et décampant sur le *i* du *Ite, missa est*… Aujourd'hui, les églises parisiennes que j'ai visitées d'un dimanche à l'autre font leur plein avant que le célébrant ne sorte de la sacristie, et les retardataires ne sont plus que quelques poignées, et qui ont l'air navré d'avoir manqué le début.

L'individualisme et le volontarisme des fidèles s'accompagnent d'une grande mobilité. On ne va à la messe dans sa paroisse que si les orientations spirituelles et liturgiques du curé et des vicaires sont à sa convenance, si leurs manières plaisent, pour ne pas dire si leur tête revient. Dans le cas contraire, on se cherche une église à son goût. À la Trinité, en dessous de la place de Clichy, on trouvera les « charismatiques ». Des trois personnes divines, ils considèrent surtout le Saint-Esprit, plutôt que le Dieu-père ou le Dieu-frère, et ils prient pour accueillir et reconnaître sa présence et son action. Leur église est plus que comble, fréquentée par de nombreux jeunes. Leurs cérémonies, pour celui qui ne partage pas leur « sensibilité », paraissent peu ouvertes, passablement grégaires et promptes à s'exalter à partir de grands mots autour desquels l'exégète tourne un peu comme un derviche, cherchant davantage, me semble-t-il, à produire un effet d'incantation ou de fascination qu'à ouvrir un champ à la réflexion ou à la prière. Du coup le mot (« la joie », « la grâce », « l'amour », « la vérité ») perd son sens et n'apparaît plus que comme le déclencheur d'un comportement collectif... On est à quelques centaines de mètres de Saint-Louis-d'Antin et ce maximum de collectivisme catholique voisine donc avec le maximum d'individualisme. Il en existe diverses variétés. À Saint-Gervais-Saint-Protais, à deux pas de l'Hôtel de Ville, les invocateurs de l'Esprit saint ont dépouillé l'église de la plupart de ses chaises, remplacées par des tabourets ou des tapis, et ils accompagnent la prière de ce que les adeptes du yoga ou de certaines sagesses orientales appellent des « pratiques psychocorporelles » : postures particulières pour telle prière ou pour tel moment de l'office, dans une ambiance dépouillée, minimaliste, conceptuelle, zen...

Certaines églises sont recherchées pour leur sermon ; d'autres, implantées dans des quartiers dont la personnalité est encore assez sensible, regroupent, tout bêtement, les catholiques pratiquants qui habitent sur le ressort de la paroisse : Saint-Jean-de-Montmartre, place des Abbesses, recrute dans un rayon de trois cents mètres. Sainte-Jeanne-de-Chantal, porte d'Auteuil, rassemble les fidèles voisins. L'une et l'autre sont des églises « omnibus » dont la personnalité, sans être falote, est d'un relief dont les pics se situent à une hauteur raisonnable. Il en va de même des autres paroisses du Paris périphérique où m'a porté mon vélocipède. C'est au centre de la capitale que les églises se distinguent le plus et affirment vigoureusement leur personnalité. Saint-Merri, à deux pas du Centre Pompidou, attire les chrétiens engagés dans le tiers mondisme. Saint-Nicolas-du-Chardonnet rallie les nostalgiques des anciens rites. Ils chantent : « Nous voulons Dieu ! Notre patrie / Doit le placer au premier rang. / Comme autrefois la France prie / C'est par sa foi qu'un peuple est grand » et ils entonnent le *Pange lingua* avec une vigueur dans laquelle s'exprime tout leur désespoir de voir le monde leur passer devant ou dessus et leur fureur de ne pas savoir l'arrêter.

À Notre-Dame-de-Lorette, au pied de la rue des Martyrs, on insiste sur la dimension internationale de l'Église, on intègre à l'équipe pastorale des prêtres du tiers-monde, Indiens ou Africains venus à Paris pour poursuivre leurs études, et, autour d'eux, on réunit des fidèles venant des mêmes régions, pour lesquels sont dites des messes dans leur langue ; on organise des voyages de découverte « anthropologico-touristique » ; on essaie de traduire dans la liturgie des offices la diversité des nationalités représentées à Paris. À Notre-Dame-des-Victoires, on prie, si j'ose dire, à tour de bras et non stop. Le culte marial y tient une place toute particulière et l'atmosphère est plus sobre, plus monacale qu'à la Trinité ou à Saint-Gervais. Le deuxième dimanche de mai, on y célèbre une messe, l'après-midi, pour « tous ceux qui passent des examens ». Là encore, l'église est pleine, les communions sont nombreuses et les chants bien repris. Dans son sermon, le curé affirme que, pour un catholique, « réussir à un diplôme n'est pas réussir sa vie. Le rater n'est pas tout rater ». Puis il ajoute cette précision étrange : « Vous ne réussirez pas parce que vous avez travaillé, mais parce que Dieu vous aime », ce qui risque d'inciter au blasphème ceux qui connaîtront l'échec et ne manqueront pas de s'interroger sur les sentiments que Dieu leur porte. Les murs sont entièrement couverts d'ex-voto ; la plupart datent de la guerre de 1914-1918 et rendent grâce à la Vierge du retour sain et sauf d'un fils, d'un mari, d'un frère ou d'un fiancé. Comme la piété n'exclut pas le sens de l'humour, en quittant l'église, passant entre deux parois constellées de plaques de marbre gravées de remerciements, un étudiant demande à l'un de ses camarades : « C'est tout pour des examens ? »

La mobilité du catholique pratiquant régulier ou saisonnier, son parti pris d'aller choisir l'église qui lui convient le mieux, sont tels qu'à Saint-Eustache, au cœur de la capitale, une enquête a révélé que seulement dix pour cent de ceux qui assistent à la messe du dimanche habitent le quartier. Quarante pour cent viennent régulièrement des quatre coins de Paris et cinquante pour cent sont des oiseaux de passage, Parisiens, banlieusards ou même provinciaux et étrangers. L'esthétique du lieu joue un grand rôle dans le choix d'y entendre la messe, et aussi la musique : le grand orgue, magnifiquement restauré et magnifiquement tenu par Jean Guillou, mais également le chœur, longtemps fameux en raison de son directeur, le chanoine Martin, et maintenu au même niveau d'excellence par son successeur. Pour brasser la population hétéroclite de fidèles, l'équipe de prêtres de l'Oratoire, à qui est confié Saint-Eustache de temps immémoriaux, mélange le *Gloria* ou le *Credo* en latin de la « messe des anges », celle que l'on chantait le plus souvent avant les réformes conciliaires, le Notre-Père ou le *Sanctus* chanté en français et les chorals dévolus aux semi-professionnels du chœur. Fidèle à l'esprit de ce que furent, humainement, les Halles, on recherche ici le plus grand dénominateur commun et on rappelle que « catholique » signifie universel.

C'est d'ailleurs l'universalité de la détresse humaine qu'on accueille à Saint-Eustache les jours – et les soirs – de semaine, comme si, malgré la disparition des pavillons de Baltard et des activités qu'ils abritaient, le point de confluence de toutes les misères à la recherche d'un peu de soulagement matériel ou moral était resté ce carreau qui fut le ventre de Paris. Dès le début des mauvais jours, en fin d'après-midi, la file d'attente pour la soupe populaire se forme. Elle fait trois ou quatre boucles. S'y côtoient hommes et femmes de tous âges et de toutes apparences. Des clochards façon Gabin dans *Archimède*, des jeunes gens en haillons, d'autres dans l'uniforme jean-blouson de leur génération, beaucoup d'hommes de quarante ou cinquante ans, les uns vêtus des restes de leur situation sociale ancienne, les autres d'habits dont le désassortiment et le gabarit trop large ou trop serré indiquent qu'ils proviennent d'une organisation charitable, d'autres encore, habillés de survêtements assez lâches pour que l'on puisse les rembourrer de journaux.

Pendant la décennie 1985-1995, le tiers des enterrements à Saint-Eustache étaient des enterrements de sidéens. Toxicomanes ou homosexuels, âgés de vingt-cinq à quarante ans, attirés vers cette église plutôt que vers une autre pour mille raisons, dont la création d'une association paroissiale de solidarité avec ces malades. Ils étaient venus demander à l'un ou l'autre prêtre non seulement ce qu'il est convenu d'appeler « le secours de la religion », mais aussi de les aider à se réconcilier avec une famille ou des proches qui les avaient rejetés en découvrant leur secret ou en apprenant leur maladie. « Les nouveaux traitements ont rendu ces enterrements exceptionnels, dit le curé, mais nous avons tissé des liens avec certains malades, ou avec certains de leurs proches, qui leur ont fait choisir Saint-Eustache pour paroisse, où qu'ils habitent et quel que soit le contenu de leur intérêt nouveau pour l'Église. »

Comme son confrère de Saint-Louis-d'Antin, le curé de Saint-Eustache constate une remontée spectaculaire des demandes de confession. Fidèles au syncrétisme de la paroisse, les prêtres proposent aux pénitents le choix entre la formule ancienne (dans la pénombre du confessionnal) et la formule moderne (face à face, dans la lumière d'un bureau). Dans l'un ou l'autre cas, ce qui frappe le confesseur, c'est la manière très traditionnelle, chez celui ou celle qui le demande, d'envisager le sacrement de la pénitence. Tous les souvenirs remontent – ce sont des quadra- ou des quinquagénaires qui « reviennent » à l'Église –, et on procède à la « check-list » des péchés : « J'ai été gourmand ; j'ai menti ; j'ai juré le nom de Dieu »... « C'est une façon infantile d'examiner sa conscience qui domine, précise le curé. Et la sexualité y tient une importance démesurée. Lorsque quelqu'un nous demande à être entendu en confession d'urgence, dans quatre-vingt-quinze pour cent des cas, c'est une affaire sexuelle qui le tracasse : l'adultère ou le recours à une prostituée. Nous essayons d'élargir un peu leur vision et du péché et de la miséricorde divine, mais ce n'est pas notre tâche la plus facile... »

Dans Paris, les églises sont des éléments du décor, elles font partie de la toile de fond. On les voit sans les regarder. L'habitude a émoussé l'intérêt, la curiosité. Il ne vient guère à l'idée d'y entrer si l'on n'a pas à y faire. Pourtant, il est difficile de ne pas remarquer l'une des plus petites d'entre elles (et aussi, Dieu me pardonne, l'une des plus vilaines) et de ne pas être tenté d'en pousser la porte. Saint-Hippolyte est située aux confins des confins, entendez à la porte de Choisy, au sud du 13e arrondissement. Écrasée par les deux grandes tours qui l'encadrent, elle forme avec elles une sorte de gag architectural. L'étrangeté de la survivance d'un bâtiment si peu en rapport avec son environnement donne envie d'en savoir davantage. Recèlerait-il quelque trésor qui ne pourrait se passer de cette médiocre châsse ? Il n'abrite, en fait, rien que de commun, voire de banal, sauf des panneaux d'affichage qui, le jour où j'ai poussé la porte de Saint-Hippolyte, annonçait qu'une messe spéciale serait célébrée, quelques semaines plus tard, à l'occasion du nouvel an chinois, fête du Têt, fête du printemps...

Le jour venu – le 9 février, cette année-là –, le printemps n'était encore qu'un souhait. L'église était bourrée une demi-heure avant que ne sortent de la sacristie les douze prêtres concélébrant l'office : six Chinois et six Français, précédés de huit enfants de chœur, filles et garçons, habillés non des aubes et des surplis habituels, mais des costumes traditionnels de certaines provinces de Chine. Devant eux, une bonne moitié de fidèles chinois ou indochinois, un gros tiers de Français blancs, un bon quart d'Antillais, le reste étant africain. Le curé dit quelques mots chaleureux de bienvenue et explique ce qu'est le nouvel an dans la tradition chinoise. Il est suivi par un vieux prêtre chinois dont la figure parcheminée est fendue d'un sourire à la fois enfantin et moqueur et qui, dans sa langue, adresse quelques phrases à l'assistance, dont la partie jaune se prend à sourire à son tour. Français et chinois seront employés tour à tour pour l'*Introït*, le *Kyrie eleison* (San Zhou Tchio Ni Tchoue Nien), le *Gloria*. Le livre de Job (« Job prit la parole et dit : "Vraiment, la vie de l'homme sur la terre est une corvée..." ») est lu en français, puis en chinois ; l'épître de saint Paul aux Corinthiens (IX, 16-23 : « Libre à l'égard de tous, je me suis fais le serviteur de tous »...), en chinois, puis en français... ; et l'évangile de saint Marc (I, 29-39, Jésus guérit la belle-mère de Simon) dans le même ordre des deux langues.

Pour les chants, cela va moins fort. On a remis à chaque fidèle une feuille où les paroles en chinois sont reproduites phonétiquement et le vieux prêtre parcheminé, dont le sourire mange de plus en plus la face, invite les Français – dont il maîtrise parfaitement l'idiome, mais avec un accent labial qui en fait un personnage de « Tintin » – à se joindre à leurs frères orientaux. Au début, cela marche plutôt bien : les mélodies comptent parmi les plus répandues dans toutes les églises du monde et tout le monde arrive à y adapter à peu près les fameuses paroles du psaume : « Alleluia San Zhou De Pou Ren Ah ! » Mais les Chinois vont trop vite pour que le reste de l'assistance les suive ou, au contraire, ils s'arrêtent soudain pour moduler longuement une note ou introduire une variation dans le chant, et ce sont alors les autres qui les dépassent. Tant et si bien que, de collision en cacophonie, tout le monde laisse les Chinois chanter tandis que le vieux prêtre a la figure tellement fendue par son sourire qu'on croirait que le haut va tomber derrière lui.

« Vous allez en avoir pour votre argent, annonce le curé avant le prêche. Vous aurez deux sermons et une seule quête. » L'église avale les deux homélies – une dans chaque langue, bien sûr, la seconde étant dite par le vieux prêtre, dont la bonne humeur déteint sur ses confrères et sur l'assistance, du moins sur ceux qui le comprennent. Plus tard, après le *Credo* en français, une petite fille et un petit garçon chinois alterneront la lecture des intentions de prière, dont beaucoup font allusion à des familles séparées et à des victimes de guerre. Le moment venu du baiser de paix, au lieu du serrage de mains que je décrivais tout à l'heure, l'assistance est invitée à se diviser en deux moitiés qui se font face et à se saluer par une inclinaison du chef, à l'orientale. Évidemment, les Français et les Antillais en rajoutent dans la courbette, et plient le buste le plus bas possible, tandis que les Chinois se contentent d'un mouvement dont la solennité n'est pas donnée par l'amplitude mais par la lenteur. Comme il y a, dans chacune des deux parties, des représentants de toutes les ethnies, le capharnaüm est à son comble et toute l'église éclate de rire...

À la fin de la messe, après les annonces d'usage, le curé invite les fidèles à observer le rite qui honore les ancêtres. Chacun devra quitter sa place, se rendre au fond de l'église où on lui remettra un bâtonnet d'encens allumé, avec lequel il remontera vers l'autel avant de le planter dans une jarre pleine de terre. Il recevra alors une enveloppe rouge, couleur symbolique du bonheur. Les paroissiens amorcent le mouvement tandis que deux fidèles lisent l'éloge des ancêtres. « En ce début de l'année du buffle, nous, Chinois de Paris, avec les amis français et d'autres pays, nous nous rassemblons ici pour exprimer d'un cœur sincère à nos ancêtres notre piété filiale... À Dieu je dois mon âme, aux ancêtres, mon corps... Rappelons les dons reçus... »

Dans le bas de la nef, deux files se sont formées, prêtes à remonter côte à côte, l'encens à la main. En tête de celle de gauche, une minuscule Chinoise en costume traditionnel, les cheveux tirés en arrière et les gestes calculés au plus juste. En tête de celle de droite, un Antillais d'une vingtaine d'années et du format basketteur qui s'agite et tourne la tête en tous sens. Au signal du départ, il s'apaise et se met en route vers l'autel avec la vieille Chinoise. Il tient son bâtonnet d'encens devant sa poitrine, plutôt nonchalamment ; elle le porte avec gravité des deux mains à la hauteur des yeux, tête baissée. Dès qu'il s'en aperçoit, il adopte la même pose et, comme son allonge de géant lui fait prendre trop d'avance, il diminue sa foulée, revient à la hauteur de la vieille dame et, dans quelques instants, il plantera son bâtonnet à côté du sien.

Pour plaisante et tonique que soit cette scène allégorique où Noirs, Jaunes et Blancs marchent du même pas dans la même direction, elle ne saurait masquer qu'à Paris on rencontre davantage d'étrangers au palais de justice que dans les lieux de culte. Ils constituent même, avec les toxicomanes, l'essentiel de la « clientèle » de la huitième section du parquet, celle qui traite des flagrants délits. Sans papiers, guère de chances de trouver du travail ; sans travail, on vit d'expédients et on tombe un jour entre les pattes de la police. En manque de drogue et sans argent, le scénario est le même et, quelquefois, les acteurs. Du commissariat, on passe dans la cour de la Sainte-Chapelle, où est logée la huitième section, dont les substituts voient défiler les nationalités les plus diverses, chacune avec sa ou ses spécialités, certaines durables, d'autres éphémères.

Pendant six mois, plusieurs bandes de Hongrois ont dévalisé les parcmètres ; des Roumains, munis de grands sacs dont ils avaient doublé l'intérieur d'une feuille d'aluminium afin de neutraliser les portiques de contrôle, s'approvisionnaient gratuitement en vêtements dans les grands magasins ; des Polonais (faut-il que les lieux communs soient fondés !) avaient organisé un réseau de vol et de revente d'alcool. Il a été démantelé parce que trop de ses membres consommaient le produit de leur industrie et, soûls… comme des Cosaques, provoquaient des bagarres qui conduisirent la police à s'intéresser à eux. Mais, en général, l'activité commune aux ressortissants des anciens pays communistes européens, c'est le vol et le trafic de voitures. Sauf les ex-Yougoslaves, qui ont essaimé dans le métro leurs équipes de voleurs à la tire, en concurrence quelquefois musclée avec des petites bandes d'Algériens. Les Nord-Américains font dans la came en demi-gros. Les Latinos, dans le détail, et les Antillais se concentrent sur la vente du crack. Les Angolais et les Zaïrois sont experts en faux : faux papiers, faux ordres de virement, faux baux de location, vrais chéquiers obtenus avec les papiers faux, vrais appartements occupés avec un bail inventé de toutes pièces : le parquet reste admiratif devant tant d'ingéniosité et d'imagination. Les Indiens et les Sri-Lankais, qui s'efforcent eux aussi de réussir dans le faux en tout genre, n'ont pas (pas encore ?) acquis le tour de main et règlent leurs désaccords avec bien plus de violence.

On a longtemps dit des Chinois que, s'ils enfreignaient les lois, ce n'étaient que celles de leur peuple et qu'ils réglaient eux-mêmes le sort du délinquant et les conséquences du délit. On a également soutenu qu'ils faisaient, dans leurs restaurants, manger du rat sous divers noms d'emprunt et qu'ils lyophilisaient leurs morts avant de les réexpédier en Chine tout en conservant leurs papiers. Pour le rat et pour la lyophilisation, on trouve encore jusque dans la police des témoins presque directs qui tiennent à en jurer leurs grands dieux. Pour la criminalité, voilà un moment qu'elle n'est plus couverte par la loi du silence. Policiers et magistrats ont à connaître différentes sortes d'affaires de racket : la classique « protection », en usage dans toutes les mafias, mais aussi la séquestration à domicile de compatriotes pour lesquels une rançon est demandée à la famille restée en Chine. S'y ajoutent les affaires de plus en plus nombreuses de travail clandestin et d'exploitation d'enfants mineurs dans les ateliers… Au fur et à mesure que les différentes ethnies s'intègrent, leurs formes de délinquance se banalisent, et tel vieux substitut se souvient qu'à l'orée de sa carrière les Italiens tenaient encore le haut du pavé de l'escroquerie et les Espagnols se distinguaient dans le banditisme. « Tout cela ne correspond plus à rien aujourd'hui. Il n'y a guère que les Portugais qui nous arrivent encore assez souvent pour le même motif : violence conjugale. »

Dans un bureau de la huitième section, une journée comme les autres voit se développer la même routine : deux permissionnaires en goguette et à bout de ressources ont coincé un quadragénaire dans un hall d'immeuble et l'ont menacé avec un ceinturon. Un ancien détenu, libéré de la veille, a été pris en train de voler une voiture. Il est récidiviste et toxicomane. Il va retourner en prison, et chacun sait qu'on le reverra. Un sexagénaire imbibé a tabassé sa mère et sa sœur. Elles refusent de porter plainte. Elles ne veulent pas être examinées par un médecin. On va garder un peu leur fils et frère, lui remonter les bretelles et le leur rendre. Un vendeur d'une grande surface trafiquait des disques. Une mère célibataire piquait un portefeuille : il lui fallait de quoi s'acheter une dose. Un Croate essayait de forcer la porte d'un appartement. Le voisin, un général de gendarmerie du cadre de réserve, l'a entendu et l'a ceinturé. Double suicide dans le 9e arrondissement : un fils tue sa mère puis se donne la mort. Il faut se transporter sur les lieux. La plupart de ses voisins d'immeuble l'apprendront dans *Le Parisien.* Trois joueurs de poker se sont pris de querelle. Pour huit cents francs, l'un d'entre eux est allé chercher un *riot gun* qu'il cachait chez lui et il est revenu chez son partenaire et vainqueur. Un voisin qui s'apprêtait à promener son chien l'a vu monter armé dans l'ascenseur. Il a téléphoné à la police. Un légionnaire à la retraite de soixante-cinq ans a tué d'un coup de couteau en plein cœur son amant de vingt-cinq ans qui ne lui était pas fidèle, a-t-il déclaré au commissariat où il s'est présenté spontanément. « C'est mon troisième ce mois-ci », commente Mme le substitut. « Votre troisième légionnaire ? — Non, mon troisième crime passionnel entre hommes. Enfin, le premier était plutôt crapuleux que passionnel : un prostitué qui a sauvagement assassiné un client, un Américain installé à Paris. Une histoire absurde : le client avait mis à son appartement toutes les serrures et toutes les protections possibles, à cause d'une très belle collection d'ivoires et d'objets d'art primitif, et il a fait lui-même entrer son assassin, lequel, de son côté, n'est parti qu'avec le magnétoscope… La deuxième affaire était plus classique dans le genre drame de la jalousie : un cafetier d'âge mûrissant qui couchait avec son serveur. Le serveur avait la cuisse légère, le cafetier l'a étranglé et a muré son cadavre dans la cave. On ne l'aurait sans doute jamais su si une serveuse qui travaillait dans l'établissement n'avait pas porté le pet. Elle était amoureuse de la victime… Si je donnais des statistiques au pifomètre, je vous dirais qu'aujourd'hui une affaire passionnelle sur trois, à Paris, est une affaire entre homosexuels. Bien sûr, ça ne va pas toujours jusqu'au meurtre. »

Deux garçons de quatorze ans et demi se sont introduits dans un appartement, ont violé la sexagénaire qui l'occupait et sont repartis avec ses bijoux. « Un crime de banlieusards », commente le substitut. Deux heures plus tard, on saura qu'il avait raison. Ailleurs, un cambriolage par effraction : en redescendant le long de la gouttière de la cour intérieure, le monte-en-l'air s'est cassé la figure et la jambe. Il y en a, chaque jour, dans la capitale, deux cent quarante qui, eux, ne se font pas prendre, bien que la préfecture affirme qu'elle ne néglige rien pour les retrouver. Un étudiant est retrouvé mort, un couteau dans le cœur, dans le bois de Vincennes. C'est un crime. Non, c'est un suicide, il a laissé une lettre. C'est égal : se tuer de cette manière… Trois citoyens russes avec visa de tourisme ont été interpellés par une patrouille alors qu'ils essayaient de voler une voiture… volée il y a cinq mois. Ils se défendent en affirmant qu'ils étaient soûls et qu'ils voulaient voir comment était faite une voiture occidentale. Il faut décider rapidement si on les envoie devant le tribunal en comparution immédiate ou si on leur laisse un délai et la liberté : ce sont deux des acrobates et l'un des clowns d'un cirque dont la représentation commence dans quelques heures. On les relâche et qu'on ne les y reprenne pas…

Entrelardant toutes ces affaires, à un rythme obsédant, la police a présenté à l'un des quatre substituts de permanence un « étranger en situation irrégulière ». Trois fois sur quatre, un Noir. L'audition (qui précède et détermine la décision de renvoi devant un tribunal) se déroule presque toujours de la même manière. Sans grand espoir, mais avec conviction, le prévenu tente de tricher, s'il est encore jeune et en a l'allure, sur son âge et essaie de se faire passer pour mineur afin d'éviter la juridiction et les peines applicables aux adultes. Soit il a déjà laissé des traces dans un service de police, soit on pratique un examen osseux : dans les deux cas, la manœuvre échoue. S'il ne peut tenter de jouer avec son âge, le « sans papiers » essaiera de le faire avec sa nationalité. S'il n'a pas la peau trop foncée, il se déclare né aux Antilles et donc Français. L'informatique et l'internationalisation des polices ne feront qu'une bouchée de cette allégation : avant le coucher du soleil, le parquet saura que le soi-disant Martiniquais né le 22 août 1974 à Bellefontaine est un Camerounais né le 30 septembre 1973 à N'gaoundéré, malgré le permis de conduire qui attestait ses dires. Un faux, repérable comme tel à l'œil nu, mais qui a suffi à un hôtel ayant pignon sur belle avenue pour embaucher comme préposé aux poubelles le Martiniquais du Cameroun et, aussi, sans doute, pour s'assurer qu'il ne protesterait pas d'être payé moins que le SMIC.

« Toto » vient d'être introduit par un gendarme dans le bureau de Mme le substitut. Après une bagarre aux origines obscures dans un bar fermé, il est inculpé de « violences commises en réunion », de « dégradation de la propriété d'autrui » et d'« infraction à la législation sur les étrangers ». Comme il ne possède aucun titre de séjour – » Je l'ai égaré », déclare-t-il –, il s'est d'abord prétendu Sénégalais en situation régulière. Il confirme cette version devant le substitut, qui lui déclare que l'analyse de ses empreintes digitales vient de permettre de l'identifier comme étant T… M…, citoyen gabonais âgé de trente-huit ans interdit de séjour sur le territoire français. « Toto » se lance alors dans un discours qui évolue lentement vers la mélopée. Il est de plus en plus immobile, presque statufié, des larmes lui montent aux yeux au fur et à mesure que s'enchaînent des périodes oratoires dont le pittoresque tient au mélange de raffinement dans le choix des mots et d'influence administrative dans la structure des phrases, avec, de temps à autre, un trou de syntaxe, comme un trou d'air.

« Ah, madame, je dois vous avouer que ma vie n'a été faite que de difficultés et j'ai grand-peur que maintenant cette situation soit encore plus sombre. Imaginez-vous que j'ai accompagné un ami pour boire un jus de fruit dans un bar tenu par une personne de sa connaissance. Cet établissement se trouvait fermé, mais mon ami ayant frappé au carreau, celui-ci nous a ouvert et nous a offert de l'alcool. Après une conversation amicale, nous nous sommes séparés, mais, dans la rue, mon camarade a constaté pardevers lui qu'il avait oublié son sac dans le café. Alors il a frappé de nouveau au carreau, qui a cassé, ce qui a rendu furieux l'ami de mon camarade qui n'a ouvert que pour nous insulter bien que nous ayons offert de rembourser le carreau. Notre bruit a attiré la femme, qui s'est montrée en tenue de nuit et nous a traités d'insultes à son tour. » Le substitut interrompt, non sans mal, ce qui ressemble presque littéralement à un procès-verbal. « Cette femme se plaint que vous l'auriez frappée… — Comment aurais-je frappé cette femme ? Il faut être quelqu'un qui aime les problèmes pour frapper une femme. Le Christ est témoin que ce que je dis, je le dis de tout cœur… »

Mme le substitut propose qu'on laisse le Christ sur sa croix et qu'on examine un peu les faits : « Il y a cette interdiction de séjour de dix ans. Vous avez été jugé en 1993 pour avoir frappé un contrôleur de la RATP qui vous demandait votre billet et vous avez été condamné à de la prison et à une interdiction de séjour. — C'est possible, madame, je ne l'ai pas entendu au tribunal mais je ne vais pas mettre votre parole en doute. » Le substitut s'efforce de contenir le fou-rire qui le gagne devant l'obligeance dont le prévenu fait preuve à son égard. Celui-ci prend un ton de conférencier et enchaîne : « Voyez-vous, je suis de ceux qui pensent qu'il y a des bons et des mauvais partout. Et je crois qu'il est important que des êtres magnanimes, comme vous, me viennent en aide, car je suis arrivé en France à vingt-trois ans et j'ai été sacristain d'un prêtre qui, hélas, maintenant est mort et qui… [le substitut essaie d'interrompre « Toto », qui accélère son débit et devient incompréhensible, sauf par bribes] … qui m'avait trouvé un avocat qui, dans mon malheur, est mort également… ce qui fait que je me trouve à la merci des autorités… » Le substitut, en élevant la voix, est parvenu à obtenir un tour de parole et informe le prévenu qu'il va être, dans l'après-midi, traduit devant un tribunal correctionnel qui décidera de son sort. « Voulez-vous un avocat commis d'office ? — Je respecte les avocats, mais personne n'est à la hauteur de pouvoir me comprendre, ni ma situation. » Le représentant du barreau n'en est pas moins désigné et « Toto » part vers son destin, le même que celui de tous ceux qui, sans papiers, l'ont précédé dans ce bureau : la prison, un arrêté d'expulsion qui ne sera pas exécuté si son pays d'origine ne le reconnaît pas comme son ressortissant, ce qui est loin d'être rare, et donc une nouvelle vie de clandestin jusqu'à la prochaine bagarre ou jusqu'au prochain contrôle.

Une bonne part de ce que l'on peut observer dans les locaux de la huitième section du parquet de Paris relève d'un jeu de dupes dont chaque acteur serait conscient. Le magistrat sait que la personne qu'on lui présente sera sans doute de nouveau « dans le circuit » à plus ou moins long terme. Le prévenu réalise qu'il vient d'entrer dans une période de malchance accrue, mais qu'elle sera probablement limitée dans le temps. Le rituel judiciaire auquel les uns et les autres se plient deviendra abstrait dès qu'il aura alimenté le genre de statistiques dont se satisfont les partis politiques. Certaines organisations s'en serviront pour vanter la sévérité qu'elles ont imprimée à l'action des gouvernements qu'elles ont soutenus. Leurs adversaires utiliseront les mêmes chiffres creux pour stigmatiser l'inhumanité du sort réservé aux immigrés clandestins. Dans la réalité, faute de règles claires et applicables, ce sont les forces de police et l'administration de la Préfecture qui feront la loi.

L'hystérisation de la question de l'immigration par le Front national a conduit à une généralisation au jour le jour d'une suspicion de fraude et d'une effervescence de contrôles et de tracasseries diverses qui pèsent sur tous les étrangers établis à Paris. Ceux qui l'illustrent le mieux sont ceux qui appartiennent à des communautés longtemps épargnées par les misères, les rosseries et les vexations des administrations d'agrément et de contrôle et qui sont installées dans la capitale depuis assez longtemps. « Mamma » et Issey, par exemple, qui tiennent un restaurant japonais du côté de l'Opéra Garnier depuis un quart de siècle et dont les deux enfants, nés dans le 9e arrondissement, ont été entièrement scolarisés dans des établissements de la République. Dans les années soixante-dix, bien peu de leurs compatriotes faisaient le choix de s'expatrier, et moins encore en France. « J'ai eu une bourse pour la Sorbonne et mon mari est arrivé presque en même temps comme cuisinier personnel du président d'une société japonaise dont le siège européen avait été fixé à Paris. Nous nous sommes rencontrés chez un couple d'amis. À force de nous fréquenter, nous nous sommes aperçus que, pour lui comme pour moi, vue de Paris, la façon de vivre au Japon nous semblait trop rigide, trop lourde, trop formelle, trop hiérarchisée, et que nous n'avions pas envie de la retrouver. J'avais vingt-deux ans et j'étais fascinée par le glamour de Paris, mais surtout par l'absence de stress et par la facilité des contacts. Issey a toujours eu un caractère indépendant. Il avait interrompu ses études, il était mal avec son père et, après avoir pris ses distances, il avait envie de les conserver. Il a quitté son emploi ; nous avons travaillé tous les deux dans un grand restaurant japonais, puis nous avons repris cette affaire. »

L'« affaire » est de dimension modeste. Au rez-de-chaussée, un bar et quelques tables, à l'étage, une salle à manger souvent occupée par des groupes de touristes. Au bar, des Nippons installés à Paris et une minorité de Français, dont beaucoup ont vécu à Tokyo et parlent le japonais. Après vingt-deux heures trente, on décourage les non-habitués et on reste entre gens qui possèdent, derrière le comptoir, une bouteille de saké ou de whisky à leur nom. Longtemps, on a bien vécu et l'établissement était plein. La patronne est réputée pour sa bonne humeur, son franc-parler, et sa patience lorsque l'heure est venue d'écouter les confidences d'un buveur. Le patron est taciturne, mais il est bon cuisinier. Depuis quelque temps, la salle du bas est souvent presque vide. De moins en moins de Nippons s'installent à Paris. Ceux qui voudraient y étudier ont les pires difficultés à obtenir des visas. Nos services consulaires, au Japon comme ailleurs, pratiquent les anciennes méthodes soviétiques : on ne dit jamais non, mais on trouve toujours un bon prétexte pour différer le oui. Quant aux *salary-men*, les cadres des entreprises nippones, ils s'opposent de leur mieux à une mutation à Paris. Leurs familles, la plupart du temps, ne sont pas autorisées à les accompagner. La prospérité du petit bar-restaurant s'est ressentie de ce frein à l'immigration. Comme le tourisme japonais fluctue au gré des attentats perpétrés à Paris et… des faillites des tour-opérateurs nippons qui se livrent une guerre des prix à laquelle il leur arrive de succomber, on n'est pas loin de tirer le diable par la queue… C'est le moment que choisit la Préfecture pour rendre la vie difficile. « Mamma » et Issey doivent faire renouveler leur carte de séjour. D'habitude, cela leur prenait une matinée. Cette fois-ci, ils en sont à un mois et demi. « Il faut de nouveaux documents et ils doivent être examinés par plusieurs bureaux. L'autre jour, j'ai dit à un guichet que je devrais quand même bien avoir ma carte depuis le temps que je suis connue des services. On m'a répondu : "Si vous aviez épousé un Français, vous auriez vos papiers plus vite." »

Depuis quelque temps, les restaurants japonais connaissent une épidémie de contrôles. La police, l'URSSAF, les services d'hygiène, le fisc. Rien que de légal, bien sûr. Mais pourquoi si peu en vingt ans et un tel déluge maintenant ? Tout le monde savait que quelques étudiants japonais étaient plongeurs ou serveurs « au noir ». Que d'autres travaillaient discrètement pour des tour-opérateurs, pour des sociétés de service ou de dépannage destinées à leurs compatriotes installés à Paris, qu'ils y étaient baby-sitters ou acteurs de spots publicitaires tournés aux bords de la Seine pour conférer le chic parisien à des produits vendus au Japon. La vie de la petite population de travailleurs officieux a même constitué le sujet d'un film tourné par Kei Ota : *À la carte compagnie*... Leur minuscule marginalité faisait l'objet d'une très ancienne tolérance. Voilà qu'elle est traitée comme une atteinte à l'ordre public et un dol irréparable pour notre économie.

Un ami japonais du fils de « Mamma » et d'Issey vient d'être expulsé. Enfant d'un négociant aisé d'Osaka, il étudiait aux Beaux-Arts. Son père lui avait acheté, pour neuf cent mille francs, un trois pièces dans le haut du 1er arrondissement. On l'a enquiquiné pendant des semaines avant de lui notifier le refus de permis de séjour au motif... qu'il ne pouvait pas fournir les notes qu'il avait obtenues pour ses travaux aux Beaux-Arts, où l'on ne note plus depuis trente ans. « Maintenant, je voudrais vendre et partir, dit Mamma. Je me renseigne sur l'Amérique latine, surtout sur le Chili. Mais, passé cinquante ans, et avec les enfants qui sont complètement francisés... De toute façon, je ne pourrais pas retourner au Japon. À cause de la franchise. » De la franchise ? « Oui, ici, j'ai pris l'habitude de dire ce que je pense et de ne pas cacher mes réactions. C'est ça qui m'a plu, chez vous. Quand mes enfants vont voir leurs grands-parents à Tokyo, tous les deux ans, ils ne restent pas plus de quinze jours. Ça vaut mieux pour tout le monde. »

Je suis allé voir le film de Kei Ota. Du moment que quelque chose a été tourné à Paris, on le trouve à la vidéothèque de la Ville. C'est une œuvre plutôt alerte, qui traite avec humour des malheurs de deux jeunes Japonais, un garçon et une fille, venus avec un visa de tourisme et décidés à rester à l'ombre de la tour Eiffel plus longtemps qu'il ne leur est permis parce que, à eux aussi, un quart de siècle après « Mamma » et Issey, l'ordre social de leur empire natal paraît trop raide. Les dialogues en sont quelquefois un peu ampoulés. On entend notamment cette phrase : « Est-ce que tout ne paraît pas triste à la lumière du crépuscule de l'Europe ? »

Grand C, petit c

Ô Paris ! Ô Paris ! Grand magasin de tout ce qu'il y a de bon et de beau, de ridicule et de méchant.

Voltaire, *Lettre à Frédéric de Prusse*, 1er septembre 1740.

Le tourisme est une industrie qui consiste à transporter des gens qui se trouveraient mieux chez eux dans des endroits qui seraient mieux sans eux.

Jean Mistler, *Faubourg Antoine*, 1982.

C'est un serpent, mais la chaleur l'accable et la pluie ne le fait disparaître dans aucun abri. Dès le printemps, il sort chaque matin et son corps s'allonge jusqu'aux premiers jours de septembre. Loin de se confondre avec la couleur du sol, il est moucheté de taches bariolées et de teintes vives. Lorsqu'il a atteint sa taille adulte, il se déploie en quatre ou cinq ondulations. Sa reptation est lente mais régulière. Sa tête disparaît peu à peu sous la pyramide de Pei à l'intérieur de laquelle il va chercher sa nourriture ordinaire : le chef-d'œuvre.

Le chef-d'œuvre est un plat qui se mange en groupe, pour ne pas dire en foule. À peine éclatés en serpenteaux devant les caisses du musée du Louvre, les visiteurs se ressoudent, qu'ils soient venus seuls, en couple, en famille ou en bande, et ils se ruent vers l'une de leurs destinations favorites, exclusives même. Elles sont quatre : les esclaves de Michel-Ange, la *Vénus de Milo*, la *Victoire de Samothrace* et *La Joconde*. C'est Mona Lisa qui fait l'objet de la plus riche signalétique. Il n'est guère de points du musée où l'on ne signale dans quelle direction la chercher, par une photo en noir et blanc sous laquelle figure une flèche. À la hâte des visiteurs qui se pressent sur l'un des chemins conduisant à *La Joconde*, à leur fébrilité, à leur déception bruyante s'il leur arrive de s'être fourvoyés du côté du mastaba d'Akhétep ou de la Vierge du chancelier Rolin, on pourrait penser que le tableau de Vinci risque d'être vendu dans la journée, de s'autodétruire, d'être volé ou, imitant la tour Eiffel de Charles Trenet, de décider d'aller voir ailleurs si la vie n'est pas meilleure fille.

On comprendrait une telle fugue. Quiconque veut savoir ce que harcèlement veut dire n'a qu'à se poser quelques jours dans la salle où est accrochée *La Joconde*. Le flux – le flot – des pèlerins est incessant, excité, nerveux, piaillant. Leur comportement est si répétitif qu'il semble le fruit d'un conditionnement pavlovien. Neuf sur dix des visiteurs poursuivent le même but : photographier Mona Lisa ou être photographié devant elle. Le règlement du musée, rappelé par des inscriptions polyglottes et des pictogrammes explicites, l'interdit formellement. (La lumière des flashes abîme les tableaux.) Il est impossible aux gardiens de faire respecter cette loi, à moins qu'on ne les équipe de mitrailleuses en batterie ou, à tout le moins, qu'on ne les dote de matraques électrocutantes. D'ailleurs, lorsque vient la haute saison touristique, les gardiens titulaires s'arrangent pour trouver refuge dans des salles moins fréquentées – beaucoup moins – et abandonnent leurs fonctions à des vacataires, pour la plupart étudiants, qui raconteront plus tard leurs veilles aux côtés de *La Joconde* comme leurs arrière-grands-pères les bombardements de Verdun.

Jaillissant dans la salle, ignorant sans états d'âme les autres tableaux qui y sont hébergés, dont *Les Noces de Cana* de Véronèse (9,75 m x 6,70 m), l'appareil de photo à hauteur du menton, le jocondovore s'agglutine au groupe que forment déjà ses congénères devant l'objet de leur commune avidité (77 cm x 53 cm). Entre cinq et dix épaisseurs de corps s'entassent contre la faible barrière destinée à les tenir à distance. La proximité est moins grande dans le métro de Tokyo aux heures de pointe.

Ce magma humain s'agite à la façon d'une méduse. Chaque composant s'efforce de placer sa caméra de manière à ne saisir que le tableau. C'est un exercice qui demande une vivacité et un sens de l'à-propos surhumains. Aussi le jocondovore est-il vite conduit à y renoncer et à se contenter d'un à-peu-près. Il poursuit alors la réalisation de son deuxième objectif, qui comporte deux phases. Première phase : photographier la ou les personnes avec qui il est venu au Louvre devant « le tableau le plus célèbre du monde » ; seconde phase : être photographié à la même place. Comme on s'étonne de voir des dizaines d'oiseaux tournoyer au-dessus d'un même arbre sans jamais se heurter, on est surpris de constater que la succession de ces opérations que tous veulent effectuer en même temps se déroule sans choc majeur, sans prise de bec et, malgré l'excitation générale, sans incident d'aucune sorte. Il est vrai que chacun semble savoir de tout temps qu'il est de son devoir de ne stationner devant Mona Lisa que le nombre de secondes nécessaires à la capture de son image. Son but atteint, il peut courir vers la *Vénus*, vers la *Victoire* ou vers le snack du sous-sol. Il n'a rien vu, il a photographié. Inutilement d'ailleurs, car le tableau de Vinci est protégé par une vitre qui réfléchit l'éclair des flashes. Immanquablement, la photo sera ratée…

De l'énorme Américaine brandissant un Caméscope surmonté d'un projecteur au gamin seulement armé d'un appareil jetable, j'ai compté, amassées devant *La Joconde*, cent vingt et une personnes. En m'attachant à une centaine d'autres, j'ai observé qu'entre le moment de leur entrée dans la salle et celui de leur départ il s'écoulait en moyenne trois minutes et vingt secondes. C'est dire si la méduse est contractile.

Ce conglomérat de photographomanes se forme dès l'ouverture du Louvre. (L'affamé de chefs-d'œuvre est un oiseau matinal.) Il ne commence à perdre en densité qu'environ trois quarts d'heure avant la fermeture. (Les cars n'attendent pas et il faut encore passer par la boutique du musée faire l'emplette d'un sous-verre reproduisant l'un des tableaux que l'on n'a pas vus.) C'est l'heure où les jocondovores ont la latitude de travailler leurs photos, de les exhausser du statut de souvenir à celui d'expression artistique originale. Dans la plupart des cas, l'originalité consiste à demander à la personne que l'on veut immortaliser de se placer en léger décalage par rapport à Mona Lisa, d'imiter sa pose et, si possible, son sourire. Clic-clac. J'ai aussi vu une jeune femme photocopier – pardon, photographier – son compagnon à genoux devant le tableau et feignant de lui adresser une déclaration enflammée. Clic-clac. Un monsieur imitant un instituteur, bras tendu, désignant *La Joconde* à l'admiration universelle. Clic-clac. Un couple, lui à gauche du tableau, elle à droite, et tous deux fixés sur la pellicule dans cette attitude de cariatides grâce à un troisième larron obligeant. Clic-clac...

C'est aussi l'heure des questions aux gardiens. Ils sont sur les rotules, s'étant efforcés, depuis leur prise de service, de parer aux agressions les plus préoccupantes : visiteurs qui se glissent sous la barrière pour se faire photographier de plus près, caméscopeurs accompagnés d'un porteur de projecteur genre phare du bout-du-monde, enfants facétieux désireux de savoir si une alarme se déclenche lorsqu'on touche le tableau... Mal remis, lorsqu'ils sont vacataires, de leur découverte d'un public dont ils imaginaient le comportement tout autre, il leur arrive de croire et de craindre, dans les premiers temps de l'exercice de leur fonction provisoire, que le visiteur qui vient à eux avec l'intention visible de leur poser une question va être désappointé par leur peu de connaissances en histoire de l'art. C'est rarement le cas. Les curiosités dont on leur fait part ont plus à voir avec la matière qu'avec l'esprit. En tête vient une interrogation fondamentale, exprimée par des représentants des populations des cinq continents, des deux sexes et de tous les âges, et formulée de deux manières : « C'est un tableau qui vaut combien ? » ou : « Est-il vrai que c'est la peinture la plus chère du monde ? » Le questionneur accepte en général qu'on dise ne pas connaître la réponse à sa première question. (Pour la deuxième, le gardien décide assez vite de répondre oui. Sa fibre patriotique s'en trouve flattée, tandis que le visiteur jouit du sentiment de n'avoir pas perdu sa journée.) Toutefois, j'ai vu un visiteur sexagénaire et apparemment fortuné (costume genre anglais, femme plaquée or) refuser de croire que *La Joconde* n'a pas de prix. « Vous avez peur que quelqu'un sorte son chéquier et parte avec, c'est ça ? — Mais non, monsieur, je vous assure que… — Vos chefs ne vous disent pas combien ça vaut, mais eux ils doivent le savoir. — Je vous jure que non. Ce n'est pas à vendre. D'ailleurs les musées n'ont pas le droit, en France, de céder quelque œuvre que ce soit. — Ça c'est possible, mais ça n'empêche pas les tableaux d'avoir un prix. Et d'ailleurs, vous mentez forcément… — …? — Eh oui ! pour les assurer, vos tableaux, il faut bien que vous déclariez leur valeur… »

Inutile de répondre que l'État est son propre assureur (sinon, où diable trouverait-il l'argent des primes ?). L'homme a déjà tourné les talons et il les fait sonner sur le plancher du Louvre comme seul un homme qui a eu le dernier mot peut faire sonner ses talons. Le gardien vacataire étudiant d'une école de commerce en reste saisi. Il est tiré de sa stupeur par un couple d'Américains dans les trente-cinq ans, plutôt genre côte est, chics et détendus.

« *Do you speak english ? — Yes. — Could you tell us something ? What's so special with this Mona Lisa* ? » Le gardien, bouche bée, escalade à toute allure l'échelle de la stupéfaction, puis redescend : « *I don't know... Just look at it... Make up your own mind...* » Le couple est déçu de cette réponse qui le renvoie à la nécessité de se faire une opinion personnelle. Sans doute aurait-il aimé qu'on lui dise que *La Joconde* a été classée en tête du top des tops par un jury international, ou qu'on lui indique où se procurer un ouvrage qui, à la manière du best-seller de Dale Carnegie, *Comment se faire des amis ?*, révèle par quels moyens on peut se forger un jugement sur une œuvre d'art... Une quadragénaire lunettée s'approche, que suit une adolescente sagement vêtue. Mère et fille, à l'évidence, elles ne semblent pas (Dieu les bénisse) équipées de la moindre caméra. De surcroît, c'est à propos des *Noces de Cana* qu'elles souhaitent qu'on les renseigne. La journée va-t-elle s'achever par quelques propos frappés au coin de l'amour de l'art ? « Est-ce que c'est le plus grand tableau du musée ? » Ça l'est. Assurément. Elles se regardent, échangeant un sentiment de grande satisfaction, se retournent, jettent un dernier et bref coup d'œil à la composition de Véronèse, qu'elles semblent féliciter de ses dimensions, puis quittent la salle, contentes. Le client est roi.

C'est bien pourquoi mesdames et messieurs les conservateurs du Louvre, s'ils prêtaient comme moi plusieurs jours durant une oreille attentive aux questions des visiteurs, comprendraient rapidement le caractère inadapté à la demande de l'organisation du musée en salles consacrées aux antiquités grecques ou égyptiennes, aux peintures françaises, flamandes ou italiennes, aux objets d'art d'un siècle ou d'un autre. Ils remettraient en question toutes leurs anciennes habitudes et répartiraient les œuvres en fonction de leur notoriété, de leur prix, de leurs dimensions et de leur poids. Salles des tableaux hors de prix, salles des tableaux ruineux, salles des tableaux inabordables, salles des tableaux dispendieux, salles des tableaux très chers, salles des tableaux pas donnés, salles des tableaux sous-cotés. Au lieu d'indiquer sur des cartels le nom de l'artiste, la date d'exécution de l'œuvre et, quelquefois, un mot ou deux sur son histoire, ils préciseraient sa valeur (en francs, en dollars, en yens, en marks et en francs suisses), sa surface, la quantité de peinture nécessaire à sa réalisation et le temps qu'elle a mis à sécher.

À tout le moins, si elles ne se résolvent pas à adopter cette solution pourtant dictée par le souci de satisfaire l'amateur d'art, les autorités muséales pourraient-elles rapprocher, voire regrouper dans une même salle, les esclaves de Michel-Ange, aujourd'hui au rez-de-chaussée du pavillon Denon, la *Victoire de Samothrace*, fichée en haut du grand escalier du côté de l'aile Sully, la *Vénus de Milo* que l'on ne peut aller photographier qu'après s'être appuyé l'*Apollon de Piombino* et les *Panathénées* (ou pire encore, selon le côté d'où l'on arrive) et la maudite *Joconde*, qu'il faut aller chercher dans la salle des États, ce qui contraint à se farcir, dans la meilleure des hypothèses, tous les tableaux de la Grande Galerie ; bienheureux si l'on échappe à la galerie d'Apollon (« Au Printemps, j'achète tout les yeux fermés », se vantait jadis un grand magasin. « Au Louvre, je traverse tout les yeux fermés » pourrait être la devise du visiteur.) Encore ai-je peut-être médit de la Grande Galerie. Elle offre pour l'amateur d'art un certain intérêt. Je ne veux pas parler des œuvres accrochées au mur, mais des sièges, disposés de place en place, sur lesquels l'ami de la culture peut tout à son aise se reposer de ses émotions esthétiques. Il n'abuse pas, cependant, de la position assise, préférant s'avachir, s'effondrer ou, pour utiliser un verbe québécois imagé, s'effoirer… Et les effoirés sont légion. Ils ont accumulé toutes les fatigues : celles du réveil de bon matin, du petit déjeuner avalé à la hâte et insuffisamment nourrissant ou du déjeuner sur le pouce, celle de la queue serpentine devant la Pyramide, celle des files d'attente devant les caisses, celle de la quête de leur quatre « musts » et celle du *struggle for photographing*... « La culture ne s'hérite pas, écrivait Malraux, elle se conquiert... »

La statistique et l'observation *in situ* concordent. Le Parisien fréquente peu le Louvre. Enfant, il s'y rend avec son école et y retourne avec son lycée. Adulte, il n'en reprend le chemin – et encore, pas souvent – qu'avec l'âge de la retraite. Les guides qui, pendant l'année, y conduisent des groupes de volontaires remarquent parmi eux une proportion constante et notable de femmes divorcées. Mais bien qu'il n'y aille pas – ou parce qu'il n'y va pas –, le Parisien jure à son cousin de province, à son visiteur étranger ou à son collègue de bureau que le Louvre constitue la preuve la plus irréfutable de l'appétit culturel qui anime la population de la capitale et de la grandeur de ce que nous avons à offrir au monde, puisque les tickets d'entrée se vendent par millions et que l'image de la pyramide de Pei est désormais aussi connue à l'étranger que la tour Eiffel ou le Sacré-Cœur. Ou Beaubourg, autre grande preuve du caractère éminemment culturel de la vie à Paris. Oui-da ! Mais portez-vous à l'entrée du Centre Pompidou un matin à l'heure de l'ouverture et suivez les visiteurs. Pendant l'année scolaire, les deux tiers sont des étudiants qui viennent – compte tenu de la misère des bibliothèques universitaires parisiennes – profiter de celle qu'offre le Centre. L'autre tiers est composé de « touristes culturels », étrangers et provinciaux. Ils forment, en saison, l'immense majorité de ceux qui franchissent le seuil de Beaubourg. Ceux-là prennent l'escalier roulant, jouissent avec ravissement du merveilleux spectacle d'un Paris qu'ils surplombent peu à peu, atteignent la terrasse et s'y délectent de la vue qu'elle offre, l'une des plus belles de la capitale. (Mais moins charmante, à mes yeux, que celle que propose la terrasse de la Samaritaine, qui donne en prime la Seine et le pont Neuf.) Ayant vu la vue – et l'ayant d'autant plus photographiée que se sont répandus dans le public les appareils à visée panoramique –, le « touriste culturel » prendra quelquefois un verre à la cafétéria, puis il redescendra par l'escalier mécanique et se dirigera vers la prochaine étape de son périple méritant…

Ce gravisseur d'escalier roulant figurera dans la statistique qui compte huit millions de visiteurs par an pour le Centre Pompidou. Il y rejoindra l'étudiant en manque de bibliothèque universitaire. Et le gros bataillon que forment ces deux espèces sera ainsi analysé par un commentateur enthousiaste, quoique un peu influencé par les milieux officiels : « Aujourd'hui, la fréquentation de Beaubourg est presque celle de Disneyland Paris. En entrant au Centre Pompidou, des millions de gens sont entrés dans un musée d'art moderne (et beaucoup dans un musée tout court) pour la première fois de leur vie. Tout le côté lourd des musées traditionnels, les blocages psychologiques par rapport à la culture avec un grand "C" sont balayés. Le Centre a conquis le public par le côté ludique qu'il a apporté à une image plutôt sérieuse. Le Pompidolium a gagné une place prépondérante, indispensable dans la culture en France et au-delà de nos frontières. C'est l'un des miracles de Beaubourg… »

Outre que le patriotisme de ce texte réconforte à une époque où l'on entend déplorer le dédain de la jeunesse pour la notion de patrie, c'est à très bon escient que son auteur emploie, pour qualifier l'opération qu'il célèbre, le mot « miracle ». Car miracle il y a, puisque tous ces millions de visiteurs ont visité un musée d'art moderne sans même s'en apercevoir. Ils sont passés devant, tranquillement, sur leur escalier roulant, une fois en montant, une fois en descendant, et ont ignoré les fauves comme les cubistes, les surréalistes comme les abstraits lyriques, les tenants du pop'art aussi bien que ceux du nouveau réalisme, les partisans de l'art minimal, ceux de l'art conceptuel, ceux de l'*arte povera*… Dans les salles d'exposition permanente du troisième et du quatrième étage, on ne rencontre jamais que deux pelés, un tondu... et des élèves de lycée. (Les commentaires de ces derniers donnent à comprendre que jeunesse et modernité ne sont pas nécessairement synonymes et leurs professeurs, qui s'échinent à leur « expliquer » Mondrian, Delaunay, Tanguy ou Jasper Johns font songer aux anciens pères blancs s'efforçant de transmettre la morale chrétienne à des nègres insouciants du prétendu péché de chair. Cela finit presque toujours devant une sculpture de Tinguely, qui réconcilie tout le monde. Souvent, à propos de Jasper Johns, le professeur, à bout d'argument et ne se résolvant pas à laisser ses élèves se familiariser lentement avec des œuvres presque toutes nouvelles pour eux, lâchera comme l'argument suprême susceptible de capter l'attention et la considération de ses ouailles : « C'est le peintre vivant le plus cher au monde » ! Effet garanti.)

Aux groupes de scolaires s'ajoutent des formations serrées de cartes vermeilles. Le troisième âge, à Beaubourg comme au Louvre, au Louvre comme partout, fournit en toute saison aux musées et aux monuments historiques un contingent régulier de visiteurs désireux de vivre une vieillesse ouverte et de se frotter à un univers culturel qu'ils jugent avoir méconnu ou n'avoir pas eu suffisamment d'occasions de connaître. Leur bonne volonté est totale, leur capacité de résistance surprenante, leur désir d'apprendre admirable.

Et, tandis que ces pèlerins s'étirent en sages cohortes à l'un des deux étages du musée d'art moderne, de l'autre côté des cloisons, des courants incessants, ascendants et descendants, conduisent des barres compactes de visiteurs de la piazza à la terrasse du Centre Pompidou et retour. Le miracle de Beaubourg, c'est bien en effet d'avoir balayé « les blocages psychologiques par rapport à la culture avec un grand C », puisque des millions de gens passent, chaque année, à deux enjambées de centaines d'œuvres majeures de la peinture et de la sculpture sans s'en soucier le moindrement, sans aller leur jeter un coup d'œil, sans se poser la question de savoir si cela vaudrait la peine et sans se douter que, tandis qu'ils se laissent, désinvoltes, emporter par l'escalator, le grand magicien de la statistique, tapi dans l'ombre, inscrit leur ascension vers la terrasse comme un acte culturel et un hommage à l'art contemporain. Il est vrai qu'avec Marcel Duchamp, tout a atteint à l'art et l'escalier roulant lui-même est peut-être une sculpture mobile que l'on ignore.

Au Louvre, quand les amateurs d'art ont achevé leurs quatre visites, histoire de ne pas perdre le bénéfice de l'entraînement, un bon peu d'entre eux va reformer une nouvelle file d'attente devant l'un des restaurants du sous-sol. Dans ce bas lieu, le tourisme gastronomique vient s'ajouter au tourisme culturel. « Quick-tout burger », « Hector le poulet », « Tex-mex El Rancho », « Tapas del Sol » voisinent avec des restaurants « de spécialités » : spaghettis ici, choucroute là, plus loin gâteau aux carottes, ailleurs fromage-salade ou travers de porc. On s'y refait des forces et l'on y révise ses plans de bataille. Cet après-midi, Orsay. On y négligera tout, sauf les impressionnistes. Demain, le jardin de Monet à Giverny. Après-demain, Auvers-sur-Oise, chez saint Vincent Van Gogh. Bouquet final : Montmartre, la place du Tertre et ses rapins en peau de lapin qui colorient des toiles dont les grandes masses ont été tracées industriellement à Hambourg...

Un matin de semaine, en juillet, comme j'étais déprimé par une trop longue observation des photographieurs de *Joconde* et des metteurs de mains aux fesses de statues qui ont besoin d'être en marbre pour rester impassibles (Ah ! méritante chaste Diane...), j'avais résolu d'aller prendre l'air de la cour Carrée, avant de m'abîmer dans la contemplation de la Seine depuis la passerelle des Arts. Passant devant des toilettes, j'avais noté, pour que le livre que vous avez entre les mains témoigne de mon souci des plus petites choses humaines, que la Nature n'est pas juste, qui oblige les femmes, pour répondre à ses appels, à prendre rang dans des files d'attente bien plus longues que celles que doivent former les hommes pour exécuter la même opération, chez eux bien plus prestement expédiée. J'avais ensuite marqué un temps d'arrêt devant les photographes se photographiant devant la pyramide de Pei et, par réflexe, je m'appliquais à les compter, lorsque je fus abordé par un Asiatique longiligne et anglophone – quoique un peu difficile à saisir – désirant savoir s'il était raisonnable de sa part de chercher à gagner « D'Orsay » à pied.

Je l'en assurais et l'interrogeais à mon tour. Sortait-il du Louvre ? Il en sortait. Qu'y avait-il vu ? La *Vénus de Milo*, la *Victoire de Samothrace*, *La Joconde*, les esclaves de Michel-Ange et *La Liberté guidant le peuple*, de Delacroix. Je savais cette œuvre installée pratiquement à mi-chemin de la *Victoire* et de la *Vénus*, mais je m'enquis des raisons qui lui avaient valu une station, plutôt que le passage indifférent qui constitue son lot ordinaire. Mon interlocuteur, étudiant sud-coréen en médecine, m'expliqua que, dans son pays où les révoltes estudiantines sont fréquentes, le tableau de Delacroix avait acquis le statut d'une image pieuse et qu'il avait été très heureux de découvrir l'original.

Il était à Paris de la veille, accompagné par deux camarades qu'il avait perdus entre Mona Lisa et Michel-Ange et qu'il espérait retrouver devant Van Gogh. Sa première sortie parisienne avait été pour la tour Eiffel. « *Beautiful scenery.* » Le matin même, de son hôtel situé non loin de la porte de Clichy et avec ses deux compatriotes, il s'était dirigé vers le Louvre. Après Orsay, ce soir, leur intention était de monter jusqu'au Sacré-Cœur. Le lendemain serait consacré à Versailles, ce qui leur laisserait juste le temps de revenir faire leurs bagages et de filer à Roissy, d'où leur charter devait décoller aux aurores du jour suivant et où ils étaient convoqués à trois heures du matin.

Guère plus de deux jours pour visiter Paris, m'attristai-je à haute voix. Oui, mais c'est que les trois compères avaient acheté un « tour » qui leur faisait mener un train d'enfer. Partis de Séoul, ils avaient atterri à Madrid. Leur périple les avait conduits à Lisbonne, Barcelone, Nice, Monaco, Rome, Venise, Munich, Prague, Bruxelles, Amsterdam, Londres, Édimbourg et finalement Paris. Le tout en vingt jours. Quel appétit ! Quelle santé ! Partout le même programme : aéroport, hôtel à la périphérie de la ville, « *beautiful scenery* », musée, musée et musée... Désireux de mieux connaître un représentant de cette race à mes yeux étrange que constituent ces Tarzans de la culture qui volent de musée en musée comme l'homme-singe d'arbre en arbre, j'invitai l'étudiant coréen à vider un verre dans un établissement installé dans le jardin du Palais-Royal.

La beauté et l'harmonie du lieu troublent mon convive. Qu'est-ce que c'est que cet endroit ? Je bricole un bref historique : Richelieu, Louis XIV, le Régent, Camille Desmoulins, les tripots, les dames de peu de vertu, le ministère de la Culture. Quoique moins ignorant de l'histoire de France que moi de celle de la Corée, Wui Won (puisque tel est son prénom que j'ai mis du temps à saisir, pensant entendre « *we won* » et me demandant de quelle victoire il pouvait bien être question) ne suit évidemment pas le détail de mon propos, mais il en tire la conclusion que le Palais-Royal et son jardin sont, selon son expression, « des endroits importants de Paris ». Il me demande de le lui confirmer, ce que je fais. La mimique de Wui Won exprime alors perplexité et agacement. Si nous sommes dans « un endroit important de Paris », pourquoi le guide que lui a remis son tour-opérateur à Séoul ne le mentionne-t-il pas ? Et si ce document passe à l'as un lieu à visiter comme celui où nous nous trouvons, combien en omet-il d'autres, à Paris mais aussi à Londres, Rome, Prague, Amsterdam, Venise ?... Je sens mon convive gagné par une inquiétude rétrospective. A-t-il voyagé le bon voyage ?

Je m'efforce de le détourner de cette préoccupation et tâche de mieux connaître sa façon de courir le monde. A-t-il eu le loisir de se promener au petit bonheur la chance dans les différentes étapes de son périple ? Ses deux compères et lui ont-ils fait des rencontres sympathiques ? Ont-ils trouvé à leur goût les différentes cuisines qu'on leur a servies ? Y a-t-il une ville – ou plusieurs – dans laquelle ils seraient heureux de revenir ?

Leur programme de musées et de *beautiful sceneries* ne leur a pas permis de musarder, d'autant moins que leurs déplacements en avion d'une ville à l'autre ne pouvaient s'effectuer qu'à des horaires fixes, certains situés à des moments malcommodes, qui « cassent » une demi-journée. En outre, les trajets jusqu'aux ou depuis les aéroports mangent un temps d'autant plus précieux que le séjour dans une ville ne dépasse jamais quarante-huit heures. Un tel rythme ne favorise pas les rencontres. Dans les hôtels ou centres d'hébergement qu'ils ont fréquentés, il leur est arrivé d'échanger quelques mots avec des compagnons de petit déjeuner, mais pas plus, sauf à Édimbourg, où ils ont croisé un autre petit groupe d'étudiantes sud-coréennes. Interrogeant Wui Won à propos de ce qu'il a vu d'Édimbourg, que je connais un peu, j'apprendrai qu'il y a passé une trentaine d'heures, nuit comprise, qui ont été consacrées aux remparts du château (*beautiful scenery*) après avoir parcouru d'un bon pas le Royal Mile – une rue dont chaque maison offre une bonne raison de s'attarder –, puis au Royal Scottish Museum, à la Scottish National Gallery of Modern Art et à la National Gallery of Scotland, où est accroché un Van Gogh, ce qui a plongé mon interlocuteur dans le bonheur. (Raphaël, Titien, Rembrandt, Vélasquez n'étaient pas – nous le vérifions ensemble – signalés dans son guide, ni les *Sept Sacrements* de Poussin.)

Quant aux cuisines nationales ou régionales, Wui Won n'a pas d'opinion à leur sujet pour l'excellente raison que ni lui ni ses camarades n'y ont goûté. Ils ont acheté à Séoul leur *round-trip* et donc payé d'avance tous leurs déplacements et tous leurs hôtels. Pour leurs menues dépenses, leurs achats de pellicules et de souvenirs et leur subsistance, ils ne disposent que de peu d'argent. Aussi ont-ils choisi la solution la plus commode et la moins chère et ne se sont-ils nourris, de Madrid à Prague et de Rome à Bruxelles, que dans des restaurants de fast-food. Grâce à Dieu, on en trouve désormais dans toutes les agglomérations de quelque importance, quel que soit le pays.

Mais, s'il en avait eu les moyens, Wui Won aurait-il tâté de la gastronomie locale ? Sans doute, et même volontiers. Il est curieux de nature et n'a pas peur des expériences. Existe-t-il un plat français dont il a entendu parler et qu'il aimerait goûter ? Oui. Le couscous…

Comme notre conversation s'est prolongée, je suggère que nous mangions un morceau si Wui Won accepte d'être mon hôte. Les deux plats du jour de l'établissement sont le saint-pierre accompagné d'une julienne de légumes et le boudin aux pommes. J'explique ce qu'est le boudin. Wui Won, pour accréditer à mes yeux sa proclamation antérieure de curiosité, décide de s'en faire servir et le mange de bon appétit, trempant une demi-lèvre dans un verre de vin dont il redoute les effets. Il parle de sa famille, des commerçants à l'aise, une sœur aînée qui a déjà d'importantes responsabilités dans l'industrie ; il évoque le haut degré de corruption du régime sud-coréen et les manifestations étudiantes auxquelles il a participé ; il décrit l'organisation des professions de santé dans son pays, m'interroge sur la situation française, exprime son espoir d'avoir une bourse pour aller étudier aux États-Unis, à la Johns Hopkins… Il me demande ce que l'on dit, en France, de la Corée du Sud. J'improvise un camouflage de banalités. De toute façon, il est l'heure pour Wui Won d'essayer de retrouver ses deux compères à « D'Orsay ». Nous échangeons des adresses dont nous ne ferons rien, je me lève et je réalise que mon invitation à déjeuner a eu sur mon hôte les plus mauvais effets. Il est affalé sur sa chaise et paraît hors d'état de reprendre le cours de son programme. Ce n'est ni la nourriture – rien de plus léger que le boudin – ni le vin – il n'en a pas bu plus de trois centilitres. C'est seulement l'effet de la halte. La première un peu longue depuis dix-neuf jours que dure ce marathon géographico-culturel, la première rupture de rythme, la première déconcentration. Wui Won est comme brisé. Se remettre en selle va être pour lui comme soulever de la fonte. Cependant, il le faut. Rassemblant son énergie, tel le grenadier de la Berezina donnant le dernier coup de collier qui lui permettra de se sortir de l'eau, Wui Won se redresse, se lève et s'éloigne en direction de Van Gogh, avant-dernière étape de son chemin de croix…

Je rentre au Louvre. Il est deux heures à l'heure officielle, midi roi des étés au soleil. Le serpent ondule en traînant les pieds. Quelques photographes professionnels proposent aux visiteurs en attente de les distraire en les immortalisant avec un Polaroid. Ils n'ont guère de succès… Sous la pyramide, dans le hall Napoléon, des hôtesses à l'amabilité inébranlable et au polyglottisme ahurissant (l'une d'entre elles est hexalingue et une autre pentaglotte) répondent aux incessantes questions des touristes culturels : « Où sont les toilettes ? » et « Où se trouve *La Joconde*? » sont les deux principales interrogations. Quelquefois, un visiteur formule une demande inattendue. Devant moi, une Étatsunienne (elle est massive mais je ne voudrais pas que l'on croie que je mentionne ce détail, chaque fois que je dois décrire une compatriote de Jane Fonda, par antiaméricanisme) désire savoir où elle pourrait dans Paris aller s'asseoir en plein air en toute sécurité. L'hôtesse, fine mouche, comprend qu'elle ne sera pas crue si elle répond que n'importe quel banc public est dans la capitale un endroit généralement sûr. Elle envoie l'Américaine au Luxembourg en lui expliquant que, ce palais étant le siège du Sénat, il est très bien gardé. L'argument porte. L'Étatsunienne est mieux que rassurée : réconciliée avec le concept même de ville. Comment atteindre le havre que l'on vient de lui promettre ? Un autobus, le 27, l'y conduira directement. Elle n'a qu'à l'attendre sur le quai. « *Is it a safe place for waiting ?— It is, madame, it is. Definitely.* » Elle prend donc le chemin de l'arrêt du 27. Je me souviens qu'en ouvrant le journal, le lendemain, j'espérais y lire qu'une citoyenne des États-Unis avait été harcelée par un sénateur rendu fou par la chaleur.

En plus de fournir les renseignements sur l'emplacement des toilettes et de *La Joconde*, les hôtesses sont tenues de présenter au visiteur qui en fait la demande le cahier de réclamations du musée.

Qu'on me le baille sur l'heure ! Non que je veuille me plaindre de rien, mais j'aimerais savoir ce qui provoque les récriminations des amateurs d'art. Deux sujets emplissent les pages. Le premier, c'est l'argent. On se plaint d'avoir dû payer plein tarif alors que l'on a présenté une carte, un document, un blanc-seing, un papier dont on est sûr et certain qu'il donne droit à une réduction : attestation de l'appartenance à l'illustre collège des docteurs espagnols, membre de l'Association internationale des amis des musées (section de Sydney, Australie), carte de professeur honoraire des établissements scolaires d'Autriche, titre prouvant qu'on est auditeur libre d'un institut d'art et donc assimilé à un étudiant bénéficiant de la gratuité. On se plaint même d'avoir été exonéré du droit d'entrée mais d'avoir dû s'acquitter de vingt-cinq francs pour une visite-conférence. On s'offense, ayant accompagné ses deux petits-enfants qui, âgés de moins de dix-huit ans, bénéficient de la gratuité, d'avoir dû soi-même faire la queue à la caisse. « Pourquoi n'y a-t-il pas un guichet spécial pour les personnes dans ma situation ? »...

Quand on ne récrimine pas à propos de l'argent dépensé pour pouvoir entrer au musée, c'est à propos de celui que l'on a dépensé dans l'un des restaurants du sous-sol. « Chez Machin, on nous a obligés à manger, on ne voulait que boire. » Cette protestation, rédigée en anglais, est signée « un groupe d'Irlandais ». Elle est suivie de récriminations ou de vitupérations motivées par les prix en vigueur dans les différents établissements vendant de la nourriture et par des considérations défavorables sur le rapport entre la qualité et les tarifs pratiqués. Quelquefois, l'indignation a un autre motif : « Il faut *absolument* expulser *tous* les photographes. C'est intolérable. Si vous avez besoin de personnel pour cela, faites-le moi savoir. » Signé Emmanuel V..., étudiant aux Beaux-Arts (suivent l'adresse et le téléphone).

Réservant l'exclusivité de mes doléances à mes lecteurs, je rends le cahier à l'hôtesse, surprise de mon abstention, et, renonçant à aller voir si les jocondovores ont inventé de nouvelles facéties, je décide de me planter sur le banc de la salle 31, dans l'aile Richelieu, et de voir comment le touriste culturel traite Rembrandt, à qui cette salle est entièrement consacrée. De quatorze heures trente à la fermeture, soit pendant un peu plus de trois heures, nous ne serons jamais plus de cinq personnes dans la salle 31. Il m'arrivera même de connaître un gros quart d'heure d'une bienfaisante solitude, riche en méditations sur la vanité des choses de ce monde. Je suis allé naguère à l'exposition Rembrandt qu'organisait le Rijksmuseum d'Amsterdam. Il fallait une patience d'archange pour obtenir un ticket d'entrée et, une fois rendu, on se marchait sur les pieds. Dépourvus de la médiatisation qu'entraîne une exposition temporaire internationale, les tableaux de Rembrandt dégringolent la cote à toute allure. (Il en va de même à Beaubourg. Autant le musée d'art moderne est désert, autant les rétrospectives et autres manifestations temporaires présentées au cinquième étage sont surpeuplées.)

Trois matins d'affilée, j'irai vérifier la solitude du peintre de *Bethsabée au bain*, du *Philosophe en méditation* et des *Pèlerins d'Emmaüs*. Elle n'a d'égale que celle de son quasi-voisin de la salle 38 : Vermeer. *La Dentellière* et *L'Astronome*, placés de part et d'autre d'un des accès, n'attirent que de rares chalands. Trois sur cinq de ceux qui traversent la pièce ne leur accordent pas un coup d'œil. Il est vrai que ce sont de petits tableaux, mais puisque *Les Noces de Cana* (« le plus grand tableau du musée »), ne parvient pas davantage à attirer l'attention, je doute que la taille explique ce dédain. Et d'ailleurs, peu après l'exposition qu'Amsterdam consacra à Rembrandt, celle qui rassembla les œuvres de Vermeer provoqua un engouement encore supérieur… On finirait par croire, si l'on ne se savait pas vivre dans une époque d'amour désintéressé de la culture, que notre rapport à l'art ressortit du rite social (et quelquefois mondain) et non d'une noble impulsion vers ce qui transcende nos pauvres existences…

Un Japonais esseulé entre dans la salle. Je l'ai vu, tout à l'heure, cour Puget, consultant avec application son guide. Il s'assied sur le banc central, face à un tableau de Ruysdael (*Le Coup de soleil*). Les Vermeer sont à sa gauche, mais il ne tourne pas la tête. Immobile, le corps penché en avant, il semble mesmérisé par le Ruysdael. Intrigué, j'amorce au bout de quelques minutes un tour de salle, pour l'observer de face. Il dort. Sans un bruit, sans un mouvement. Il dormira une demi-heure puis, revenant à nous, il ressortira son guide de sa poche, se lèvera et, passant devant les Vermeer dans une indifférence hébétée, il mettra le cap sur une autre direction. Peut-être son guide signalait-il les bancs les plus confortables du musée…

Du doyen Le Bras, on disait lorsque j'étais étudiant qu'il se lança dans la sociologie religieuse parce que, étant obligé par son épouse et tenu par ses origines paimpolaises d'aller à la messe plus souvent qu'il ne l'aurait souhaité, il s'y divertissait en comptant les fidèles et en les répartissant par âge, par sexe, par tout ce qui était susceptible de les distinguer. M'étant improvisé sociologue du tourisme culturel, je confesse avoir moi aussi connu quelques moments de lassitude, que j'ai combattus en essayant de deviner la nationalité des pèlerins du Louvre à leur seule apparence. La vérification s'opérait en les écoutant parler. Malheureusement, je ne distingue pas la langue coréenne de la japonaise, ni la polonaise de la lituanienne. Néanmoins, mes observations m'ont conduit à mettre en lumière le rôle unique que joue la chaussure comme instrument d'identification à distance de la provenance géographique d'un visiteur.

Apercevant une paire de grosses cothurnes de sport ou de marche, aux semelles épaisses ou profilées, on peut parier sur un Nord-Américain. (Je parle des adultes car l'ensemble des adolescents *all over the world* se chaussent ainsi.) Des chaussettes dans des sandales ajourées, type spartiates, ou des chaussures à lacet en skaï et on a plus que de grandes chances d'avoir affaire à un Chinois (encore faut-il que le visiteur soit jaune) ou à un citoyen d'un pays ex-communiste. C'est en établissant ces rudiments d'une science nouvelle, la calcéologie, et en tentant de les raffiner que j'ai fait la connaissance éminemment consolante de Lioubomir.

Je l'avais remarqué un matin, parmi les rares admirateurs des Rubens de la galerie Médicis, dont le nouvel aménagement calvinisto-mussolinien est plus que contestable, la peinture des murs étant en outre d'un coloris qui fusillerait n'importe quelle œuvre. Accompagné d'une blonde menue et gracieuse, il avait pris congé d'elle devant le *Débarquement de Marie de Médicis dans le port de Marseille* et, après un tendre baiser, il avait vidé dans les mains de sa compagne le contenu de ses poches de pantalon. Elles semblaient avoir une capacité de rangement supérieure à celle d'un grenier de maison de famille. Finalement, il en avait extrait des clefs que la jeune femme avait prises, lui restituant le reste du capharnaüm, aussitôt réenfoui dans ses réceptacles. Elle était entièrement vêtue de jean ; lui, d'un pantalon gris sans forme et d'un chandail de la même farine. Ses chaussures en moleskine brune ne pouvaient provenir que des surplus d'un plan quinquennal. Je pariais pour l'une ou l'autre des deux parties aujourd'hui séparées de la Tchécoslovaquie.

C'était un jour où j'avais décidé de musarder dans les étages de l'aile Richelieu, celle qui, naguère, abritait le ministère des Finances et qui donne sur la rue de Rivoli. Il y a une douce griserie à flâner du portrait de Jean le Bon aux *Quatre Saisons* de Poussin, de Van Eyck à Van Dick en passant par Memling... Peu à peu, on se trouve coupé du monde. (Grâce à Dieu, je n'ai – encore – jamais entendu sonner de téléphone cellulaire dans un musée. Peut-être les porteurs de ce genre d'équipement préfèrent-ils se faire remarquer ailleurs. À moins que les fameux « blocages psychologiques devant la culture avec un grand C » ne les retiennent de laisser leurs appareils branchés s'il doivent pénétrer dans le Louvre.) Assez vite, on ne sait plus tout à fait où l'on est. N'être pas pris par le temps et savoir que l'on reviendra le lendemain apporte une tranquillité d'esprit, une décontraction très bénéfique au rapport avec les œuvres. On s'attarde à les examiner, on en choisit une ou, plus souvent, on est choisi par elle, on fait connaissance, on gribouille dans son carnet des questions dont on cherchera la réponse une fois rentré à la maison. On est pénétré du sentiment d'être occupé à quelque chose qui en vaut la peine, comme c'est le cas lorsque l'on est plongé dans un livre ou dans l'écoute d'une pièce de musique. Dès que le regard sature, que l'œil contemple encore mais sans plus voir, on le rafraîchit en admirant la vue sur le Palais-Royal ou en observant les visiteurs. J'avais ainsi « retrouvé » Lioubomir du côté de chez le Bruegel de Velours.

La plupart des visiteurs de musée se déplacent d'une œuvre et d'une salle à l'autre à la manière des jouets cybernétiques, qui avancent en se cognant aux murs. Une réserve d'influx nerveux entretient chez eux un mouvement régulier, qui s'interrompt brièvement lorsque leur procession les conduit à se heurter à une œuvre. Là, ils patinent quelques instants puis repartent, comme renvoyés par la cloison, dans une direction au bout de laquelle un nouveau heurt les expédiera dans un coin imprévisible. Lioubomir tranchait sur les autres touristes culturels par la détermination de son pas et l'évidence de son but. Cela m'impressionna. Je décidai que, la prochaine fois que le hasard nous réunirait, je m'arrangerais pour savoir non seulement si ses chaussures trahissaient bien l'une des nationalités que j'avais imaginées, mais aussi qui il était.

Ce fut dans la salle 38, celle des Vermeer, que nos trajectoires se croisèrent à nouveau. Lioubomir examinait *La Dentellière.* Il s'y consacra un long moment, puis passa, de l'autre côté de la porte, à *L'Astronome.* Les deux toiles sont de petites dimensions (25 cm x 20 pour la première, 50 cm x 45 pour la seconde). Aussi mon supposé Tchèque (ou Slovaque) se penchait-il constamment vers l'une, puis vers l'autre, revenant sur ses observations antérieures, effectuant Dieu sait quelles comparaisons, scrutant ces œuvres plus qu'il ne les regardait. Depuis le premier jour de mon immersion dans le Louvre, je n'avais encore vu personne se comporter de cette manière. Au bout d'une copieuse demi-heure d'horloge, comme il quittait la salle 38, j'abordai Lioubomir en priant le ciel que nous ayons une langue en commun.

C'était le cas. (Hélas, ce n'était pas le français.) M'étant présenté et ayant appris que Lioubomir s'appelait Lioubomir et que ses chaussures et lui étaient bulgares (la calcéologie n'est encore qu'une science balbutiante), je sus qu'il avait vingt-quatre ans et étudiait le cinéma à Sofia. Sa mère, metteur en scène de théâtre, avait été invitée par notre ambassade à venir observer les scènes françaises pendant quelques mois. Elle avait loué une chambre à Pigalle mais ne l'occupait pas durant la seconde quinzaine de juillet pour cause de Festival d'Avignon. Lioubomir en avait profité, et avec lui son amie Anna, tous deux rejoignant Paris en auto-stop. Pigalle, qu'il connaissait en noir et blanc et sur pellicule, l'avait grandement déçu en vrai et en couleurs. De jour, rien ne lui avait paru différent des autres quartiers du 9e arrondissement sinon, bien sûr, l'abondance des sex-shops. De nuit, la foultitude d'Allemands lubriques chaloupant d'un trottoir à l'autre ne l'avait pas réconcilié avec la Germanie.

Au Louvre et à Orsay, ses buts étaient précis : Rembrandt, Vermeer et Corot. Trois peintres de la lumière. La comparaison de *La Dentellière* et de *L'Astronome* lui paraissait, à elle seule, justifier son voyage. *La Dentellière,* saisie presque en gros plan et éclairée par le haut, de face, donnait le sentiment d'une intense concentration. *L'Astronome,* représenté en plan large et entouré de tissus, d'objets et de meubles placés dans une demi-obscurité, laissait une impression beaucoup moins déterminée, aiguisait la curiosité, poussait à toutes sortes d'hypothèses… Je lui demandai s'il avait rendu hommage à *La Joconde.* Il me répliqua que l'agitation et la foule l'avaient empêché de profiter vraiment du tableau et qu'il était quand même extraordinaire de constater qu'à quelques mètres de Mona Lisa, dans la Grande Galerie, étaient exposées pas moins de quatre œuvres de Vinci, dont *La Vierge à l'Enfant avec sainte Anne* et *La Belle Ferronnière,* devant lesquelles personne ne s'arrêtait. De toute façon, il trouvait le Louvre trop grand et ne comprenait pas quelle volupté nous procurait ce gigantisme.

De là, nous dérivâmes sur les bizarreries des Français. Plusieurs de nos cinéastes et quelques-uns de nos analystes du cinéma avaient défilé dans l'école de Lioubomir. Il les qualifia sans aménité de prétentieux, artificiels, et les jugea trop intéressés à la philosophie et pas assez à la peinture, trop cérébraux et pas assez sensuels. Puis il me demanda si je pouvais l'aider à trouver le cimetière russe de Paris, qu'il ne parvenait pas à localiser. Bien que nommé « de Paris », c'était à Sainte-Geneviève-des-Bois, dans la banlieue, qu'il fallait le chercher. Pourquoi souhaitait-il s'y rendre ? Pour se recueillir sur la tombe d'Andreï Tarkovski, l'auteur d'*Andreï Roublev* et du *Sacrifice*…

J'aime les gens qui se souviennent des morts. Je ne connais de la Bulgarie que la figure revêche de l'ancien secrétaire général de son parti communiste, Théodore Zivkov, celle, plus avenante, de Mlle Sylvie Vartan, la réputation de ses yaourts, l'abondance de ses centenaires (Flaubert : « Un nonagénaire est toujours robuste ; un centenaire est toujours bulgare. ») et le fait que dans l'expression « bon bougre », bougre vient de « bulgare ». Trois raisons plus que suffisantes pour proposer à Lioubomir de venir déjeuner, le lendemain, avec sa compagne. (J'ai la religion de la table.) Après m'être enquis de leurs goûts et de leurs curiosités en matière de gastronomie, je fixais le rendez-vous dans un restaurant voisin de Notre-Dame, dont le pâté de tête, les quenelles de brochet, l'andouillette et la tarte Tatin sont restées sans reproche, malgré la quantité de touristes qui le hantent en saison. Lioubomir suggéra que nous allions, avant déjeuner, faire un tour à Notre-Dame. J'y ajoutai la cour de l'Hôtel-Dieu.

J'arrivai très en avance, désireux d'ajouter à l'observation des visiteurs du Louvre et de Beaubourg quelques notations sur ceux de la cathédrale de Paris. À l'extérieur, ni le portail de la Vierge avec son couronnement de Marie et ses bas-reliefs représentant les travaux des mois de l'année, ni le portail du Jugement dernier avec sa pesée des âmes, ni le portail de sainte Anne, avec ses scènes de la vie de la Vierge et de ses parents ne sont traités autrement que comme la toile de fond devant laquelle photographier ou être photographié. Clic-clac, et on s'engouffre dans le flanc sud de la nef, après être passé devant des panonceaux qui figurent une tête de chien, une cigarette fumante et une glace en cornet, toutes trois barrées d'une croix afin de signifier aux amateurs d'art religieux que Notre-Dame n'est ni un promenoir pour animaux, ni un fumoir, ni un établissement gastronomique. (Je verrai que les deux premières indications sont suivies d'effets, mais que la troisième ne résiste pas et que les esquimaux et autres bâtonnets glacés agrémentent la déambulation de visiteurs de tous âges.) Au-dessous de ces pictogrammes, la mention

« Tenue décente ». On sait qu'il s'agit là d'une notion plus sociale et conjoncturelle que naturelle, et donc éminemment évolutive. En outre, je serais au désespoir d'être rangé au nombre de ceux qui souhaitent rétablir « les blocages psychologiques par rapport à la culture avec un grand C ». Je me contenterai donc de déplorer que parmi les nombreux corps recouverts de peu de voiles que l'on peut observer dans la cathédrale, les plus dénudés soient si rarement ceux que l'on souhaiterait.

En dessous de la mention « Tenue décente » figure l'avertissement « Attention aux pickpockets » et, au-dessus, cette imploration en sept langues : « Silence, s.v.p. ; *Stille bitte* ; *Silencio por favor* ; *Silence please* ; *Silenzio per favore. Stilte a.u.b.* » et quelques idéogrammes japonais qui ne peuvent qu'exprimer la même prière, d'ailleurs marquée au coin du sceau de la vanité. Si les touristes culturels ne font pas plus attention aux pickpockets qu'à leur tenue ou au volume de leur voix, alors il ne doit y avoir à Paris guère de métier plus lucratif que voleur à la tire à Notre-Dame. Il faut dire que la compacité du flux qui remonte vers le transept conduit fréquemment à être séparé de ceux avec qui l'on est entré, et donc à crier leur nom afin d'être en mesure de les rejoindre. L'essentiel des autres interpellations de l'un à l'autre est pour vérifier qu'il ou elle a pensé à photographier ceci ou cela, ou pour lui proposer de s'installer devant telle pièce d'orfèvrerie installée dans une chapelle latérale ou devant tel monument funéraire du déambulatoire du chœur.

Repris par l'idée d'utiliser les méthodes primitives du doyen Le Bras, je me mis à chronométrer les visiteurs, depuis le moment où ils entraient par le portail Sainte-Anne jusqu'à celui de leur sortie par le portail de la Vierge. La moyenne du temps nécessaire à l'accomplissement de ce périple (photos comprises) s'établissait, ce matin-là, à sept minutes et trente secondes. À titre de comparaison, la visite guidée (gratuite) proposée tous les jours à midi dure entre une heure et une heure et demie. L'impressionnisme est plus qu'une mode. C'est devenu un mode de vie.

Rebutés par la foule, Anna et Lioubomir, quand nous nous retrouvâmes, reportèrent la visite de la cathédrale à un moment plus calme (la messe de sept heures, le dimanche ?) et lui préférèrent l'escalade des tours. L'obligation de gravir quatre cents marches élimine quatre-vingt-dix pour cent des visiteurs de Notre-Dame. Il ne reste plus que les photographes les plus ardents, ceux qui tiennent absolument à réaliser eux-mêmes l'image que l'on peut acheter dans tout Paris, et notamment sur le parvis, et qui représente (au premier plan coin gauche) une tête de gargouille sous laquelle s'étend le paysage de la capitale. Il est vrai que celui qui prend lui-même cette photo peut ajouter à la tête de gargouille celle de la personne qui l'accompagne. Rares sont ceux qui y manquent : l'originalité a tendance à devenir universelle.

Anna, apprentie costumière et décoratrice, avait couru, pendant que Lioubomir séjournait au Louvre, de petits musées dont le calme et le peu de visiteurs contrastaient violemment avec ce que nous avons observé avant de nous mettre à table. Aux Arts et Traditions populaires, au palais Galliera, voué à la mode et au costume, au musée Nissim-de-Camondo, hôtel particulier de rêve au décor plantureux, enchâssé dans le parc Monceau, elle avait trouvé sa provende et bien au-delà de ce qu'elle espérait. Elle m'apprit que dans le 15e arrondissement – l'un des derniers de Paris, sauf le respect de ses habitants, où je serais allé chercher un musée –, il en existait un, dénommé Kwok On, doté de substantielles collections de costumes, de masques et de mille choses touchant aux arts du spectacle, de l'Asie Mineure à l'Asie du Sud-Est. En échange, je lui recommandai le musée de la Vie romantique, dissimulé dans une rue du 9e arrondissement et où elle pourrait trouver le décor intact d'un coin de Paris de la première moitié du XIXe siècle.

D'un plat à l'autre, je mesurais que mes convives ressentaient, de ce premier voyage à Paris, un mélange de satisfaction et de déception où la déception dominait. Satisfaits, ils l'étaient d'abord d'avoir quitté pour quelque temps leur cadre habituel, et aussi d'avoir trouvé ce qu'ils étaient venus chercher et même au-delà. Ce n'était ni Rembrandt ni les collections de meubles du musée Camondo qui avaient laissé Lioubomir et Anna sur leur faim. C'était Paris. Ils en avaient goûté toutes les beautés qu'ils avaient pu en apercevoir, s'étaient rendus au moins une fois par jour sur l'un ou l'autre des quais ou des ponts pour connaître le plus possible de facettes du miracle de la Seine, ils avaient traîné avec bonheur dans l'île Saint-Louis ou dans la Nouvelle Athènes, mais ils n'avaient rien rencontré qui ressemble à quelque chose constituant le liant entre ces endroits débordants de charme. « *Do you see what I mean*, "l'esprit de Paris"? » disait Anna, roulant redoutablement les *r*. Je voyais. Peut-être pas la même chose qu'elle, mais je voyais. Un mélange d'énergie, de frivolité, de comédie qu'on se donne à soi-même en toute connaissance de cause, de brassage cosmopolite, de vitesse et, plus que du sentiment d'être la plus belle ville du monde, de la conviction d'être celle où l'on apprécie le mieux ce que la vie peut vous offrir et qu'on lui fait exprimer jusqu'à la dernière goutte. En effet, si tel était « l'esprit de Paris », je ne le sentais pas souffler.

À vrai dire, je me demandais même si ma ville, insidieusement, n'était pas en train de se rapprocher de Venise, décor inouï et de moins en moins habité, où l'ennui tombe à six heures du soir. Les bataillons de touristes culturels photographes qui grouillent un peu partout dans la journée donnent l'apparence de la vie. Mais c'est une vie végétative, réduite à ses plus simples fonctions. Ceux qui se croient de meilleurs voyageurs que les autres et les quelques Vénitiens qui restent encore à Venise racontent et se racontent qu'ils ont leurs itinéraires et qu'ils peuvent traverser la ville sans rencontrer une seule bedaine recouverte d'un appareil photo, que les touristes sont agglutinés place Saint-Marc et n'en sortent pas. C'est consolant et tout à fait mensonger. Tout Venise est voué à ces occupants de quelques jours – et occuper s'oppose ici à habiter – comme tout le centre de Paris, de moins en moins peuplé, se réduit chaque année un peu plus aux fonctions de promenoir international, de vitrine du commerce de luxe et de sujet de photographie...

Je gardai mes inquiétudes pour moi et, comme nous nous accordions sur le fait qu'un déjeuner du genre de celui que nous venions de prendre appelait une promenade de santé, Anna remarqua qu'ils n'avaient pas encore vu le canal Saint-Martin. Un bras de Seine à traverser et, du quai de Gesvres, l'autobus 75 nous conduirait à bon port. Moins d'une demi-heure plus tard, nous arpentions le quai de Jemmapes. Anna poussa un cri, agrippa le bras de Lioubomir en lui désignant avec fougue la façade de l'hôtel du Nord et, devant elle, la passerelle immortelle où Arletty et Louis Jouvet...

Bien que Lioubomir sût que le film de Carné n'avait pas été tourné sur le quai mais en studio, dans un décor reconstitué par Alexandre Trauner, il souhaitait boire un café à l'hôtel du Nord. Plus de table libre à la terrasse : à l'intérieur, le décor naturel n'était plus naturel. Tout avait été détruit, hormis la façade, et un investisseur avait transformé le rez-de-chaussée reconstruit en bistrot chic, escomptant que la magie du lieu et du nom lui vaudrait de bonnes affaires. Assis au fond de la salle, j'expliquai tout cela à Lioubomir et à Anna, puis je leur contai comment, à la fin des années soixante, le Conseil de Paris avait voté à l'unanimité la couverture du canal et sa transformation en radiale à quatre voies. Je leur expliquai qu'aujourd'hui encore il avait fallu toute la vigilance d'une association pour que le square situé dans le coude du canal, quai de Valmy, ne soit pas transformé en immeubles de bureaux avec trois étages de parking. Soudain, la salle de l'hôtel du Nord s'obscurcit. Un autobus venait de s'arrêter devant la façade.

Il s'en échappa une horde d'appareils photo traînant derrière eux des Japonais. « Il en passe de plus en plus, m'informa le serveur. Maintenant, l'hôtel du Nord figure dans la plupart des programmes de visites guidées. » Je n'ai pas un goût maniaque pour les allégories, mais enfin… des autobus qui défilent et déversent des cargaisons d'individus désireux de fixer l'image d'un décor dont il ne reste que la façade, il faut être particulièrement regardant pour n'être pas tenté de trouver là comme un symbole…

Bienvenue dans nos réserves !

Cité vaillant
Qu'on va taillant
Et assaillant
Du long, du lé...

Adam (clerc du XVe siècle).

Une rupture avec le passé comme je n'en connais pas d'autre dans l'histoire de Paris.

Louis Chevalier, *Les Parisiens*, 1967.

Au début des années quatre-vingt, Paris découvrit sa place des Victoires. (Il est coutumier de ce genre de retour d'affection.) Dessinée à l'initiative du maréchal de La Feuillade par Hardouin-Mansart, à la fin du XVIIe siècle, lieu d'élection, pendant quelques dizaines d'années, des courtisans en crédit et des financiers en vue, conçue, selon l'expression d'un de ses historiens, comme un « décor d'apparat », la pauvre place fut incessamment modifiée et bousculée. Nouvelle hauteur de ses immeubles, renoncement à l'uniformité de leurs dimensions, abandon du plan originel... Finalement, la dernière décennie du XIXe siècle lui porta le coup de grâce en l'éventrant pour percer la rue Étienne-Marcel. De place résidentielle, elle se dégrada en un nœud de communication, en un simple carrefour où s'entrecroisaient désormais pas moins de six rues. Au même moment, le redéploiement des Halles toutes proches sous les pavillons de Baltard faisait de ce nouveau carrefour l'un des plus fréquentés et donc des plus bruyants, surtout la nuit et au petit matin.

Dans le Paris d'Haussmann, en dépit de ce qu'elle avait, miraculeusement, conservé de charme, la place vit la plupart de ses habitants décamper de leurs appartements, transformés en locaux professionnels de toute sorte. (Ils le sont encore aujourd'hui.) Cette partie du 1er et du 2e arrondissement, à un jet de pierre du Palais-Royal et des Grands Boulevards, à trois pas des grouillantes Halles et de l'haussmannissime avenue de l'Opéra, demeura pendant un siècle un quartier riche en logements bon marché, en commerces abondants et divers, beaucoup d'entre eux profitant des retombées du voisinage des Halles, et tous dynamisés par l'installation, quelquefois, à l'image du Marais, dans d'anciens hôtels particuliers tronçonnés de mille façons, de nombreuses maisons de gros, notamment de tissus. Il n'était pas rare que leurs employés vivent dans le quadrilatère formé par les rues Réaumur, du Louvre, de Rivoli et l'avenue de l'Opéra, mêlés aux employés de la Bourse voisine, des sociétés de courtage, de la Banque de France et de toutes les entreprises de menu fretin que ces gros poissons faisaient vivre.

Avec les Halles, à la fin des années soixante, le vacarme de voitures de maraîchers, des frigorifiques de bouchers et de poissonniers, des fourgonnettes de fleurs ou de beurre-œufs-fromages alla se faire entendre ailleurs, dans le *no man's land* de Rungis. Pendant près de dix ans, il fut partiellement remplacé par le vacarme des camions de terrassement et par le tohu-bohu de la noria de véhicules de tous tonnages et de toutes dimensions allant contribuer d'abord à la destruction des pavillons de Baltard, puis à l'excavation du (un temps fameux) trou des Halles et enfin à l'édification du misérable centre commercial qui déshonore, défigure et dégrade Paris sous le nom abusif de Forum. (Mais nous y reviendrons.)

Quand, à leur tour, ces bruits s'estompèrent, puis se turent, on s'intéressa à la place des Victoires. Les Halles et leurs alentours étaient devenus *fashionable*. La bataille à propos de leur réaménagement avait tant fait parler de la rive droite (honnie comme « bourgeoise » par les tenants de l'existentialisme alors qu'elle participait en plein du Paris populaire tandis que Saint-Germain-des-Prés jouxtait le plus *copurchic* du 7e arrondissement...) que ceux qui donnent le ton et lancent les modes envisagèrent d'y porter leurs distingués pénates et, avec eux, tous ceux qui les suivent et désirent ardemment être originaux, à condition de ne pas l'être tout seuls.

Après les appartements avec poutres apparentes, après les voitures suédoises ou, à tout le moins, anglaises, après le mobilier d'acier ou de plastique, après les tentures afghanes, les kilims turcs et les poufs pakistanais, la recherche d'originalité se concentra sur le vêtement et prit la double direction du confortable-sportif-décontracté (genre *british*) et de l'épuré-destructuré (façon nippon). Rappelons que nous sortions d'une période où, en matière d'habillement, le n'importe quoi était une doctrine, un manifeste du refus des apparences, du dédain des codes, de l'opposition à la division de la société en classes. La toile de jean, le velours et la laine cardée, brune ou écrue, régnèrent longtemps en maîtres. Le col Mao et l'écharpe orientale constituaient des accessoires lourds de significations politiques et solidaristes.

Cependant, lorsque les Khmers rouges eurent achevé d'exprimer la vérité du maoïsme, lorsque le bienveillant protectorat soviétique eut coupé la route des tentures afghanes, lorsque la glorification de la vie en communauté eut laissé sur le bord du chemin des quantités d'amours défaites étendues dans des flaques d'amertume, lorsque tous ceux qui avaient élu domicile dans des châteaux en

Espagne se sentirent fatigués d'en payer le loyer à leur(s) psychanalyste(s), le bruit courut qu'il était devenu tout à fait convenable de se soucier de soi, de son confort, de sa beauté, de son bien-être et donc, accessoirement, de claquer son fric en fringues. Mieux, les hommes, jusque-là interdits de coquetterie sous peine d'attirer sur leur sexualité les soupçons les plus persistants, furent invités *coram populo* par les magazines de leurs compagnes et même par des hebdomadaires plus austères, à reconnaître la part féminine de leur ego et à céder au démon du paraître.

Encore ces apparences ne devaient-elles pas être adoptées en fonction de critères superficiels. Il leur fallait *traduire des valeurs* et *marquer un retour à.* Ainsi est désormais Paris. On y constitue une avant-garde en *retournant à*, selon le modèle proclamé par les conducteurs d'autobus de la RATP qui, cent fois la journée, crient aux voyageurs qui bouchonnent dans le couloir central de leur voiture : « Avancez en arrière, messieurs-dames »... Quant à *traduire des valeurs*, c'est là un exercice auquel le Parisien, de tout temps, se livre sans trêve ni repos, conscient qu'il est de l'exemple qu'il donne à la province et au monde.

C'est dans ce contexte que la place des Victoires devint un endroit – pardon, un « lieu » – branché et qu'elle accueillit sur son pourtour et dans ses parages immédiats une myriade de marchands de nippes. Kenzo y posa son sac et, comme il ne manquait pas de dons, il attira sur sa boutique une attention durable. D'autres fripiers, qui voulaient marquer leur différence en s'implantant ailleurs que dans les quartiers jusque-là voués à la mode, s'étaient installés autour de la statue équestre du Roi-Soleil : Cacharel, Victoire... Les chalands attirés par l'un découvraient l'autre et les affaires de tous commençaient sous les plus riants auspices. La place, en peu d'années, se voua au chiffon et à la chaussure. Le papetier céda sa boutique à un couturier italien, l'un des deux restaurants, justement réputé pour l'excellence de sa cuisine de bistrot, se transforma en marchand d'escarpins : son propriétaire avait misé trop souvent sur des canassons décevants. Le coiffeur ne résista pas aux offres d'un fabricant de vêtements pour dames. Le mareyeur dont les homards, les langoustes et les huîtres attiraient des Parisiens de tous les arrondissements s'en fut avec ses petites bêtes. À la place de leurs viviers, on vit des mannequins en polystyrène gris recouverts de tenues de cocktail pour spationautes imaginées par un couturier d'avant-garde. Les prix des fonds et des murs connurent une succession de hausses. L'horloger, qui avait longtemps refusé des propositions pourtant inimaginables quelques années plus tôt, accepta l'offre d'un marchand d'habits façon Amérique des *fifties* très prisés des adolescents et des jeunes adultes. Quelques mois plus tard, à bout d'ennui et ne sachant à quoi dépenser son pactole, l'horloger descendit dans la cave de l'immeuble où il s'était installé en compagnie de son berger allemand. D'un coup de fusil de chasse – acheté la veille –, il abattit l'animal puis, selon l'expression consacrée des rapports de police, il retourna l'arme contre lui. Son successeur fit faillite après quelques années et la boutique fut reprise par un vendeur de bijoux fantaisie « haut de gamme ».

Le marchand de tissus dont l'entrepôt occupait tout l'espace entre deux des rues aboutissant à la place fut, lui aussi, l'objet de toutes les tentatives de séduction. Il succomba à celle d'une chaîne américaine de vêtements « décontractés ». Chez les autres commerçants du quartier, on murmurait avec des accents divers – celui de l'envie ou celui de la stupeur –, qu'il avait exigé et obtenu un loyer mensuel de cinq cent mille francs. Dans sa diagonale, c'est un fripier allemand qui s'installa sur deux étages, mais en occupant une moindre surface : trois cent mille francs par mois seulement. (Dans les deux cas, on se perdait en conjectures sur le montant des pas-de-porte.) Le second restaurant de la place céda à son tour. Dans ses vitrines, il exposait des balthazars et des jéroboams. Le col de leur goulot était recouvert de cire rouge et leur panse portait des étiquettes de vins puissants et charpentés. Ils laissèrent la place à des silhouettes de fil de fer portant des robes pâles destinées à des jeunes femmes anorexiques. À côté, une vaste boutique s'offrit à habiller les enfants de moins de dix ans, à leur faire goûter avant l'âge de raison aux orgueils et aux vanités de l'apparence : 390 francs le gilet, 380 francs la salopette, 520 francs la robe, 190 francs le tee-shirt, 380 francs le short et même 400 francs le maillot de bain. En taille huit ans !

Dans les rues avoisinantes, le mouvement suivit la même direction. Ceux qui n'avaient pu trouver à s'implanter sur la place se disputaient les commerces des six rues qui y aboutissent. Un épicier républicain espagnol et sa femme, toujours vêtue en veuve, vendirent trois millions de francs des murs et un fonds qui n'en avaient pas rapporté autant en quarante ans. Comme Franco était enfin mort, ils retournèrent en bourgeois fortunés dans le pays qu'ils avaient dû quitter sans rien. La boutique du vitrier voisin fut arraisonnée par un autre couturier d'avant-garde, mais spécialisé dans les vêtements mettant en valeur l'anatomie masculine. On y vendit au prix de l'or des « marcels » bleu foncé en maille ajourée du plus joli genre « suivez-moi jeune homme ». Le marchand tunisien de fruits et légumes, trois pas plus loin, se métamorphosa en une vaste échoppe de mode surmontée d'un nom en train de devenir connu : duffle-coats aux couleurs vives, chandails et sweaters ornés de dessins d'animaux, chaussures bicolores rutilantes, accessoires pimpants succédèrent aux artichauts, aux aubergines et aux pommes de terre.

Vingt pas plus loin, dans un magasin d'angle, trônait une boulangère-pâtissière. Elle était quinquagénaire et dodue, fière, à juste titre, de ses pains et de ses gâteaux, et intransigeante en toute chose. Qu'un apprenti arrivât en retard et elle lui savonnait la tête en l'accablant de l'exemple – du modèle – de son mari, qui, parti de son Auvergne avec son épouse pour tout capital, jouissait aujourd'hui d'une réputation enviable et d'une prospérité honnête sans avoir pour autant cessé de se lever au milieu de chaque nuit pour pétrir avec conscience. Qu'une vendeuse se présentât les lèvres trop peintes, les joues trop fardées et la jupe trop courte, et elle la sermonnait d'importance sur le respect que l'on doit à soi-même et à la clientèle. Elle vendit sa boutique à une faiseuse de sous-vêtements féminins délicieux, une sorte de génie de l'affriolant, de Saint Laurent du frou-frou, de bienfaitrice de l'effeuillage.

De proche en proche, la triade fringues-chaussures-accessoires de mode (par ordre d'importance) inscrivit à son tableau de chasse, dans un rayon de trois à quatre cents mètres, un électricien, un cordonnier, un papetier, une tripière, trois cafés, un marchand d'articles de sport, un coutelier et un restaurant (fameux, naguère, par ses vins de Saumur et dont le patron, retiré dans sa province natale, vient quelquefois errer dans le quartier, ne répondant, dit-on, que du bout des lèvres et le regard fuyant au salut de ses anciens clients). Manquent également à l'appel un chocolatier, un poissonnier, un épicier italien plus ou moins traiteur dans son arrière-boutique, un garage-station-service, un numismate, un fleuriste, un plombier-chauffagiste, un relieur, un soldeur de disques, un fabricant d'abat-jour, un marchand de bondieuseries (statues de saints, livres édifiants, cierges, chapelets, crucifix, objets du culte), un antiquaire spécialisé dans les objets de cuisine et de table et même une boutique de pompes funèbres, comme si la diminution du nombre de ceux qui vivent du côté de la place des Victoires avait rendu dérisoire le nombre de morts potentiels…

Quelques noms ont échappé, sans doute, à ce mémorial des négoces tombés au champ d'honneur de la bataille contre la mode (contre les « nouveautés », aurait-on dit au XIXe siècle). C'est que, pour dresser leur liste, on trouve difficilement des habitants assez anciens – c'est-à-dire seulement installés depuis vingt ans ! – pour avoir connu la géographie commerciale de la place des Victoires et de ses abords avant le grand chambardement. Quant à ceux qui l'ont observée de leurs yeux, ils ne parviennent pas à accorder tous leurs souvenirs. « Qu'y avait-il avant le marchand de bottes américaines à côté du tabac ? — Un libraire, non ? — Si, un libraire, spécialisé dans les ouvrages d'histoire militaire… — Mais oui, et à côté, là où sont les Japonais, ce n'était pas une boutique de philatélie ? » On tâtonne, on s'étonne d'éprouver tant d'hésitations alors qu'on est né et qu'on a grandi ici, de fouiller sa mémoire à la manière des vieillards alors qu'on vient à peine de fêter son quarante-cinquième anniversaire. « Mes parents travaillaient à la Banque de France. Ils habitaient à deux cents mètres, rue du Bouloi. Quand ma mère revient, elle dit à chaque fois qu'on dirait qu'un magicien a changé toutes les boutiques… »

La cession de quelques entrepôts et magasins de gros à des entreprises de la triade a renforcé la transformation du quartier, sa monotonisation. La rénovation des galeries Vivienne et Véro-Dodat, devenues de luxueux écrins pour « créateurs » en tout genre ou pour collectionneurs raffinés, a apporté une note de chic, soulignée par l'installation dans le cadre furieusement monument historique de l'un de ces passages couverts du plus ébouriffant des modernes de la couture, Jean-Paul Gaultier.

Le Palais-Royal, au sud-ouest et à deux minutes de la place des Victoires, joue le même rôle que les deux galeries, celui d'un « lieu de mémoire », ingrédient sans lequel Paris ne saurait plus vivre dans son époque, à l'image de certaines personnes saisies d'une phobie et qui, bien qu'ingambes, ne sont plus capables de sortir sans un bras secourable auquel s'accrocher. La destruction imbécile et criminelle des pavillons de Baltard avait relancé l'intérêt pour le quartier des Halles et l'ouverture du Centre Pompidou, en 1977, avait achevé de faire sortir la rive droite du purgatoire.

L'érection de ces couillonnades en mauvais marbre que sont les colonnes de Buren provoqua une telle polémique (un haussement d'épaules aurait suffi) que les foules affluèrent vers ce jardin délaissé, bordé d'arcades occupées par des boutiques hétéroclites, hors d'âge et dignes de servir de décor à quelque roman spirite de Gaston Leroux.

Vigoureusement rajeunies, pour ne pas dire intégralement « relookées » quant à leur décoration intérieure, elles se mirent à accueillir d'autres « créateurs » (de parfums, de linge de table, de vaisselle, de bibelots) et des antiquaires à la page, dont les prix plus qu'élevés ne pouvaient que garantir l'originalité et la qualité de la marchandise. L'un d'entre eux se spécialisa, avec autant de flair et d'astuce que de goût, dans les modèles de la haute couture des années trente à soixante-dix. Ainsi, en passant du « décrochez-moi-ça » au magasin d'antiquités, les vieilles robes de grand-maman accomplissaient un formidable saut qualitatif, exhaussées du statut de souvenir (et quelquefois de déguisement pour les soirs de bal) à celui d'œuvre d'art. Dans le même temps, en un écho puissamment confirmateur, le pavillon de Marsan, au Louvre, accueillait la première version d'un nouveau musée de la mode. L'autre, installé au palais Galliera, traitant beaucoup trop le costume comme un simple témoin de son temps – à peine mieux qu'une curiosité ! – et non comme une manifestation de première importance du génie créateur de l'homme. Sur la vitrine d'un fripier, on pouvait lire : « Les gens qui vivent dans le passé doivent s'incliner devant ceux qui vivent dans l'avenir, sinon le monde se mettrait à tourner à l'envers »... Une pluie de croix de chevalier des Arts et Lettres s'abattit sur les milieux du chiffon, et un bon peu de Légions d'honneur. Les mannequins et les « top-models » commencèrent à intéresser davantage que la plupart des vedettes de cinéma. Il leur manquait peut-être la parole mais elles – et ils – n'en étaient que plus internationaux. De toute façon, leurs cachets, exprimés en dollars, parlaient partout pour elles, et pour eux.

Pendant que la scène de la mode devenait hautement et surtout largement médiatisée, dans la coulisse, la délocalisation battait son plein. Fabriqués en Corée ou dans le sud de l'Inde, pantalons, chemises, polos, tee-shirts et sweaters se vendaient à Paris jusqu'à six fois leur prix de revient. On peut comprendre que des bénéfices de six cents pour cent aient procuré à leurs heureux récipiendaires de quoi se disputer à coups de millions les boutiques du nouveau quartier de la mode et à la mode. En cinq ans, l'essentiel des commerces vendables étaient vendus. Les autres – ceux qui s'obstinaient dans l'idée de poursuivre leur activité – finirent par tomber sans exception connue. Une antiquaire talentueuse et bohème avait fait de son échoppe le réduit le plus symbolique de la résistance à l'argent trébuchant des fripiers. À cinquante pas de la place sacrée, son magasin était l'objet d'offres toujours plus engageantes auxquelles elle opposait, entre deux bouffées de cigarette et à condition que le programme de France-Musique ne retienne pas toute son attention, un refus teinté de commisération. Autour d'elle, une à une, les boutiques se rendirent. L'antiquaire tenait bon. Les propositions, pourtant, enflaient sans désemparer et la folie de s'installer dans les parages se traduisait sans cesse par de stupéfiantes transactions (bénies par les banques, il va sans dire). Un pauvre coutelier, sentant sa fin prochaine, se désolait de voir tous les autres commerçants de sa rue et des rues avoisinantes recevoir des offres alléchantes alors que lui n'était courtisé par personne. C'est que son magasin, qui trouvait jadis sa clientèle dans les surplus des travailleurs et des visiteurs des Halles, était minuscule : à peine la taille d'une chambre de bonne. Qui, se lamentait le vieil homme, pourrait s'intéresser à une telle cambuse ? Son heure vint pourtant et il put afficher joyeusement qu'il liquidait « pour cause de fermeture définitive » son stock de ciseaux, couteaux, instruments tranchants, coupe-choux et blaireaux. Une affaire de bérets fantaisie lui avait racheté son fonds et versé un copieux pas-de-porte, simplement pour mettre un pied (deux auraient été à l'étroit) dans l'endroit-must, dans le lieu des lieux.

Peu après le coutelier, l'antiquaire céda. Les quarante mètres carrés de son magasin lui procurèrent de quoi faire entièrement rénover sa maison de famille méridionale, acheter pour elle et sa fille une boutique une fois et demie plus grande dans le Marais et installer son petit-fils. Elle expliqua que ce n'était pas l'argent qui l'avait décidée – et son accent était celui de la sincérité – mais l'évolution de la population fréquentant les bistrots où elle avait l'habitude de prendre, ici un café, là un déjeuner rapide, ailleurs un brave verre de vin ou un honnête whisky, plus loin d'acheter ses cigarettes. Elle avait l'impression de ne plus rencontrer que des clones : des garçons et des filles dans les mêmes âges, pareillement vêtus, causant des mêmes affaires, buvant les mêmes boissons et échangeant les mêmes potins, tous vendeurs et vendeuses des magasins de fripe. Ce que l'argent n'avait pas suffi à obtenir, la monotonie l'avait accompli.

C'est un spécimen particulier d'humanité que le vendeur de vêtements du nouveau quartier de la mode. Il (ou elle) donne de prime abord l'impression d'être le rejeton précieux d'une illustre famille, provisoirement condamné par un concours de circonstances injustes à gagner sa vie en vendant des nippes à des gens qui ne le méritent pas. D'ailleurs, il ne vend pas à proprement parler. Semblable aux parents de monsieur Jourdain, il donne contre de l'argent. La discordance entre ce qu'il vaut à ses yeux et l'état dans lequel il est tombé le pousse à porter le deuil : les quatre saisons le trouvent vêtu de noir. Quelquefois, son affliction est telle qu'il s'est rasé la tête et ne conserve de cheveux que ce qu'on laissait aux anciens bagnards. Il porte d'ailleurs des chaussures dessinées pour des forçats de la marche, mais elles le clouent sur place.

Rien ne semble capable de le distraire, d'effacer sur son visage pourtant jeune la mine de lassitude avec laquelle il semble être venu au monde.

Son maintien distant et son costume de pasteur conduisent à imaginer que sa conversation roule sur quelque question essentielle de métaphysique. Elle porte pourtant plus fréquemment sur les amours des collègues, les derniers potins glanés en boîte ou dans un magazine « pipole », sur les programmes de la télévision. Filles et garçons s'appliquent avec succès à donner l'impression qu'ils sont non pas asexués mais au-delà du sexe. Qu'ils en sont déjà revenus. Il est aisé de saisir qu'une grande partie des garçons est homosexuelle et d'ailleurs, ils utilisent tous les codes possibles pour le souligner, mais on a l'impression que ce n'est pas pour eux l'expression d'un goût charnel mais plutôt la soumission à une mode, à un mode de vie parisien-chic. Comme si, en plus du vêtement noir, des chaussures de bagnard, du crâne rasé et de la mine blasée, l'homosexualité constituait un signe indubitable d'appartenance à l'univers ineffable des « créateurs ». Michel-Ange en était, Jean-Paul Gaultier en est, j'en suis. Et si je porte sur la poitrine le ruban rouge qui est censé rappeler que le sida est parmi nous, c'est à la manière dont d'autres arborent la Légion d'honneur, l'insigne du Rotary ou le tablier de maçon, comme un signe de reconnaissance entre personnes distinguées, fût-ce par un malheur menaçant.

Pourtant, à ces jeux de l'amour et de la mode, le virus a fait ses choux gras. En une année, le curé de Saint-Eustache a enterré onze des quatre-vingt-dix employés d'une seule des maisons de couture du quartier. C'est leur extrême solitude dans les derniers mois de leur vie qui a frappé le prêtre. Plus de famille. Presque plus d'amis. Comme si ceux que l'on côtoyait hier et dont on partageait les penchants (et les risques) se refusaient à affronter le sida autrement que comme une menace abstraite, mettant dans leur existence un tragique immatériel, chimérique. Un virus utilisable socialement, insupportable individuellement.

Quoi qu'il en soit, la maladie et la mort ont empêché certains de ces jeunes gens de trouver leurs marques dans le quartier. La spéculation a poussé plus d'un marchand d'habits qui venait lui-même d'acheter sa boutique à la revendre à d'autres fripiers. Le personnel a valsé avant d'avoir eu le temps de connaître le nom des rues. La versatilité du milieu des vendeurs, enfin, et la facilité avec laquelle la moindre dispute y tourne au drame, ont multiplié les courts séjours et les départs précipités. Résultat : la nouvelle population du quartier ne l'a pas réellement peuplé. Elle y a fait de la figuration mais ne lui a pas donné une personnalité. Tout au plus un genre, et on a vu que ce n'était pas un genre très exubérant. De jour, la place des Victoires et ses abords sont agités plus qu'animés, puisque animé suppose une âme. De nuit, ils sont raides morts.

C'est que les habitants ont déserté. Tout les y a conduits. La transformation des commerces de la vie quotidienne en boutiques de la triade n'a laissé subsister que de rares épiceries, boucheries, boulangeries, etc. Beaucoup d'entre elles, se trouvant en position de quasi monopole, ont augmenté leurs prix et fait bon marché de la qualité. Elles ont ainsi donné à certains habitants une raison de partir qui s'est ajoutée à d'autres enchérissements, dont le plus important a été celui de l'immobilier, bientôt porté à des hauteurs vertigineuses par la compétition des banques, des sociétés d'assurances et des promoteurs-rénovateurs. Certains logements ont vu leur valeur multipliée par quatre en quelques années. La raréfaction des restaurants a diminué la puissance d'attraction de la place et de ses environs. On y est moins venu des autres arrondissements de Paris. Le Forum des Halles et sa mauvaise réputation n'ont pas arrangé les choses. En peu d'années, cette partie du centre de Paris est devenue un quartier-dortoir, de plus en plus habité par ce que les Étatsuniens appellent des *dinkies* (*Double Income*

No Kids) et par des « ménages » composés d'une seule personne. Des appartements ont été loués ou achetés par des sociétés de fringues pour en faire des « show-rooms » ou des bureaux camouflés en logements de fonction afin de tourner la réglementation de la ville. Certains immeubles ont perdu, en cinq ans, le tiers de leurs occupants.

Au sud du 1er arrondissement, entre la rue du Louvre et la rue Royale, l'extraordinaire augmentation du tourisme international a eu les mêmes effets – *mutatis mutandis* – que la mode au nord. Plus un quartier se touristifie, plus le commerce s'y concentre autour des activités qui intéressent la population de passage : restauration rapide, limonade, vêtements, souvenirs, gadgets, magasins *duty free.* Les échoppes destinées aux autobus de Japonais ont fait de nombreux petits au sud de l'avenue de l'Opéra...

Entre le jardin des Tuileries et la colonnade du Louvre, entre la place Vendôme et la place des Victoires, on n'a jamais vu autant de monde, mais sur les trottoirs... La désertification des immeubles a conduit à la fermeture des écoles, à la réduction du nombre de leurs classes, tout comme en Lozère. Et si l'on en maintient certaines, bien qu'elles n'aient pas le nombre d'élèves réglementaire, c'est le fruit d'une complicité discrète et toujours fragile entre l'Hôtel de Ville, la mairie d'arrondissement, l'académie, les syndicats d'enseignants et les organisations de parents d'élèves, au sein desquelles il n'est pas rare de trouver quelques personnages influents, mais qui se désintéresseront de la situation sitôt que leur progéniture aura passé l'âge scolaire...

À peine quinze ans après ses débuts, cette transformation a perdu le souffle. Trop de mode a tué la mode et trop de frime a usé la frime. La crise et la diminution de la consommation ont fait le reste. En 1997, deux magasins de la place des Victoires cherchaient en vain preneurs ou repreneurs, l'un d'entre eux depuis plus d'un an. Il est peu probable qu'ils redeviendront restaurant ou mareyeur, boulanger ou droguiste... L'ancienne boulangerie a vu filer ses dessous de l'autre côté de la Seine. Elle n'a pas encore trouvé d'affectation.

En même temps que le centre de Paris se vide de ses habitants, il se décolore. Ou plutôt, il devient monochrome. Avec le quartier de la mode et du tourisme culturel international, le Marais et, désormais, Saint-Germain-des-Prés, illustrent chacun à sa manière cette involution.

Le Marais, ou, plus précisément, le rectangle dessiné au sud par la rue de Rivoli, à l'est par la rue de Turenne, au nord par la rue des Francs-Bourgeois, et, dans son prolongement, par la rue Rambuteau, et, à l'ouest, par le boulevard de Sébastopol, constitue à peu près l'essentiel du quartier « gay ». Ceux qui y demeurent et ceux qui le fréquentent l'ont eux-mêmes baptisé le ghetto. Un guide, intimidé par les prescriptions du « politiquement correct » et qui n'osait pas appeler les chats par leur nom, a trouvé pour désigner la population la plus visible de ce ghetto une charmante périphrase : « Le Marais, écrit-il, est désormais habité et animé par une population de célibataires raffinés… »

Si nigaude soit-elle, cette expression a au moins le mérite de permettre de remonter à l'origine de ce nouveau peuplement. Au début des années soixante, il se trouvait encore nombre de bons esprits pour réclamer, au nom de la modernité, de l'hygiène, de la lumière, de la santé, que l'on rasât tout le vieux Paris au nord, à l'est et à l'ouest de l'Hôtel de Ville. L'attentat avait failli être commis deux fois. Avec les plans d'Haussmann, et notamment par le percement déjà évoqué d'une voie prolongeant la rue Étienne-Marcel jusqu'au boulevard Beaumarchais, puis avec le « plan Voisin » en 1925, soutenu par Le Corbusier, et qui, au nom de la fonctionnalité, prévoyait de ne pas laisser pierre sur pierre du centre de la rive droite et d'y édifier des cités modèles, barres d'immeubles entourant des jardins. Périodiquement relancée, cette idée était partiellement et insidieusement réalisée dans diverses opérations immobilières menées avant et après la guerre avec la bénédiction de la préfecture. Elle fut stoppée par un quarteron d'historiens, d'historiens d'art, d'architectes et de lettrés. Constitués en groupe de pression, appuyés par la commission du Vieux Paris, dont certains étaient membres, ils obtinrent en 1965 le classement du Marais en secteur sauvegardé et donc la surveillance constante des services des Monuments historiques.

(C'est sans doute ici le moment, inhabituel dans un livre, d'inviter le lecteur à observer une minute de silence. Ce sera, s'il le veut bien, pour qu'il se représente ce que serait Paris si certains des plans les plus récents avaient été exécutés. Le canal Saint-Martin recouvert et transformé en radiale à quatre voies, le Marais rasé et devenu une sorte de Sarcelles au cœur de la ville, le carreau des Halles piqueté de tours façon Montparnasse et la gare d'Orsay, aujourd'hui musée, remplacée par un édifice jumeau du palais des Congrès de la Porte Maillot. Après de telles perspectives, il se peut qu'une deuxième minute de silence soit nécessaire, pour reprendre son souffle et se remettre du vertige qu'elles auront provoqué.)

Pour faire connaître les merveilles architecturales et urbanistiques d'un Marais décati, crasseux, défiguré et devenu l'une des zones les moins salubres de Paris (car si les solutions « Voisin » et autres étaient absconses, les problèmes qu'elles prétendaient résoudre étaient réels), les sauveteurs du quartier imaginèrent d'y organiser un festival (il n'y en avait pas encore des flopées) et d'y donner des spectacles le plus souvent en plein air, dans la cour des différents hôtels particuliers. Le succès fut considérable. On voit d'ailleurs aujourd'hui, entre le 15 juillet et le 15 août, avec l'opération « Paris quartiers d'été », combien la ville se prête à des spectacles qui mettent en valeur les plus divers de ses espaces et de ses intérieurs, et combien en retour elle donne de charme à de telles manifestations.

Le festival attira favorablement l'attention sur les 3e et 4e arrondissements. Le plan de sauvegarde et les avantages divers poussèrent à s'y installer une population jeune et peu fortunée, séduite par la beauté des immeubles, la surface des appartements, leurs faibles prix, compte tenu des travaux indispensables, et enchantée par la situation, l'ambiance et même le pittoresque du Marais. En son sein, on compta des artistes et des intellectuels déçus par l'évolution du Paris où eux et leurs semblables se concentraient volontiers, à moins qu'ils n'en aient été chassés ou tenus à l'écart par les hausses des prix de l'immobilier qui suivent ordinairement l'élévation d'un coin de la capitale en « quartier d'artistes ». Cette population nouvelle était plus bohème que raffinée. Son âge moyen la portait volontiers à l'anticonformisme. Elle aimait se mêler aux anciens habitants et s'enthousiasmait de découvrir tant de bâtiments prodigieux, de rues au tracé élégant et aux perspectives d'une grâce sans pareille. Entrain, jeunesse, ouverture d'esprit, animation, diversité, nouveauté : à Paris comme dans toutes les capitales, c'était plus que suffisant pour attirer quelques-uns de ceux à qui le célibat et l'absence d'enfants laissent de grandes disponibilités et que leur sexualité statistiquement en marge pousse à rechercher des quartiers à l'atmosphère détendue, bienveillante et urbaine, c'est-à-dire où l'on n'a ni à connaître ni à se soucier de l'approbation ou de la réprobation de quiconque. Selon le mot de l'un d'entre eux, qui s'installa dans le Marais peu après les débuts du festival, « dans les années soixante-dix, on y rencontrait plus d'homosexuels qu'ailleurs, mais il ne serait venu à l'idée de personne que c'était un "quartier gay". Ni d'ailleurs un quartier d'artistes. C'est un genre d'appellation qui arrive souvent lorsque les artistes sont partis et dont les agences immobilières se servent beaucoup plus que les habitants... Disons seulement qu'il y avait pas mal d'intellectuels et de gens du spectacle et que, comme ces professions peu hiérarchisées et assez larges d'esprit au moins quant aux mœurs attirent facilement les homosexuels, on en remarquait davantage qu'à Vaugirard ou aux

Gobelins. C'était agréable et sympathique. Mais notre plaisir et notre fierté à habiter le Marais venait d'ailleurs : du charme inépuisable de ce coin de Paris et de l'admiration que l'on pouvait lire dans le regard de ceux qui le découvraient ».

En même temps que ces particuliers enthousiastes, des sociétés de promotion immobilière comprirent l'intérêt du Marais. Elles achetèrent, rénovèrent et vendirent des appartements chargés d'histoire à des ménages récemment arrivés ou parvenus et qui, à l'instar de tant de bourgeois de fraîche date, rêvaient de se donner sinon de la gentilhommerie, au moins de la distinction patinée. La transformation du centre de la rive droite fut éminemment contemporaine du zénith des Trente Glorieuses. Paradoxe distrayant, ce zénith fut la grande époque d'un discours sur la « modernité » – en art, en architecture, en considérations sur les modes de vie – dont la virulence militante était d'autant plus forte que ce discours était tenu dans une demeure ou dans un lieu emblématique du passé et orgueilleux d'être historique. Protecteur de Vasarely et de Boulez, Georges Pompidou décrétait que « Paris devait s'adapter à l'automobile et renoncer à une esthétique périmée », mais il avait élu domicile dans l'un des endroits les plus préservés de la capitale, l'île Saint-Louis.

Dans le repeuplement du Marais, dont les habitants d'avant 1960 ne furent bientôt plus représentés que par quelques spécimens, les nouveaux riches l'emportèrent peu à peu sur les électrons libres, quels qu'ils soient. Parmi eux, on trouva assez vite pas mal d'étrangers – notamment de Nord-Américains de la côte est – amateurs de vieilles pierres qu'ils ne trouvaient pas chez eux. Leur intérêt pour le Marais ne contribua pas à faire baisser les prix des appartements. Enfin, aux cadres très supérieurs de l'industrie et des services s'ajouta, à partir des années quatre-vingt, le dernier avatar de la bourgeoisie d'argent sous les apparences du publicitaire, du communicateur et du conseiller (rebaptisé « conseil ») en image, en stratégie, en décision, etc. Dans leur suite vinrent différentes variétés de praticiens des « arts appliqués » et des « arts décoratifs », « artistes » mercenaires plus à leur aise que les peintres ou les sculpteurs, dessinateurs de story-boards et de layouts pour campagnes publicitaires ou magazines de mode ou d'art de vivre, et des représentants de ce qui commençait à être appelé le « show-bizz ». À cette époque, l'argent fut, dans ces milieux, plus abondant et plus facile que dans aucun autre et, plus que dans aucun autre, on tenait dans ces milieux à jouir d'un standing culturel dont l'exhibition faisait partie des signes extérieurs de la réussite sociale. Habiter dans le centre historique de Paris constituait un élément « incontournable » de ce standing.

Comme la plupart des anciens habitants, les électrons libres des premiers âges de la sauvegarde du Marais quittèrent leurs appartements. Souvent parce qu'ils n'étaient pas en état de suivre les hausses des loyers ou des prix de vente. Et aussi parce qu'ils avaient pris de l'âge. Leur enthousiasme s'était érodé. Leurs nouveaux voisins les ragoûtaient modérément. Le festival se mourait, après une pénible agonie et, avec lui, disparaissait une certaine utopie de la rive droite…

Cet espace était riche en ateliers de plain-pied et en boutiques. On vendit d'abord celles et ceux qui avaient à voir avec les activités des juifs ashkénazes dont le Marais avait été le centre jusqu'à la grande rafle du Vélodrome d'hiver. Vinrent ensuite tous les commerces liés à la fonction artisanale et industrielle du quartier, sous la triple pression de la rénovation, de la hausse des prix et d'une nouvelle réglementation tendant à éliminer le bruit, la pollution et les embarras de la circulation. À leur place s'installèrent – bien sûr – des magasins de vêtements. L'argent va à l'argent, et s'habiller, après avoir été longtemps une nécessité, devenait un loisir. Fleurirent aussi des galeries d'art, des boutiques de décoration et des commerces d'antiquités souvent consacrées… aux années cinquante et soixante. Les modes de vie avaient changé si vite que les décennies précédentes paraissaient avoir appartenu à un autre temps, à un âge sympathique mais un peu risible, balourd, embourbé, à coup sûr pré-quelque chose. Convaincus d'avoir puissamment aidé l'humanité à sortir de ces années d'obscurité, les communicateurs et leurs séides en collectionnèrent les objets avec un attendrissement paternaliste. On avait jadis recherché le silex, le bronze ou le fer travaillés pour qu'ils figurent dans des vitrines décoratives. On s'arracha la bakélite et le plastique des premiers balbutiements du nouvel âge et, avec eux, l'effigie ou les quarante-cinq tours des vedettes de cette époque reculée, ses bandes dessinées, ses affiches, et jusqu'à certains objets qu'on croyait jusque-là ne relever que des arts ménagers.

Des galeries d'art, d'abord assez nombreuses, tentèrent de s'implanter dans un quartier dont la nouvelle population serait, pensaient-elles, friande d'œuvres à l'avant-garde ou, à tout le moins, « de leur époque ». Cette hypothèse s'avéra fort aventurée. Les zélotes de la modernité installés sous les plafonds à caissons des hôtels particuliers divisés en appartements ne hasardèrent pas leur bon argent dans des achats de tableaux ou d'objets tant que leurs auteurs n'avaient pas accédé à la notoriété et à la cote. L'habitude des grandes marques, sans doute, retint les publicitaires d'encourager des artistes naissants et plus encore de les découvrir eux-mêmes. Ceux des galeristes qui surent ne s'attacher qu'aux créateurs médiatisés et à leurs épigones parvinrent à tenir le coup, surtout s'ils étaient installés à proximité de Beaubourg. Les autres décampèrent ou se transformèrent en vendeurs de reproductions et de posters, dont le flot de touristes culturels, encore grossi par l'ouverture du musée Picasso, assura un écoulement bien plus profitable que la vente d'œuvres originales mais de pères méconnus.

Au début des années quatre-vingt-dix, l'époque changea encore une fois de costume et, pareille au diable du conte qui, « lorsqu'il fut vieux, prit des habits d'ermite », elle se para d'un souci de vertu, d'authenticité et de retour aux valeurs. On avait admiré Bernard Tapie, on vénéra sœur Emmanuelle. On avait applaudi Jacques Higelin, on ovationna Charles Trenet. On avait mis les gagneurs sur un piédestal, on s'inclina devant le dalaï-lama. Un certain parfum de discrédit, voire de suspicion, commença à s'attacher aux professions mirobolantes que la précédente décennie avait rendues prospères. Rien n'est plus dangereux : les métiers du conseil sont éminemment fiduciaires. Ils vivent de leur renommée et des croyances qui s'y rapportent. Dans la néo-bourgeoisie de la communication, on s'attacha à rattraper puis à dépasser la critique. On brûla ce que l'on avait tant vanté et, au milieu du bûcher, on jeta le Marais. On décréta que Paris nuisait à une vie authentique, équilibrée et pauvre en gaz toxiques. Qu'il rendait impossible le retour aux valeurs et principalement aux valeurs familiales, dont la cote, en forte hausse, devait former un contraste voyant avec le souci de soi porté aux nues dans la période précédente. Dans le vade-mecum de la réussite sociale, l'appartement spacieux situé au cœur du centre historique dégringola à la rubrique « out ». À la place du Marais, c'est Neuilly qui devint un must, avec son immeuble bon genre, son cossu discret, sa gaieté décente et son sens impeccable des distances sociales. La néo-bourgeoisie commençait à se sentir assez sûre d'elle pour se frotter à l'ancienne et – qui sait ? – lui donner ses filles en mariage… Faute de Neuilly, il était admissible de s'installer dans les pavillons à jardinets-confettis des 13e, 14e, 19e et 20e arrondissements. On se les disputa. On s'établit également à Issy-les-Moulineaux – si possible au bord de la Seine –, en nourrissant, encouragé par le maire Santini, personnage intelligent, médiatique et roué, le dessein raisonnable d'en faire le Neuilly du prochain début de siècle.

Sorti de la catégorie des must, le Marais entra dans une nouvelle phase de transformation, plus lente et moins homogène que celle que j'ai décrite pour le 1er arrondissement, mais identique dans sa nature et dans ses caractéristiques. Les magasins de la vie de tous les jours continuèrent à se raréfier au profit des commerces liés au tourisme culturel. Une partie des appartements libérés ne trouva pas preneurs – pas plus que dans le reste de Paris – en raison de la crise immobilière. Enfin, près d'un cinquième des logements vendus le furent en tant que résidences secondaires à des provinciaux dont l'avion et le train à grande vitesse avaient modifié le rapport à la capitale, ou à des étrangers dont l'économie nationale venait de connaître un développement remarquable. Vingt pour cent de résidences secondaires reste un pourcentage encore éloigné de celui que connaît Venise, mais la direction est prise.

C'est donc de plus en plus dans un décor et de moins en moins dans un quartier que s'est développé le second Marais, le Marais « gay ». Rien de nouveau dans le fait qu'existe, à Paris, un quartier de prédilection des homosexuels ni que ce quartier se situe dans le centre de la capitale. Passant, selon les époques, de la rive gauche à la rive droite (mais demeurant plus souvent sur celle-ci que sur celle-là), ce Paris entre hommes avait toujours été nocturne. À cheval sur les 3e et 4e arrondissements, à partir de 1980, il devint pour la première fois diurne, sans cesser d'être accueillant et même animé à toutes les heures de la nuit.

Refusant d'avoir une vie à la lumière et une autre tous feux éteints, ne voulant plus être les vaches à lait d'établissements réservés, chers et sélectifs, de nombreux homosexuels se détournèrent des clubs, des bars et des restaurants situés entre le Palais-Royal et l'Opéra, et prirent leurs habitudes dans des bistrots du Marais tenus par quelques-uns des leurs qui avaient décidé de pratiquer des tarifs ordinaires, chez qui on ne payait pas de supplément pour se retrouver entre soi.

Dans le nouveau « territoire rose », la conception de cet « entre soi » s'est peu à peu partagée entre le bon enfant et le militant. Le bon enfant demande qu'on lui fiche la paix et apprécie des endroits où rencontrer d'autres homosexuels est facile et possible à toute heure du jour. Il y goûte la tranquillité d'une homosexualité socialisée et même banalisée. Le militant, lui, désire faire de son orientation sexuelle un signe violemment distinctif et l'ériger en bannière. Le quartier gay est, pour lui, une sorte de place forte, depuis laquelle il entend vitupérer l'hétérocratie de la société. Il ne s'agit pas de vivre peinard, mais de mener un combat permanent contre l'oppression. Comme cette oppression est de plus en plus *cosa mentale*, comme sa nature devient de plus en plus vague dans une société plutôt tentée par l'anomie que par l'excès de normes, le combat se mène surtout sur le terrain du discours et du symbole et il consiste davantage à s'échauffer à l'intérieur de son camp qu'à mener des actions à l'extérieur. Les entreprises et les commerces – plusieurs centaines – qui visent la clientèle des gays soutiennent le militant.

D'un côté, l'« entre soi » est un moment dans une vie que l'on ne veut pas voir réduite ou déterminée par une préférence sexuelle ; de l'autre, il est une fin et représente une subversion incessante caractérisée notamment par la crudité de la consommation sexuelle, symbolisée par les « back-rooms » et manifestée par des tenues vestimentaires qui tournent vite à l'uniforme.

Le mélange de ces deux conceptions du quartier – la seconde étant mise en scène par les « entreprises gays » – aboutit, selon le mot d'un sociologue lui-même homosexuel à une « ségrégation librement consentie ». Comme toute ségrégation, elle enclôt ceux qui se ressemblent et repousse ceux qui diffèrent d'eux.

Que l'on sympathise avec le bon enfant, que l'on soit d'accord avec le militant, ou que l'on soit indifférent à l'un comme à l'autre, ce qui importe à Paris et au Parisien, dans la nature et le développement du Marais gay, c'est qu'il se constitue en quartier monochrome, en réserve, en ghetto pour reprendre l'expression utilisée sur place, et si marquante que nombre d'homosexuels qui passent une petite annonce de « rencontres » dans *Le Nouvel Observateur*, tiennent à spécifier en se présentant à leurs lecteurs qu'ils se définissent comme « hors ghetto ».

Or le ghetto, c'est l'antithèse pour ne pas dire la négation de Paris, ville dont le mythe premier est d'être le lieu de tous les mélanges. Sans doute, si le mythe est un idéal mobilisateur, une utopie, il est aussi un mensonge ou un demi-mensonge. Il existe à Paris un certain nombre d'autres ghettos – qui ne portent pas ce nom. Certaines parties du 16e ou du 7e arrondissement sont des enclaves fermées et réservées à l'élite du pouvoir et de l'argent. Mais qui a jamais eu l'idée de chercher l'esprit de Paris avenue Georges-Mandel ou place du Palais-Bourbon ? Or le Marais gay est aussi ouvert à ceux qui « n'en sont pas » que cette avenue ou cette place le sont à la plèbe ou même aux classes moyennes.

La monotonie du ghetto pèse à nombre d'homosexuels, qui s'y étaient installés comme dans un espace de liberté et donc d'indétermination. « Je suis ici depuis vingt ans, confie un habitant de la rue du Bourg-Tibourg. J'ai déménagé deux fois, mais toujours dans le quartier. Cette fois-ci, je résilie mon bail et je vais planter ma tente dans le 9e. Une chose est d'être homosexuel et de n'en éprouver ni gêne ni honte, une autre d'être constamment invité à mettre en avant cette particularité de ma vie. Bars gays, restaurants gays, librairie gay, marchands de vêtements gays, boutiques d'instruments de plaisir pour les gays et bientôt épiciers gays, fleuristes gays et pourquoi pas transformer Notre-Dame-des-Blancs-Manteaux en paroisse gay ou confier le temple de la rue des Billettes à un pasteur luthérien gay ? La visibilité que je considérais déjà comme une maladie infantile de la libération des mœurs devient de l'exhibition.

Il y a de plus en plus de commerces qui arborent le "drapeau gay" [le *rainbow flag* américain, aux couleurs de l'arc-en-ciel]. Bien sûr, je comprends qu'il y a des solidarités nécessaires, pas seulement à cause du sida mais aussi parce qu'il y a des garçons que l'on emmerde dans leur famille ou dans leur travail pour la seule raison qu'ils sont homosexuels. Bien sûr, quand j'avais vingt ans – il y a vingt-cinq ans –, j'aurais été content de pouvoir aller prendre un café à cinq heures de l'après-midi dans un bar où j'aurais eu l'occasion de discuter avec d'autres garçons "comme moi". Ça m'aurait sûrement rassuré, facilité la vie et, qui sait ?, procuré quelques moments agréables. Mais la solidarité doit être le fruit d'un choix personnel et non d'une pression sociale, et d'ailleurs je ne vois pas ce que cette hystérie identitaire a à voir avec la solidarité. Je sais bien tout ce que l'association Aides-Île de France fait pour les malades du sida et les séropositifs. Je travaille avec elle depuis sept ans – depuis le moment où mon ami est devenu séropositif. En face du pouvoir médical et de son discours technique, nous avons obtenu la prise en considération du malade et non pas seulement de la maladie. Qu'est-ce que tous ces commerces gays ont à voir avec tout ça, à part de s'en servir pour attirer le chaland ? C'est le comble de l'hypocrisie et de l'imposture ! Voilà que les marchands du temple font la morale et disent la messe ! On se croirait à Lourdes !... Voilà, c'est ça : le Marais, c'est devenu Lourdes. Très peu pour moi ! Je suis un enfant d'instituteurs laïques. Mon idéal, c'est la liberté, pas l'enrôlement. À bas la conscription sexuelle ! »

Jean, lui, est installé rue des Mauvais-Garçons : « J'ai adoré cette adresse... En plus, quand je suis arrivé à Paris, on m'a proposé deux appartements. Celui-ci et un autre, rue des Vertus... Je venais de Montélimar et je m'étais fâché avec ma famille. En lisant mon courrier, mon père avait découvert le pot aux roses. Je ne vous dis pas le déluge. J'avais vingt-deux ans et un bon diplôme scientifique. Je suis foutu le camp, comme dit la chanson. J'ai eu la chance de trouver du travail dans un labo pharmaceutique installé en banlieue, mais je ne voulais vivre qu'à Paris et je savais que ce serait mieux près du Marais ou même dans le Marais. Avoir à choisir entre les Vertus et les Mauvais Garçons, j'ai trouvé que c'était un clin d'œil du destin. »

Jean n'a pas à regretter son choix. C'est dans un bar à deux pas de chez lui qu'il s'est lié avec Emmanuel, étudiant de l'École des langues orientales et, espère-t-il, futur interprète. L'un a vingt-neuf ans, l'autre vingt-six. L'un a rompu avec ses parents, l'autre n'a plus qu'une mère, qui sait tout. Après trois années où ils se sont « fréquentés » comme le dit Jean, qui aime à souligner son côté méridional, ils ont décidé de se mettre à la colle. Chez l'un ? Chez l'autre ? « Non. On en profite pour se tirer d'ici. On va dans le haut de Belleville. Ça fait un moment que je voulais bazarder cet apparte, dit Jean. [Emmanuel habite chez sa mère au bout d'une ligne de RER.] Le Marais, ça m'a d'abord ébloui parce que chez moi, la liberté, tu pouvais toujours en rêver… Quant à Avignon où j'ai fait ma chimie, tu en as vite accompli le tour. Alors, une fois à Paris, adieu maman, adieu papa ! Tout nouveau tout beau et vas-y que je m'éclate ! Au bout de deux-trois ans, je me suis calmé. En faire trop, c'est comme n'en faire pas assez : ça finit par te mettre minable. C'est là que le Marais a commencé à me gonfler. Avant, il y avait des pédés. Maintenant, il n'y a plus que des pédés. Même à la boulangerie, le mec regarde ta braguette quand tu entres et tes fesses quand tu sors. Alors j'ai commencé à penser à déménager. Tu vois, les hétéros, ils croient qu'on ne pense qu'à ça. Mais moi, j'aime entrer dans un bar "normal" [il prononce les guillemets] et parler avec des mecs qui ne sont pas homos. C'est vachement reposant. Il n'y a pas de sous-entendus, pas de drague, pas la petite voix qui te dit que si tu l'emballes pas, t'es nul. C'est comme pour une fille de discuter avec un pédé. C'est des vacances, une trêve, tout ce que tu veux. Dans le Marais, c'est plus possible. J'ai un pote qui dit que dès que tu sors on te regarde comme si t'étais le CAC 40 ! Et toi, faut que tu lises ta cote dans les yeux des autres mecs… Basta. Enfin, on s'est rencontrés. Je suis presque plus sorti seul et j'ai moins pensé à déménager, mais là, c'est l'occase. On se tire. Vive la liberté… Et c'est pas parce qu'on sera dans un quartier *straight* que ça m'empêchera de rouler un patin à mon fiancé… » Le fiancé a bien l'air de compter qu'il en ira ainsi. À toutes fins utiles, il réclame un échantillon. Jean s'exécute en exagérant ce qu'il faut pour honorer sa qualité de méridional et qui a un public. Emmanuel finit par s'arracher, ravi, à cette démonstration très appuyée d'affection et, feignant d'avoir risqué l'étouffement, râle : « De l'air ! de l'air ! — On en aura, de l'air, Manu. C'est même pour ça qu'on déménage. »

Si le nord du 4e et le sud du 3e arrondissement prennent, de jour, l'allure d'un quartier réservé, la nuit, le ghetto se subdivise en une quantité d'enclaves dont chacune accueille un public qui lui est particulier. Certains établissements recrutent en fonction de telle ou telle préférence à l'intérieur de la préférence homosexuelle. Les plus nombreux sont ceux qui accueillent les amateurs de cuir et de ce que l'on a longtemps appelé « l'amour vache », mais qui porte désormais le nom plus technique de SM. (À la rigueur, on dit sado-maso, mais cela sonne un peu province.) L'âge opère une autre séparation. Passé quarante ans, si vous n'avez pas consacré un budget et un temps suffisants à vous prémunir contre les effets de l'âge, mieux vaut boire un verre ici que là. Ce n'est pas que là on vous aurait chassé, mais il y a des détournements de regard qui valent congé. Le milieu social entraîne d'autres distinctions. Voici un bar où le jean est « couture », le chandail en cachemire et le mocassin de marque. En voilà un autre où l'on se retrouve entre bac plus six. Dans ce troisième, au contraire, on bavarde entre vendeurs de mode et employés de salon de coiffure. On vous y parlera du quatrième comme d'un rendez-vous de beaufs ; c'est qu'on y rencontre surtout des quadragénaires issus des classes moyennes et qui aiment y prendre un verre après la sortie des bureaux dont ils ont gardé la tenue. On y évoquera devant vous avec une ironie apitoyée cet autre établissement, demeuré dans le quartier de l'Opéra, dans lequel se rassemblent des vieux – entendez des quinquagénaires et même pis – qui ne se souviennent même plus qu'ils ont eu des abdominaux.

Accompagné de trois jeunes gens du Marais, bien faits de leur personne, plus jeunes que moi d'une génération, qui se divertissaient beaucoup à me servir de cicérones en se promettant amicalement de sourire à mes dépens et qui s'étaient baptisés mes « gardes du corps », j'ai occupé un certain nombre de soirées et écumé un nombre certain d'établissements dans le quadrilatère sacré du ghetto et dans quelques-uns de ses prolongements. Comme nous n'étions pas assortis quant à l'âge, nous ne convenions tout à fait nulle part. Ici on s'étonnait – en silence, mais perceptiblement – de ces trois dauphins pilotant un épaulard. Là, on faisait sentir qu'il n'était guère séant qu'un homme rassis (c'est-à-dire, selon l'Académie, « qui n'est plus frais sans être encore impropre à la consommation ») pût tirer dans son sillage non pas un mais trois Eliacins qui n'avaient même pas l'air de gigolos, lesquels, d'ailleurs, eussent été aussi mal venus que mon trio de sherpas.

Rien d'agressif, et d'ailleurs, dans ces établissements, tout ou presque s'exprime avec les yeux. Une simple fermeture, une invitation muette à comprendre que l'on ne saurait compter au nombre des habitués dont on troublait les habitudes. Il y eut même un bar où l'entrée de notre quatuor interrompit les conversations et fit se tourner plus d'une tête… J'y avais suivi mes pilotins en bourrant l'une des pipes qui ne me quittent jamais et que je venais de me coller entre les dents au moment où nous arrivions. L'usage de cet instrument de plaisir sembla reçu comme une déclaration de non-conformité aux mœurs des occupants du lieu. J'en eus la confirmation quelques soirs plus tard lorsque, toujours guidé par le même attelage, je me présentai à la porte d'un établissement célèbre pour ses soirées-mousse. (Pour les spationautes, les spéléologues, les sous-mariniers, les travailleurs des plates-formes pétrolières et toutes les personnes retenues longtemps loin de la civilisation et de ses bienfaits, il s'agit de soirées où, vers deux heures du matin, la piste de danse est recouverte d'une mousse non toxique et qui ne gêne pas la respiration. Lorsque les danseurs en ont par-dessus la tête – et même avant –, ils peuvent profiter de cette chape pour explorer d'autres danseurs et les inviter du geste à se donner réciproquement de la joie.) Donc, nous avions laissé passer minuit dans un bar à peine plus tranquille, où s'agitaient quelques *gogo-dancers* sculpturaux mais se mouvant avec plus d'automatisme que de conviction, et nous nous présentâmes à la porte de la soirée-mousse du mardi, celle pour les garçons. Je laissai mes remorqueurs prendre la file d'attente au milieu de jeunes gens fluorescents et agités et, autant par réflexe que pour me donner une contenance, je tirai ma fichue pipe de ma poche, la remplis et l'allumai. C'est à ce moment que vint notre tour de subir l'examen du videur-physionomiste avant de passer à la caisse. Il regarda mes camarades, me désigna à eux du doigt et leur fit observer : « On ne prend que les homos ! » Bien entendu, nous jurâmes que nous sortions des bras les uns des autres à l'instant même et j'affirmai qu'en plus j'étais déjà venu. Le physionomiste nous accorda le bénéfice du doute mais, après ce périple dans la nuit du Marais si fertile en ghettos dans le ghetto, ces deux incidents « à la pipe » me parurent le signe d'une rigidité des codes et d'une croyance étonnamment naïve, presque fétichiste, dans les apparences. Cette rigidité et cette croyance me semblent appartenir à un univers mental à l'opposé de celui qu'avait justement pris pour cible le mouvement homosexuel, celui des stéréotypes et des classifications.

Tel qu'il est décrit depuis toujours par la littérature, l'univers homosexuel est celui du mélange social, celui où se rencontrent des individus que leurs origines auraient dû tenir à l'écart les uns des autres. Tel qu'il évolue dans le Marais gay, ce monde de « la ségrégation librement consentie » est un monde qui non seulement reproduit, mais même exagère les séparations par âge, par milieu, par inclinations érotiques, sans compter que tout y est fait pour dissuader d'y passer un moment ceux qui ne sont pas attirés par les hommes… mais qui aimeraient bien profiter du charme de ces rues de Paris… La constitution du Marais, à la fin des années soixante-dix et au début des années quatre-vingt, en zone franche, en zone libre de préjugés fut vécue par beaucoup d'homosexuels comme un progrès fort plaisant dans la socialisation de leurs mœurs. La transformation de cette zone en un ghetto subdivisé en ghettos secondaires ne marque-t-elle pas une régression, voire un rejet de la liberté ?

À cette question, mes trois pilotins répondaient plutôt oui, « mais c'est plus compliqué que ça et d'ailleurs la ségrégation dans la ségrégation n'est pas aussi étanche que la voit un observateur extérieur et provisoire et, en plus, c'est une tendance générale dans le Paris de cette fin de siècle que de voir les gens rechercher la compagnie de leurs semblables les plus semblables »… Sans doute… Pourtant, au cours de l'exploration qu'ils avaient organisée pour moi, chaque fois que nous nous arrêtions dans l'un de leurs bars ou de leurs restaurants habituels, nous y prenions nos aises et notre temps alors que, lorsque nous visitions un établissement qui ne leur correspondait pas, ils pressaient le mouvement et me proposaient très vite de filer ailleurs. Quant à l'inéluctabilité de cette tendance à se coaguler avec ses prochains les plus proches, un hasard farceur et bon zigue me procura simultanément, quelques mois plus tard, l'occasion de la mettre en doute… et de faire découvrir à mes guides un lieu de rencontres entre garçons qu'ils ne connaissaient pas…

Baguenaudant dans le 10e arrondissement, celui du canal Saint-Martin, je fis la connaissance d'Hervé, professeur dans un collège de banlieue difficile et l'un des animateurs du valeureux et efficace bataillon d'habitants du quartier engagés dans le sauvetage du square Villemin, situé dans le coude du canal, à l'angle du quai de Valmy et de la rue des Récollets. Ce qui me plut immédiatement, dans ma première conversation avec Hervé, c'est qu'il racontait la bagarre contre les promoteurs et l'Hôtel de Ville, non pas sur le ton toujours un peu sermonneur du militant, mais avec les accents qui accompagnent d'ordinaire le récit d'un match de rugby ou même d'un monôme, d'un carnaval ou d'un chahut spécialement réussi. La trentaine, l'œil vif et ricur, d'emblée amical sans être envahissant, il me parut représenter une espèce aux rares spécimens, celle des petits qui n'ont pas peur des gros et qui n'ont besoin de la bénédiction d'aucune chapelle ni de la référence à aucune doctrine pour agir et faire ce qu'ils croient juste. Je lui trouvais même un faux air de ce Gavroche moderne que je désespérais de rencontrer jamais.

Après notre premier déjeuner, pris dans un restaurant d'artisans à table d'hôte, Hervé s'offrit à me faire découvrir certains coins des alentours du canal et à me présenter ici à une libraire plus mère-aubergiste que commerçante, là à une tenancière de restaurant (menu à quarante-deux francs, quart de vin compris) qui connaissait son quartier comme personne et l'aimait comme sa patrie. Chemin faisant, nous continuions de lier connaissance et, en grimpant le pont d'Arletty, Hervé m'expliqua qu'il n'était pas seulement défenseur du square Villemin et rédacteur d'un excellent canard consacré à l'histoire et au présent du 10e arrondissement, mais aussi le responsable de l'Association des « gais-musette ». Kézaco ? l'interrogeai-je dans l'ancien patois de Paris.

« J'aime les garçons, me répondit-il, et, pour en rencontrer, j'allais, comme beaucoup d'autres, passer de temps en temps une soirée en boîte. Le genre de musique qu'on y joue ne me plaît pas tellement et moins encore leurs pistes de danse sur lesquelles chacun se trémousse ou se dandine tout seul, bienheureux quand il ne danse pas avec son image reflétée par une glace. Moi, je cherchais un endroit où l'on pourrait prendre un garçon dans ses bras et tout ce qui s'ensuit. Je ne parvenais pas à en trouver mais, de sortie en sortie, je me suis aperçu qu'il y avait pas mal d'autres types qui rongeaient le même frein et désiraient la même chose. J'ai eu l'idée d'organiser un bal autour de musiques allant du charleston au rock, du tango au twist, du slow à la valse.

« Le premier bal a recueilli un tel succès que j'ai récidivé, et d'autant plus volontiers qu'il m'avait permis de rencontrer le garçon avec lequel je suis depuis maintenant deux ans. Puis nous avons formé une association à but non lucratif et organisé une soirée par trimestre. Le bouche à oreille a amené de plus en plus de monde, nous avons loué une salle plus grande et le bal est devenu bimestriel. Maintenant, il a lieu chaque premier vendredi du mois et il y vient toutes sortes de gens, même des couples hétéros… On nous a même demandé d'organiser des cours de danse… »

Je racontai la chose à mes cicérones du Marais, qui voulurent bien admettre qu'ils en avaient entendu vaguement parler et qui acceptèrent de s'y rendre en ma compagnie le prochain premier vendredi du mois. Nous décidâmes de dîner d'abord, mais à vingt heures, car Hervé m'avait recommandé de ne pas venir trop tard si je voulais pouvoir entrer dans le dancing, situé tout au nord du Marais, du côté d'Arts-et-Métiers, et qui, en temps ordinaire, était ouvert à une clientèle classique. Quand nous nous y présentâmes, l'un de mes accompagnateurs, qui n'avait cessé de me prédire que nous ne trouverions que deux pelés et trois tondus, me fit observer qu'il n'était que vingt et une heures trente et que nous allions nous emmerder comme des rats morts. Il y avait au moins deux cents personnes dans la salle qui, une heure plus tard, refusait du monde à cause des règlements de sécurité. Sur la piste tournaient des couples de tous les âges, de tous les genres et de toutes les couleurs. Des quadragénaires en chemise et cravate, des jeunes gens en jean et tee-shirt, quelques extravagants d'âges divers et un bon peu de messieurs qui auraient pu être grands-pères, dont un couple de septuagénaires aux anges qui épataient les autres gambilleurs par la science et la grâce avec lesquelles ils passaient d'une danse à l'autre. Hervé occupait les fonctions de disc-jockey, s'enquérait des désirs de l'assistance, annonçait les rythmes et, de temps à autre, faisait appel à un comparse pour montrer les pas à ceux qui n'en avaient qu'une vague notion. La bonne humeur générale gagna mes accompagnateurs après un bref moment de résistance, comme si cette ambiance si bon enfant, si simple et si étonnamment naturelle les avait d'abord déroutés et peut-être même un peu déçus en ce qu'elle privait, pour un moment, l'homosexualité de son côté sombre et compliqué, caché. Ou comme si ce mélange créait une atmosphère trop riche dans laquelle ils avaient du mal à respirer… Revenant de saluer Hervé, heureux comme un pape de montrer la réussite de son entreprise, j'entendis une voix qui m'interpellait : « Alors, M. Meyer, on se renseigne ou on se dévergonde ? » Je me retournai. C'était un de mes anciens et récents étudiants de Sciences po, où il s'était montré brillant, appliqué et coulé dans l'uniforme de la rue Saint-Guillaume. Il me présenta son ami et me proposa le prochain rock. Aujourd'hui encore, je ressens la vergogne de le lui avoir refusé…

En quittant le bal, nous reçûmes une sorte de tract qui précisait : « Le Paris gai, ces dernières années, s'est uniformisé. Partout sévit la même formule, les décibels à outrance, les fantasmes sur papier glacé, les rencontres furtives et, au bout du compte, des formes d'exclusion et de sectarisme : filles d'un côté, garçons de l'autre ; hétéros proscrits ; plus de trente-cinq ans non musclés non admis ; intégrisme musical techno, etc. Pendant ce temps, le sida nous décime et nous défie. Nous avons choisi de résister en affirmant l'esprit gai-musette. Cet esprit se développe de bal en bal. Nous croisons à nos fêtes des personnes très diverses. Les jeunes dansent avec les plus âgés. Des ami(e)s hétéros nous rejoignent. Certains invitent leurs collègues de travail, d'autres leurs voisins de palier. Les farandoles, le madison, le quadrille du french cancan, la danse du tapis sont des moments particulièrement chaleureux. En prime, les danses à deux facilitent les rencontres ! Tous ces moments de bonheur sont pour nous des cadeaux et nous confirment dans notre parti pris musette ! »

Sans doute est-ce l'évocation de moments possibles de bonheur qui tranchait le plus nettement avec ce que j'avais ressenti dans le ghetto. Non qu'Hervé et les siens soient des nigauds qui prétendent à une homosexualité heureuse – Kézaco ? Y a-t-il une hétérosexualité heureuse ? Où la rencontre-t-on ? En a-t-on publié la recette ? –, mais parce qu'ils mettent le meilleur d'eux-mêmes à donner au bonheur toutes ses chances et à chacun de les saisir. J'ai aimé leur énergie sans exagération, leur ouverture d'esprit, leur urbanité, leur simplicité, leur refus de prendre des poses de damnés de la terre ou de grands subversifs. Le ghetto n'est pas seulement étouffant et hypocrite, avec toutes ces affaires de commerce et d'argent qui profitent derrière le paravent militant, il est aussi, quelquefois, ridicule, et on y voit défiler des gens si assurés de leur précieuse valeur qu'on se croirait à une assemblée de dindons… Cependant, c'est le ghetto qui est visible parce qu'il est au centre de la ville, et c'est son genre qui passe pour représentatif du mode de vie des homosexuels – Kézaco ? Y a-t-il un mode de vie hétérosexuel ? Peut-on suivre des cours ? – Et c'est le centre de la ville dont le ghetto contribue à affadir la vitalité à l'intérieur d'un Marais dont la vie est devenue banale et morne au fur et à mesure que ses pierres ressuscitaient...

Cette banalisation, cette insipidité du centre de Paris s'est d'abord manifestée sur la rive droite : disparition des Halles, destruction des pavillons de Baltard, transformation des rues du 1er puis du 4e arrondissement en vitrines des modes et en parcours du combattant touristique, ghettoïsation d'un Marais dont la rénovation aura été une réussite technique et un échec humain... Cet affadissement, cette venisification, ont mis un peu plus de temps à gagner la rive gauche, la rive intellectuelle, mais le siècle ne finira pas sans qu'ils en aient conquis l'essentiel des bastions.

Peu après Mai 68, c'est le boulevard Saint-Michel qui tomba le premier. Après avoir été quelques semaines un sujet d'inquiétude, la jeunesse apparaissait essentiellement comme un marché nouveau, un véritable Far West. Elle se persuada et on la convainquit qu'il ne suffisait pas d'avoir vingt ans. Il fallait l'afficher. On lui vendit le look jeune, que ceux qui ne voulaient pas avoir l'air vieux s'empressèrent d'adopter. De la place Edmond-Rostand au quai des Grands-Augustins, le Boul'Mich' se couvrit de magasins vendant des signes extérieurs de juvénilité, et d'abord les plus distincts de ces signes que sont les vêtements. En même temps, le Quartier latin acquit une nouvelle valeur touristique. Il était le lieu d'où avait failli partir une révolution, celui où la jeunesse avait fait trembler l'ordre établi. Peu d'événements sociaux ou publics connurent si rapidement des retombées commerciales. « C'était extravagant, raconte l'un des rares habitants de la rue Serpente, des gens nous arrêtaient sur les trottoirs pour nous demander si nous savions où "ça" s'était passé exactement et si nous étions présents. Beaucoup cherchaient quelque chose à photographier. Mais les quelques arbres qui avaient été arrachés avaient été remplacés à toute allure, en même temps que le boulevard était non pas repavé mais asphalté, au cas où les étudiants auraient eu de nouvelles velléités de barricades. Ça a d'ailleurs donné une idée à deux frères (ou deux cousins, je ne sais plus) qui tenaient chacun une boutique de souvenirs dans le bas du Boul'Mich' où l'on trouvait des affiches du "mouvement de mai" présentées comme authentiques, mais qui n'étaient que des fac-similés. Ils ont vendu des pavés-souvenirs, des pavés presse-papiers, des pavés authentiques. Nous avons su plus tard qu'une bonne partie leur était fournie par notre fils, qui écumait en mobylette, le soir venu, les rues en chantier de la capitale et remplissait un sac à dos de caillasses. Ça lui a fait de l'argent de poche pendant quatre ou cinq ans… »

Entre le quai, les boulevards Saint-Germain et Saint-Michel et la rue Saint-Jacques, le carré Saint-Séverin a d'abord été la victime d'une décision mi-policière, mi-démagogique, celle de réserver ses artères à la seule circulation des piétons. Cela a créé une sorte de poche où se sont concentrés gratteurs de guitare, chanteurs faisant la manche, cracheurs de feu et même prêcheurs et allumés de toute sorte. Le visiteur trouvait cela pittoresque, l'habitant, insupportable. Le bruit, la saleté, des histoires de drogue et de bagarres récurrentes achevèrent de convaincre les autochtones de filer ailleurs et les commerçants de céder leur affaire au plus vite. Le processus de touristification acheva la transformation, et les rues de la Huchette, Saint-Séverin, de la Harpe, devinrent le siège d'un méchant bazar, de gargotes sans scrupules et de boutiques de restauration sur le pouce, le tout enveloppé dans une odeur permanente de graisses cuites et recuites. Après les marginaux et avec le développement du RER, Saint-Michel devint un lieu de rassemblement de jeunes banlieusards, avant que le Forum des Halles, une fois achevé, les absorbe. Du coup, les boutiques du boulevard changèrent de main et offrirent – notamment en matière de vêtements – une marchandise de plus en plus *cheap* et de plus en plus uniforme.

Dans le même temps, la réforme de l'Université aboutit à une présence amoindrie de la vie étudiante. La Sorbonne n'était plus que Paris IV, une faculté parmi douze dans la capitale et parmi tant d'autres qui se créaient en province et qui rendaient moins nécessaire et moins fréquent de « monter à la capitale » poursuivre ses études. En 1968 et dans les années qui suivirent, Nanterre avait volé la vedette et pris la première place. Dans les années soixante-dix, la Sorbonne perdit encore de sa prééminence au profit de l'École des hautes études en sciences sociales, située aux antipodes du Luxembourg, sur l'ancien emplacement de la prison du Cherche-Midi. Le contrôle continu des connaissances et le remplacement du système des certificats par celui des unités de valeurs plus ou moins bien copié de l'organisation américaine induisirent une transformation profonde des années d'université, qui se mirent à ressembler de façon croissante aux années de lycée, voire aux années de bachotage. Ce changement, renforcé par l'augmentation des heures de présence obligatoire à la faculté, porta un coup fatal à ce qui avait jusque-là caractérisé la vie étudiante : la liberté et, bien souvent, l'insouciance. La montée du chômage fit le reste, en développant jusqu'à l'absurde le culte du diplôme et l'accumulation des années d'étude. On finit par ne plus parler de « licencié ès lettres » ou de « maître en droit » mais de « bac plus trois » ou de « bac plus quatre ». Transformé en lycéen supérieur, l'étudiant circonscrivit de plus en plus son existence autour de ses études et devint un simple figurant dans la vie de la cité. Le Quartier latin avait vécu.

Restait Saint-Germain-des-Prés. C'est ce morceau du cœur de Paris alliant longtemps le charme de l'Histoire, le prestige de la littérature et des beaux-arts, la flatteuse renommée de l'anticonformisme et l'aura de la jeunesse qui aura résisté le plus tardivement à la banalisation et à l'uniformisation du centre de la capitale. C'est qu'au-delà du folklore existentialiste et de sa légende enrichie avec les années, cette partie du 6e et ce bout du 7e arrondissement, qu'enclosent comme une Muraille de Chine les rues du Bac, Dauphine, Saint-Sulpice au-delà desquelles commence un autre monde, ont conservé durablement leur identité sociale et professionnelle. Le faubourg Saint-Antoine a été le quartier du meuble (on peut en observer encore quelques traces) ; le quartier des Halles, celui des hétaïres (même remarque) ; le quartier du Mail, dans le 2e arrondissement, celui de la presse et de l'imprimerie ; le quartier des Gobelins, celui des tanneurs et des teinturiers ; Saint-Germain-des-Prés, c'est-à-dire le 24e quartier (éponyme) de Paris, le 21e (dit de la Monnaie), le sud du 22e (dit de l'Odéon) et l'extrême est du 25e (dit Saint-Thomas-d'Aquin), a été le quartier de l'édition, des livres et des idées. Pour certains, cette spécificité remonte à la fondation de la savante abbaye bénédictine au milieu du VIe siècle, pour d'autres, il est plus raisonnable de s'en tenir au XVIIIe siècle et à l'invention du mot « éditeur ».

Quoi qu'il en soit et quelque goût que l'on montre pour la détermination des origines, bien que l'activité principale de Saint-Germain-des-Prés ait été une activité en chambre, donc peu visible, et seulement matérialisée par une densité particulière de librairies, elle lui a conféré une personnalité solide et substantielle. Rien à voir avec le Quartier latin et le 5e arrondissement. Là-bas est le royaume des professeurs, c'est-à-dire des membres d'une institution qui tranche du beau, décide du vrai, précise ce qui doit être su et indique ce qui est officiellement admis. Ici, c'est la république de ceux qui disputent, discutent et parlent en leur seul nom. Là un corps constitué, ici des atomes. Là, chacun est censé concourir à la réussite et à la gloire de l'*alma mater*. Ici, chacun est « pour lui-même », orphelin volontaire et à la seule poursuite de ses chimères… Bien entendu, l'opposition est outrée, mais c'est ainsi qu'elle est voulue et ressentie. Sans doute passe-t-on d'un monde à l'autre, des professeurs publient autre chose que des ouvrages savants relevant de leur discipline et des écrivains gagnent leur vie en occupant une chaire. Mais ce passage, dans un sens ou dans l'autre, s'est longtemps fait au prix d'un pseudonyme, qui entérine la séparation entre l'officiel et le privé.

Simul et singulis, « Tout seul ensemble », la devise de la société des comédiens-français aurait pu être celle de Saint-Germain-des-Prés. Cet individualisme bien élevé – c'est-à-dire qui tient à préserver le charme de la ville en observant le code de l'urbanité – a marqué le quartier, et d'abord son peuplement. Toutes les professions du livre, en plus de l'édition et de la librairie : imprimeurs, graphistes, brocheurs, relieurs, soldeurs, illustrateurs, dessinateurs, graveurs, traducteurs, correcteurs, maquettistes, représentants, agents littéraires, entremetteurs de toute espèce, vendeurs d'autographes, libraires d'ancien, bouquinistes... Autour de ce peuple polymorphe se sont agrégés d'autres « travailleurs intellectuels » dont, bien sûr, des professeurs, mais aussi des cinéastes, des photographes, des comédiens. Je ne prétends pas que ces gens-là, ni les intellectuels, ni les éditeurs, ni les artistes, soient de quelque manière la fleur des pois de l'humanité. En bande ou en corporation, les écrivains sont même à fuir. Par chance, ce sont des poissons qui nagent plus volontiers seuls ou en maigre compagnie que par bancs. Ils ne laissent donc dans Paris qu'une trace légère, à peine palpable. En outre, à l'instar de ceux qui tendent à un but très personnel, ils sont d'un égoïsme – quelquefois d'un égocentrisme voire d'une égomanie – qui convient tout à fait à Paris dont le mot d'ordre est « Chacun pour soi ». Un être persuadé de son importance sur cette terre, qui se suffit à lui-même et qui préfère le commerce des textes à celui de ses concitoyens ne saurait gêner grand monde. Sauf lorsqu'il trouve que lesdits concitoyens ne lui rendent pas justice, chipotent à acheter sa production et lui mesurent leurs hommages (si même ils lui en accordent aucun)... Dans ce cas, l'écrivain ou l'artiste se métamorphose en furieux, mais il réserve le spectacle et les extravagances de la démesure à son éditeur et à ses proches. Il insulte le premier, bat les seconds, alterne ; il boit jusqu'à l'abêtissement complet ; il téléphone toutes les heures pour un caprice nouveau ; il menace d'une immédiate infidélité ; il s'use à reconstituer la trame du complot qui empêche son élévation et des jalousies qui rabaissent son œuvre ; il quémande des récompenses et, s'il en a reçu une, il s'aplatit pour passer au grade supérieur et faire partie d'un jury ; il médit, il calomnie, il ment, il poignarde dans le dos, il courtise, il copie, il vole, il a peur des journaux, il recueille avec avidité des renseignements controuvés sur la vie sexuelle de ses confrères et il répand ces détails en y ajoutant un peu de salissure. Il pèse sans cesse le poids d'influence de l'un et de l'autre, il n'a pas d'autre horizon que son nombril : « Cessons de parler de moi ! Qu'as-tu pensé de mon livre ? » Ce raccourci a été attribué à tant d'écrivains qu'il doit bien les peindre tous (sauf l'auteur de ces lignes, miraculeusement immunisé à la naissance contre chacun des défauts qu'il vient de survoler).

Cependant, toutes ces honteuses turpitudes sont discrètes, puisqu'elles n'affectent que le petit monde de la profession. Avec ou malgré elles, l'auteur ou l'artiste n'en reste pas moins celui par qui les idées et les styles s'élaborent et circulent, les modes d'expression et les talents se complètent, se défient ou se fécondent, les lieux communs se renouvellent. Il est incontestable que, à mon exception, il vaudrait mieux que tous les auteurs et tous les artistes fussent morts sans laisser ni veuve ni famille et que nous n'ayons affaire qu'à leurs œuvres, au meilleur d'eux-mêmes. Malheureusement, nous sommes contraints à chaque époque de supporter une certaine dose d'auteurs vivants et, pour survivre à la fréquentation d'un être aussi vil, rien de tel que de faire en permanence la distinction entre le talent et le caractère, entre l'œuvre et l'homme. La vie sociale a tendance à les confondre, mais comme c'est toujours – ou presque – en prêtant à l'artiste le caractère de son talent et à l'homme les qualités de son œuvre, cela revient au même. C'est d'ailleurs ce qui aura fait de Saint-Germain-des-Prés un quartier à la vie sous-tendue par une belle et noble utopie.

Reconnaissons également à l'intellectuel, à l'essayiste, au romancier et, dans une plus grande limite, au journaliste, une réelle curiosité pour ce qui se passe dans son univers. Attribuons-lui le fait que Saint-Germain a connu pendant longtemps profusion de cabarets – et d'où sont sorties tant de merveilles –, de galeries, où tant de chances ont pu être courues, et de cent endroits divers d'où se sont envolés idées et projets et où se sont constituées de durables amitiés et de solides estimes. Surtout, ne jugeons pas d'un quartier par ceux qui y possèdent le plus gros pignon sur la plus grosse rue. Le public connaît le nom de quatre ou cinq des éditeurs établis (ou qui l'étaient jusqu'à une date récente) à Saint-Germain-des-Prés. On en a recensé jusqu'à quatre cent vingt et un dans le 6e, et deux cent huit dans le 7e. J'ai habité quelque temps au-dessus de l'un d'eux dont la vitrine – assez étroite – ne mettait en exergue que quelques livres, les plus « grand public » de sa production : *Le Thème de l'arbre chez Paul Valery, La Phrase courte chez Montaigne, La Vie et l'œuvre de Raymond Poisson, comédien et poète*[1], *Temps et récit dans l'œuvre de Sébastien Brossard, Le Rythme et la mélodie de la phrase littéraire dans l'œuvre de Mgr Félix-Antoine Savard…*

Cet éditeur-là, comme tant d'autres, gigantesques ou minuscules, n'est plus à Saint-Germain-des-Prés, mais c'est lui qui détenait la vérité du quartier de l'édition, plus que Gallimard, Fayard ou Flammarion. Ou plutôt, c'est lui qui détenait la vérité de Gallimard, de Fayard ou de Flammarion. C'est lui qui exprimait le mieux cette activité d'artisan orpailleur qui est celle de l'éditeur et le peu de considération qu'elle doit attendre du monde. Ceux qui n'ont de

1. Au XVIIe siècle[2].
2. Après Jésus-Christ.

l'univers des livres que l'image des auteurs qui passent à la télévision ne peuvent pas comprendre ce qu'aura été Saint-Germain-des-Prés. Pas plus, moins encore peut-être, que ceux qui regardent sur leur petit écran les matches du Tournoi des Cinq Nations ou les corridas de la *temporada* ne peuvent saisir ce que représentent le rugby et l'*afición* dans les villages où ils se pratiquent comme une affaire de tous et de tous les jours et où la gloire commence quand on est connu dans la commune voisine.

De même que, en matière de presse, les quelques arbres que sont les quotidiens ou les hebdomadaires d'intérêt général cachent la forêt des prospères publications professionnelles ou spécialisées, de même en matière d'édition, les grands éditeurs de littérature générale masquent leurs confrères spécialisés dans l'une des cent six rubriques que recense le répertoire de l'édition et qui vont d'« Actualités » à « Zoologie » en passant par « Ésotérisme », « Régionalisme » ou « Spiritualité ». C'est de ceux-là que Saint-Germain-des-Prés a été le territoire.

« Quand j'ai été nommé dans le 6e, raconte un ancien commissaire de police, j'étais moyennement content. J'avais "fait"pas mal d'arrondissements de Paris, assez colorés. Pas forcément du point de vue de la délinquance, mais de la personnalité : le 18e, le 11e, le 16e, le 10e, le 20e, le 9e… Le 6e, je ne voyais pas très bien quelle tête il pouvait avoir, à part Lipp, Les Deux Magots, le Flore, le Drugstore et les tapins – qui d'ailleurs commençaient à se faire rares. Finalement, c'est l'arrondissement que j'ai eu le plus de regret à quitter. D'abord, j'ai été frappé par l'attitude accueillante des habitants et par leur conscience d'une identité. Ils tenaient, en vous admettant dans leur sein, à vous faire comprendre que eux étaient des germanopratins et qu'il existait les germanopratins et les autres. Attention, ce n'était pas arrogant ou méprisant. Ça traduisait leur sentiment d'avoir une chance que les autres n'avaient pas. Pas une richesse particulière ni une jouissance d'habiter un joli coin de Paris – après tout, il y en a de beaucoup plus beaux –, mais le plaisir de goûter un mode de vie spécial. Au fil des mois et des années, je me suis aperçu que c'était vrai et je l'ai ressenti à mon tour.

« Saint-Germain vivait à un autre rythme, à une autre vitesse. Peut-être parce que pas mal de gens y exerçaient des métiers qui n'étaient pas placés sous le signe de l'urgence. Dans l'édition, il y a des livres dont vous entendez parler pendant si longtemps que vous êtes tout étonné quand ils paraissent. Et puis il y avait un bon nombre d'artisans haut de gamme, encadreurs, relieurs, des gens qui entretiennent plus que des rapports de commerce avec leurs clients, qui sont valorisés par le travail qu'ils font.

« Au commissariat d'arrondissement arrivaient souvent des démarches collectives relatives à des problèmes de vie quotidienne, des histoires d'aménagement de stationnement, de modification d'un sens unique, ou des demandes de fermer une rue, un soir, pour pouvoir y faire une fête.

« Beaucoup de commerçants organisaient ensemble des journées de ceci ou de cela et ça avait le plus souvent un côté assez joyeux, assez enlevé. Je ne vous dis pas que ça n'était pas Clochemerle aussi. Mais je dirais un Clochemerle à l'italienne, où il y avait plus de mise en scène et de grandes déclarations que d'hostilité durable. Tenez, je vais vous donner une anecdote que je raconte toujours quand je parle du 6e. Dans tous les arrondissements où je suis passé, il y avait de nombreux problèmes de bruit. Quand quelqu'un pendait une crémaillère ou organisait une soirée, les autres occupants de l'immeuble commençaient à nous appeler dès vingt-deux heures. Tout le monde croit que c'est l'heure à partir de laquelle le tapage est hors la loi alors qu'en fait il l'est en permanence. Nous répondions gentiment que nous étions occupés à des choses plus graves – souvent, c'était vrai – et nous conseillions à nos interlocuteurs d'aller eux-mêmes réclamer leur tranquillité. Bien entendu, ils n'en faisaient rien et nous retéléphonaient une demi-heure plus tard en racontant que leur démarche n'avait pas abouti et en redemandant notre intervention, si bien que, de guerre lasse, on finissait par envoyer un car. Chaque fois, nous demandions aux perturbateurs que, lorsqu'ils organiseraient une autre sauterie, ils aient la courtoisie de prévenir leur immeuble. Dans le meilleur des cas, cela donnait un écriteau, placé dans le hall ou dans l'ascenseur… À Saint-Germain, j'ai été très vite frappé par le petit nombre d'appels motivés par des incidents de ce genre. J'ai mené mon enquête et je me suis aperçu que, quand les gens projetaient une fête, non seulement ils allaient en personne prévenir leurs voisins, mais, en plus, souvent, ils les invitaient… Et pas mal acceptaient l'invitation. Je ne dirais pas une majorité, mais pas mal… Hein ! À Paris !… Pour moi, c'était un quartier de gens civils et d'individualités décontractées, pas très soucieux de leur réputation, ni des conventions, ni de leur statut social… »

De ces « gens civils », un grand nombre sont allés voir ailleurs. Pour une raison simple : l'argent. Ici aussi – pourquoi en aurait-il été autrement ? – la spéculation immobilière des banques et des compagnies d'assurances a fait son œuvre avant de se retourner contre elles. Le quartier avait un fort pouvoir d'attraction. Dès les années soixante-dix, les cadres supérieurs du secteur des services ont voulu se donner un frottis culturel. L'édition et les métiers qui tournent autour sont sans doute de plaisantes professions, mais le niveau des salaires, même les plus élevés, ne résiste pas à la comparaison avec celui des activités de pointe du tertiaire. Le rapport est facilement de un à trois ou à quatre. La demande a été assez forte et assez argentée pour que les uns cèdent la place aux autres. La fièvre immobilière a métamorphosé ce ruisseau en torrent, puis en fleuve. Plus d'un éditeur s'y est d'ailleurs laissé prendre. Certains n'ont pas résisté au désir de faire de l'argent avec leurs immeubles ; d'autres ont dû les vendre pour amortir les pertes extravagantes causées par leurs investissements dans la télévision ; d'autres ont beaucoup grossi, absorbant des confrères qui avaient mal négocié les tournants du marché du livre. Une fois gros, ils ont mâchonné en permanence des expressions comme « logique de groupe », « synergie », « rationalisation ». Ils ont voulu avoir tout leur monde sous la main et ils ont déménagé dans le 13e, dans le 15e ou dans le 8e, comme si, ne faisant plus, sous le même nom d'édition, le même métier, il leur fallait matérialiser cette évolution en quittant le vieux quartier. Vieux, et donc ringard, sûrement…

Le reste a évolué comme sur la rive droite, dans le quartier de la place des Victoires ou dans celui du Marais. Simplement, le rythme a été plus lent. Après la crise de l'immobilier, beaucoup d'appartements sont restés vides, d'autres sont devenus résidences secondaires. Des écoles ont fermé, quelquefois après de longues escarmouches. La sacrée fripe a gagné du terrain, mangé des boutiques. Puis il y eut une série de coups de tonnerre : sans interruption, on annonça le remplacement du Drugstore et de son cinéma par un fripier italien, du disquaire de la place par un très grand bijoutier de la rue de la Paix, de la librairie à l'angle de la rue Bonaparte et de la rue de l'Abbaye par un autre fripier, français celui-là, et de la moitié d'une boutique de médailles, bijoux, coupes et trophées par un malletier de haut luxe jusque-là cantonné à l'avenue Montaigne et à l'avenue Marceau.

La quasi-simultanéité de ces métamorphoses créa un choc. On mesura qu'elles n'étaient pas le commencement mais l'aboutissement d'un processus, processus dont la première matérialisation avait été… le Drugstore, aujourd'hui pleuré alors qu'il constitua le premier véritable outrage à l'esprit des lieux, la première violence faite à ce quartier d'enfants frivoles et d'adultes mal grandis, l'arrivée de Picsou chez Peter Pan. Par une opportune ironie du sort, il se tint, au moment même où s'entrecroisaient ces déplorations, à la Bibliothèque historique de la ville de

Paris, une exposition retraçant la vie et la chaleureuse gloire des cabarets de la capitale. On se souvint que le dernier avait disparu de la rive gauche – de la rue de Seine – au milieu des années soixante-dix. On apprit que ces établissements de plaisir si prestigieux et si féconds en découvertes n'avaient pas mis la clef sous la porte faute de talents nouveaux, mais par les effets conjugués d'une persécution préfectorale systématique au nom des normes de sécurité et d'une exigence de plus en plus vorace des organismes d'assurance sociale. On réalisa que, depuis cette hémorragie, la vie nocturne de Saint-Germain-des-Prés était, lentement mais sûrement, devenue exsangue. On s'inquiéta, on s'agita, on créa pas moins de six associations de défense dont l'activité principale consista à se critiquer et à se débiner, tandis que chacune se gargarisait d'avoir recueilli des signatures plus illustres que celles rassemblées par la voisine. Cependant, quelquefois, on renauda à l'unisson. Il était bien tard…

Le premier signe patent que le quartier avait basculé datait déjà de plusieurs années. C'était le nouveau marché Saint-Germain, un marché couvert installé sur l'emplacement d'une foire créée par Louis XI et bâti au début du XIXe siècle dans un style plutôt gracieux. D'abord promis à la destruction, il fut sauvé par une coalition d'habitants qui obtinrent sa rénovation. Les travaux durèrent si longtemps que la plupart des sauveteurs avaient dû déménager lorsque le nouveau marché fut inauguré. Cela leur épargna l'amertume de voir ce qui avait exprimé le naturel et la vitalité de la ville devenu pétrifié et ridicule. Si ridicule qu'il devrait figurer, dans les guides de Paris et dans les manuels de sociologie et d'architecture, comme témoignage achevé de la vanité qui, à la fin du XXe siècle, ravagea le commerce dans la capitale… Sous le toit du nouveau marché, pas de magasins vulgaires. Quelques échoppes d'alimentation, mais sur le moins d'espace possible et aussi chic que faire se peut : caviste, traiteur et non pas boucher ou tripier…

Dans le gros des nouvelles « galeries », vingt et une boutiques : prêt-à-porter, lingerie, chaussures, accessoires, maroquinerie, bijouterie, cadeaux, parfums, coiffure, esthétique. Rien que du commerce propre et distingué. Rien que des magasins du paraître. Au sol, un carrelage de salle de bains. Des vitrines jusqu'au plafond, bien pareilles, bien à l'alignement et arrangées par des décorateurs professionnels avec des objets conçus par des designers. Des plafonds laqués avec éclairage halogène incorporé. Et de la musique diffusée dans tout le bâtiment par des haut-parleurs à peine visibles, de la musique d'aéroport, celle que les Américains appellent « *musak* » et qui, d'un bout à l'autre des grands lieux de transit de la planète, dégouline dans les oreilles des voyageurs… Même le fruitier-légumier est contaminé par cette surélévation du commerce au rang des professions à haute technologie. Ses fruits sont mieux alignés que les soldats de la Garde républicaine et mieux briqués que leurs chevaux… Quant aux légumes, tout est fait pour que l'on oublie qu'ils ont été extraits de la terre, pour ne pas dire de la fange, ou cueillis à des branches exposées à tous les vents : les aubergines paraissent lustrées à la peau de chamois, les tomates ont l'air vernies, les poireaux ont dû être frottés avec une brosse à dents et les pommes de terre sont en si grande tenue que, pour ne pas les salir, on les saisit avec des gants de chirurgien. Pas de bavardage et moins encore d'interpellation d'une boutique à l'autre, dans ce nouveau marché stérilisé : des chuchotements, des confidences, des murmures, des gazouillis, voilà le ramage qui convient à ce qui porte encore le nom vulgaire de marché mais dont on sent qu'il faudra bientôt le rebaptiser « espace d'échange marchand » et lui procurer le patronage de quelque illustre parrain, de préférence le plus éloigné possible des activités du commerce. Puisqu'il reste dans le quartier davantage de prétention à la culture que d'endroits où elle vit et se transmet, je proposerai volontiers « espace d'échange marchand Henri Michaux ». (Ou René Char.

Surtout, laisser échange marchand au singulier. Ça ennoblit, le singulier.)

Le 6e arrondissement peut d'ailleurs s'enorgueillir (ou s'envergogner) d'abriter, en matière de marché, les deux extrêmes de la modernité fin de siècle : le prétentieux funérarium décrit ci-dessus et le marché « bio » du boulevard Raspail, où les citadins viennent rendre en foule nombreuse et compacte un hommage hebdomadaire et onéreux à la nature. Le cidre s'y vend 3,2 fois plus cher que dans sa patrie d'origine ; le savon de Marseille s'y débite en copeaux parfumés au chèvrefeuille ou enrichi au germe de blé ; la choucroute piquante y est « à l'ancienne » et vendue par un moustachu dont les bacchantes ont prospéré grâce à quelque crottin de pigeon biologique ; le macaroni y est demi-complet et voisine avec la salade d'épeautre et de lentilles à l'huile de sésame, la sauce de soja, le gruau d'avoine et le haricot noir (tout riquiqui et l'air de ne pas devoir passer l'hiver). On y vend des pantoufles en mouton retourné et des gilets du même métal, du miel non profané, du lin doré, des bougies indiennes à s'introduire dans l'oreille, dont elles assurent, en brûlant, le nettoyage par le vide, du lait corporel amincissant, des bocaux de soupe moitié potimarron, moitié châtaigne, de l'eau de Cologne telle qu'on la fabriquait sur les rives du Rhin lorsque les Français prirent la ville en 1794, des pommes de terre et des carottes noires de terre comme s'il s'agissait de prouver leur appartenance à l'ordre de la nature, et même du poisson dont il faut supposer, vu sa présence en ce lieu sacré, qu'il n'a jamais croisé que dans des mers biologiques… On y trouve également des ouvrages de l'esprit, *L'Imagination cosmique*, *Trésor de courges*, *La Spasmophilie comprise et vaincue par l'étiokinésiologie*, *Écologie lunaire*, *Rythmes biologiques*, *Nature et Progrès*…

Si les commerçants soignent leur apparence « écolo », les très nombreux chalands se sont souvent composé une allure décontractée-bon genre : velours mille côtes, chaussures anglaises, chandail irlandais, blouson ou parka en toile ou en cuir, écharpe cachemire à carreaux, casquette ou chapeau *made in* Connemara. Garée sur le trottoir, attend une voiture monospace, une mini-jeep ou un gros jouet à moteur de couleur originale – quoique de série. Rien ne manque à la panoplie. On affiche « ludique et responsable »... À la population des « petits intellectuels » (comme on disait « petits paysans ») a succédé cette faune qui marche au signe extérieur comme on marchait au canon.

C'est cela que l'installation au cœur de Saint-Germain-des-Prés du grand bijoutier, des grands couturiers et du grand malletier vient sanctionner et révéler au grand jour : le quartier n'a plus à offrir qu'un signe, une apparence, un air de, un trompe-l'œil. Peu importe la minceur de ce signe puisqu'il est d'abord destiné à des oiseaux de passage qui n'iront pas – ne serait-ce que par manque de temps – gratter la surface des choses. « Ce qui donne de la valeur ajoutée à un lieu, aujourd'hui, c'est la culture », me disait le responsable de l'une de ces nouvelles vitrines de Saint-Germain, et il ajoutait : « C'est une vérité internationale. » Il aurait pu préciser « le fumet ou le souvenir de la culture ». Voué à devenir le faubourg Saint-Honoré de la rive gauche et appelé, comme lui, à se dépeupler et à s'uniformiser, le quartier Saint-Germain gardera sûrement quelques spécimens de ses anciennes activités et de son ancienne population, comme c'est le cas sur la rive droite, du côté de la place des Victoires, des Halles ou du Marais. Après tout, Paris ne se défait pas en un jour...

Au besoin, les nouveaux commerces « haut de gamme » trouveront un moyen de subventionner ou de soutenir quelques-uns de ceux qui conservent les apparences de l'ancienne vie du quartier. À moins qu'ils ne les rachètent : qu'est-ce que le chiffre d'affaires d'un éditeur, même important, au regard de celui d'une entreprise internationale de haute couture, de parfum ou de joaillerie ? Il faudra bien entretenir ce qui fait « la valeur ajoutée du lieu ». Le centre de Paris a à peine besoin d'habitants. Juste ce qu'il faut, et à fort pouvoir d'achat. La clientèle que vise le commerce du luxe ou simplement des « nouveautés », c'est une clientèle de passagers. Soixante millions de visiteurs sont passés l'an dernier en France. Quatorze millions ont traversé Paris. C'est en pensant à eux que Mercure, qui a toujours fait et défait les villes, modèle le centre de la capitale. C'est pour vendre à ses touristes un décor et à ce qui lui reste d'habitants une scène où parader que le cœur de Paris est vitrifié.

Paris hébété

Cernimus exemplis oppida posse mori.

Rutilius Numatianus, poète latin du Bas-Empire, *De Reditu sue.*

Qu'on ne m'appelle plus la reine des cités
La force me défaut et jusque dans mon cœur
Se glisse une funeste et mortelle langueur.

Anonyme, 1649.

Quand on ne veut être que tranquille, on fait fort bien de renoncer à ce grand tourbillon.

Voltaire, *Lettre à la marquise de Florian*, 1769.

Paris, allongé sur le flanc
Polyphème repu, dort d'un sommeil ronflant.

A.M. Barthélémy, *Nouvelle Nénémis*, 1845.

Marchez toujours, braves édiles
Et ne vous attendrissez pas
À ces larmes de crocodiles.
Sortez vos mètres et compas !

Raoul Ponchon, *Le Journal*, 22 mars 1897.

C'était fatal. C'est irréversible. Telles sont, lorsque l'on évoque devant eux la pétrification du cœur de Paris, les deux dominantes du discours des « décideurs » et des « concepteurs » de la politique de la ville. « La France, expliquent-ils, aura beau maîtriser les découvertes les plus nouvelles et leurs applications, elle n'en restera pas moins pour le reste du monde le pays du luxe, de la galanterie, de l'élégance, des fêtes et des arts, et Paris en est la vitrine. C'est vrai pour la majorité de ceux qui accèdent depuis quelques années aux loisirs du voyage ; c'est encore plus vrai lorsqu'ils nous voient de très loin et ne nous connaissent que comme nous les connaissons, c'est-à-dire à gros traits et à gros stéréotypes. C'est le cas des Orientaux, qui sont appelés à constituer une partie de plus en plus importante des contingents touristiques. Les gens cherchent une image. Il est idiot, inutile, voire dangereux d'essayer de leur en fourguer une autre. Paris est un produit simple. Vous seriez surpris de voir à quel point, sur les cinq continents, les études de marché prouvent qu'il est identifié de la même manière, presque avec les mêmes mots. C'est une force qu'il faut savoir exploiter.

« Quant à l'évolution de la composition socioprofessionnelle de la population parisienne, notamment au centre-ville, c'est un phénomène mondial. Les citadins jouissent d'un niveau de revenus plus élevé, mais leur mode de vie a changé dans le sens de davantage d'individualisme ; ils se montrent plus soucieux et plus exigeants quant au standing et à l'équipement de leur logement et ils s'y replient parce que "la crise" a détruit nombre des points de repère collectifs. Dans les valeurs urbaines, ils privilégient l'individualisme, qui est en outre dans le fonds du caractère français et surtout parisien. On pourrait dire que, dans l'animation de la ville, le tourisme prend la relève des habitants. »

Si j'avais dû vider une bouteille de vin chaque fois que j'ai entendu ces généralités sociologiques patelines, la science m'assiégerait pour que je lui laisse mon foie. Néanmoins, la répétition, même avec grande assurance, d'une sottise ou d'un mensonge n'en fait pas une vérité. Il est faux que les centres des grandes capitales évoluent comme celui de Paris : que l'on aille voir à Londres. Que l'on aille voir à New York. Que l'on nous cite une ville comparable à Paris et qui connaisse autant d'appartements inoccupés. Que l'on nous nomme une capitale dans laquelle l'autorité municipale est propriétaire d'un tel pourcentage du foncier, d'une telle proportion de logements. Que l'on nous indique une cité dans laquelle les administrations se sont portées acquéreuses d'autant de bâtiments…

Quant à la réputation du Paris de l'élégance, des plaisirs, des arts et de la vie nocturne, elle fait peut-être encore prime à Tokyo, à Séoul, à Pékin ou à Taipeh, mais ce pourrait bien ne plus être pour très longtemps, si l'on en juge par ce qu'il en reste dans les pays européens et en Amérique du Nord. Quels artistes nouveaux ont été découverts à Paris, qui n'est même plus une place forte du marché de l'art, toutes époques confondues ? Combien de grands couturiers récents apparus aux rives de la Seine si l'on compare avec Milan ou Londres ? Quelle figure fait la nuit parisienne à côté des nuits de la capitale britannique ? Même à Barcelone, on s'amuse davantage et de façons bien plus variées. C'est une des particularités de Paris que d'avoir réussi à expulser sa plèbe vers des banlieues de plus en plus lointaines et d'avoir découragé les grandes fortunes de s'y maintenir ou de s'y installer ! On n'y rencontre pas plus de bals populaires que de festivités réservées.

Il existe une poignée d'organisateurs de grandes fêtes. Certains sont installés dans la capitale depuis plusieurs décennies, et leur « analyse du marché » est la même : « Marie-Hélène de Rothschild, disparue en 1995, aura été la dernière Parisienne à maintenir vivante la tradition des fêtes que l'on donne pour le plaisir. Désormais on organise encore quelques grandes réceptions mondaines pour le mariage de la fille d'un financier ou les dix-huit ans de l'héritière d'un industriel, mais l'immense majorité des grands raouts à panache n'entrent que dans le cadre de la politique des RP [relations publiques] des sociétés importantes, qui paient les factures. On invite utile. On attend des "retombées". On coordonne avec la politique publicitaire. On veut une "cohérence d'image", on ne songe pas à s'amuser, moins encore à flamber : on communique. Et on s'y enquiquine. Il n'y a que le peuple et les aristos qui sachent claquer leur argent. Il n'y a que les Pierre Fresnay et les Jean Gabin de *La Grande Illusion* qui savent se sortir d'eux-mêmes. Le peuple est de l'autre côté du périphérique, les aristos et leur équivalent moderne se sont installés à Genève ou à Londres, ou Dieu sait où… Paris est La Mecque des moyens bourgeois. C'est une espèce qui compte et qui ne dépense que sur notes de frais…

« Dans ses Mémoires, Jean-Louis de Faucigny-Lucinge raconte qu'alors que sa mère s'apprêtait à donner un bal, son secrétaire lui soumit une liste d'invités parmi lesquels elle découvrit le nom d'un grand bijoutier de la place Vendôme. La princesse biffa le joaillier et dit à son secrétaire, pour qu'il retienne la leçon : "Jamais les fournisseurs ! " Aujourd'hui, c'est exactement le contraire : le Jockey-Club recherche les invitations des "fournisseurs" et accepte de gaieté de cœur d'aller faire de la figuration dans les opérations de RP. »

La clientèle des grands hôtels traduit la même évolution. C'est avec les pétro-émirs – et non avec des barons de Gondremarck de tous les pays du monde – qu'ils font l'important de son chiffre d'affaires. Or, la particularité de cette clientèle, c'est de vivre en circuit fermé. « Cette année, raconte le directeur d'un palace, nous avons eu pendant six semaines quatorze suites et soixante-trois chambres occupées par une princesse qatarie et sa suite. Huit jours avant son arrivée, dix camions ont débarqué vingt-deux tonnes de bagages. Pendant soixante-douze heures, nous avons déménagé des meubles, installé des portants et des commodes dans certaines chambres qui n'ont servi que de dressing. Un des salons a été mobilisé pour entreposer les malles, toutes en crocodile. La princesse est arrivée de nuit, voilée, avec son cortège de familiers et de domestiques. Je l'ai conduite à son étage et nous ne l'avons plus revue. Le personnel de l'hôtel remettait tout à l'un ou à l'autre des serviteurs et avait interdiction de pénétrer dans les chambres. En cuisine, il devait toujours y avoir un chef de partie de garde pour répondre, à toute heure, à n'importe quelle demande : un jus de pomme frais à cinq heures du matin, un sorbet à deux heures ou des œufs à la coque. La princesse n'est jamais sortie de ses appartements. Elle avait fait installer un somptueux équipement vidéo et avait apporté des centaines de cassettes. Son mari est venu passer une journée avec elle. Les suivantes et les suivants ne sortaient pas davantage. Quand la princesse voulait faire des achats, on convoquait le couturier ou le bijoutier qui traitait avec une sorte d'intendante plénipotentiaire également voilée. Tout le monde est reparti de nuit et les camions sont venus récupérer les tonnes de bagages qui avaient fait des petits. »

« Nous, dit un autre directeur d'un palace de même réputation, nous avons eu d'avril à octobre un étage réservé par une princesse saoudienne et quelques-uns de ses enfants. Leurs domestiques étaient à pied d'œuvre huit jours avant, avec des monceaux de valises. À elle seule, la princesse avait cent cinquante paires de chaussures. Enfin, plutôt trois cents car tout, absolument tout, figurait en double. Une moitié devait être installée dans les placards et l'autre demeurait dans les malles pour permettre un départ instantané. Les domestiques ont tout mis en place : quand la princesse et les enfants sont arrivés, les vêtements étaient dans les armoires et les commodes, les pyjamas et les chemises de nuit sur les lits, les jouets sur les rebords de baignoire. Un salon du rez-de-chaussée avait été réservé pour le stockage des achats effectués à Paris ; et il y en a eu !

« La princesse et les siens ont mené la même vie pendant six mois. Le soir, ils allaient dîner dans un restaurant libanais, assez tard. Avec les aînés des enfants et leurs nombreux gardes du corps, ils se rendaient ensuite dans telle ou telle boîte de nuit. Lorsqu'ils dansaient, les gardes du corps s'installaient autour d'eux sur la piste, mais de manière assez discrète pour que personne ne se sente gêné. Puis retour à l'hôtel. Plus d'une fois, un des accompagnateurs de la princesse nous a fait savoir qu'elle souhaitait effectuer quelques emplettes chez un joaillier ou un couturier malgré l'heure avancée de la nuit. Nous savions comment joindre le responsable du magasin et, à deux heures du matin, nous le prévenions qu'il lui fallait rappliquer et ouvrir sa boutique. Vu les factures qu'il nous envoyait ensuite pour que nous les transmettions, il s'exécutait sans difficulté. Je ne peux pas vous donner de détails mais seulement un ordre de grandeur : deux cent mille francs de note de restaurant pour une seule journée...

« Ils ne sont pratiquement pas sortis de ce circuit. La princesse se levait vers cinq heures de l'après-midi. Une fois, les enfants sont allés à Disneyland. Deux Rolls-Royce et deux Mercedes de gardes du corps. Ils avaient des précepteurs. Un de mes assistants a demandé à l'un d'eux s'il avait besoin de documentation sur les activités des salles de concert ou des musées, ou des cinémas. Le précepteur a gentiment décliné l'offre. Quand ils nous ont quittés, au début de l'automne, c'était pour aller dans un grand hôtel de la Côte d'Azur. »

Pas plus que la disparition des fêtes mondaines, la métamorphose de la clientèle des palaces ne constitue à proprement parler un drame social... Elle est simplement l'un des signes et l'un des facteurs de la banalisation et de la dévitalisation d'un Paris où l'on séjourne comme dans un village du Club Méditerranée. Contrairement aux millionnaires cosmopolites qui les précédèrent, les nouveaux habitués des grands hôtels n'ont aucun rapport avec Paris, sinon d'y engrosser le flot d'argent qui y circule. La ville ne leur apporte rien qu'un dépaysement et des occasions de dépenses. Elle n'a rien à attendre d'eux. Là aussi, Paris est réduit à une fonction de décor, de scène, de symbole.

Un symbole encore plus lointain et plus mince pour les onze millions de visiteurs d'EuroDisney rebaptisé Disneyland Paris. Bien que ses années de vaches maigres aient rendu la direction de ce parc de loisirs très avare de confidences, on sait qu'une majorité croissante de la clientèle de Mickey ne séjourne pas dans la capitale. Elle n'y transite pas davantage, puisqu'elle dispose d'une gare de TGV et de liaisons particulières avec les aéroports. D'ailleurs, les tour-opérateurs qui « vendent » Disneyland sont de moins en moins nombreux à proposer Paris. Ils préfèrent offrir soit d'autres villes européennes, soit d'autres destinations en France – viennent en tête les châteaux de la Loire – que l'on peut « faire » en une journée au départ d'un des hôtels du complexe Disney. La presse internationale ne leur donne pas tort. Paris y est qualifié de « musée de la vie urbaine d'autrefois » (*Newsweek*), de « ville à bout de souffle » (*Gazeta Wyborcza*), « où le néant règne dans les rues » (*Süddeutsche Zeitung*), « dont l'âme s'est évanouie » (*The Independent on Sunday*).

Cet affadissement de Paris n'est en rien l'effet d'une quelconque fatalité, mais bien plutôt le résultat d'une succession de décisions d'aménagement et de choix politiques. Aucune capitale de pays industriel n'a connu un développement, une évolution aussi tributaires des pouvoirs nationaux et municipaux et de leurs administrations que Paris. La transformation dont on peut aujourd'hui mesurer les effets a été amorcée par le schéma directeur décidé par l'État au milieu des années soixante et aggravé jusqu'au milieu de la décennie quatre-vingt-dix. Les décisions qui ont abouti au départ de l'essentiel du populo parisien ont été des décisions publiques. Quant à la spéculation insensée qui, à la fin des années quatre-vingt, a porté le dernier coup à la vitalité de Paris et d'abord à son peuplement, ce bal des voleurs et des nigauds a été mené par des banques et par des compagnies d'assurances dont la puissante majorité était contrôlée par l'État et bénie par le ministère des Finances. L'ensemble de la fiscalité de l'immobilier a contribué et contribue à faire passer un nombre toujours croissant d'immeubles et d'appartements des mains des particuliers à celles des « institutionnels ». Quand ce n'était pas dans celles de la Ville, qui détient aujourd'hui treize pour cent du parc immobilier, possède cinquante pour cent du sol et abrite une population de trois cent mille locataires, sans que rien de cette richesse municipale ait profité aux Parisiens les moins fortunés qui, au contraire, ont été priés de céder la place aux moyens bourgeois issus des Trente Glorieuses. Elle donne en gérance trois mille six cents boutiques et à bail quatorze mille deux cents locaux d'activités. Au passage, l'État aura pris sa dîme : il possède plus de deux mille huit cents immeubles sur les cinquante-cinq mille « en toute propriété » que compte la capitale. Il n'était propriétaire que de trois cent soixante-deux bâtiments en 1935. En achetant à tour de bras dans le centre historique pour y loger de mieux en mieux ses administrations, il a puissamment contribué à sa pétrification. Même les transactions privées n'échappent pas à l'influence de la politique. « En 1996, raconte un agent immobilier, j'avais une affaire rare : un hôtel particulier avec jardin situé en plein centre. Cela doit arriver une fois dans une vie professionnelle chanceuse. Très vite, j'ai eu des offres dont deux, pressantes, émanant d'un financier italien et d'un industriel anglais. Le temps que je les mette en concurrence, j'ai reçu une visite d'un monsieur du Quai d'Orsay qui m'a dit qu'un prince royal du Moyen-Orient désirait acquérir "mon" hôtel et que j'étais fermement prié de le lui vendre. Je me suis exécuté, d'ailleurs sans perdre d'argent. J'avais compris que si je ne voulais pas avoir les polyvalents à demeure… »

Depuis 1977 et la réforme du statut de la ville la dotant d'un maire élu, la gestion de Paris a été constamment obérée par l'ambition politique nationale de ce maire. La capitale a été réduite à servir de tremplin et de vache à lait. Les « affaires » écloses dans les années quatre-vingt-dix, et dont sans doute un bon nombre sont encore inconnues, ont montré comment la « rénovation » des différents arrondissements constituait une prodigieuse pompe à phynances. On a moins examiné (mis en examen ?) comment la subordination de Paris à une faction politique a pu influer sur son peuplement. Et pourtant...

Pourtant, plus de quatre-vingts pour cent des immeubles, neufs ou anciens, qui sont dans le « portefeuille » de la ville, sont situés dans les anciens arrondissements populaires. La construction aussi bien que la rénovation ont contribué au financement du RPR. L'attribution des logements, elle, a obéi à deux principes : celui du clientélisme et celui de la constitution de Paris en cité de la « bourgeoisie d'encadrement », analysée par les politologues – à qui elle a donné raison pendant vingt ans – comme un vivier d'électeurs de la droite, principalement de la droite gaulliste. Paris n'a pas seulement été « nettoyé » de sa plèbe. Il a été l'objet d'un véritable repeuplement, conduit par Jacques Chirac et les siens comme par un jardinier ou un forestier qui déciderait d'élaguer ici, de densifier là et d'implanter partout où c'est possible des plantes et des essences nouvelles. C'est ainsi qu'est apparu et qu'a prospéré une espèce jusque-là noyée parmi les autres, le néo-Parisien. La sociologie scientifique de cette espèce est encore à faire. Son ethnologie rudimentaire peut en indiquer les pistes. Elle permet, en tout cas, de risquer un portrait de cet *homo neo-parisiensis.*

Où qu'on l'observe, qu'on le rencontre, qu'on l'écoute, de même que la huppe pupule, que le chameau blatère, que le daim brame et que le geai frigulote, de même le néo-Parisien geint. Son discours n'est que l'articulation d'une longue plainte à tiroirs et à double fond. Il déplore, au premier chef, la disparition… du Parisien. Plus précisément, du Parigot. Il s'offusque, s'attriste et quelquefois s'indigne que l'on ne rencontre plus dans les rues ni dans les squares de ces prolétaires pas toujours bien en règle et qui s'exprimaient avec l'accent grasseyant, traînant et moqueur qu'illustrent si souvent dans les films en noir et blanc des comédiens comme Raymond Bussière, ou Julien Carette. Voilà qu'au moment où il accède à la capitale, le néo-Parisien cherche en vain ces silhouettes à casquette sur l'oreille, mégot au coin des lèvres, sauciflard et kil de rouge dans la musette. Et il n'aperçoit pas davantage ces madame Sans-Gêne, ces Arletty ou ces Suzy Delair, promptes à la réplique, pas avares de leurs sentiments, pas honteuses d'être coquettes, pas dupes de leurs hommes ni de l'humanité, dont il s'attendait à entendre fuser les bons mots depuis le pas de leurs portes ou chez les commerçants du quartier. Il soupire après ces goualeuses, ces Piaf, ces Fréhel, ces Catherine Sauvage, qui chantaient la splendeur et la vacherie de Pantruche, soutenues par un accordéoniste qui marchait au « ballon de côtes ». « Il n'y a plus de Parisiens, c'est incroyable ! » ai-je entendu cent fois pour une. Et c'est en vain que j'ai tenté de faire observer à mes interlocuteurs que l'explication de cette absence résidait… dans leur présence. Que là où ils n'habitent pas dans un immeuble construit à la place des bâtisses que se partageaient ces Parigots dont ils cherchent sans succès la trace, ils vivent dans un appartement « rénové » ou « réhabilité », fabriqué avec deux, voire trois logements, chacun, naguère, occupé par une famille partie désormais en banlieue. Aucune explication rationnelle ne saurait atténuer le regret du néo-Parisien (et celle-là, sans doute, moins que toute autre).

Dans le peloton de tête de ses déconvenues figure également la raréfaction des bistrots. « C'est incroyable, il n'y a plus de bistrots ! » Il y en a, en effet, de moins en moins, en dehors des grands lieux de passage ou des zones d'implantation des bureaux. Quand le néo-Parisien aborde ce chapitre, il ouvre grand les vannes de l'éloquence. Il vous expliquera que le troquet, c'est l'âme de Paris. Qu'aucune ville au monde n'a engendré une aussi géniale invention. Que c'est l'endroit où tout le monde sont égaux et où l'on peut rencontrer tous ceux qui font la vie de la cité. Que les étrangers nous l'envient. Que quelques-uns ont essayé de nous copier mais que la copie ne vaut jamais le modèle, qu'il y manque l'âme. Que beaucoup viennent à Paris à cause de ses bistrots. Que le bruit de l'œuf dur que l'on casse sur le zinc... que le café-crème... que la corbeille de croissants... que la tartine beurrée... que rien ne peut remplacer le goût que le comptoir donne aux choses qu'on y sert. Sans compter que la terrasse, les moments qu'on y vole au patron, les filles qu'on y regarde passer, les rendez-vous d'amoureux qu'on s'y donne...

Sur le bistrot en voie de disparition, le néo-Parisien est l'égal de Démosthène. Brigitte Bardot ne parle pas mieux des bébés phoques. Un agent du ministère de la Culture ne vante pas avec plus d'arguments la grandeur du patrimoine de proximité devant une commission départementale. Laissez-le aller. Quand il a terminé – car même les meilleures périodes oratoires doivent trouver une conclusion qui, généralement, sera : « C'est incroyable ! » –, incitez-le à changer de sujet, puis, lorsqu'il s'est bien installé dans l'évocation d'un autre thème, ramenez-le sans crier gare au bistrot. « Vous y allez souvent, dans votre quartier ? — Moi, vous répondra-t-il, jamais. J'ai un troquet près du bureau où on va prendre le café avec des collègues, mais ici, non, j'y vais jamais. » Suggérer qu'il y a un éventuel rapport entre l'absence de clientèle et la disparition des commerces serait inutile et même d'un goût déplorable. Vous auriez plus de succès en imaginant devant votre interlocuteur que son quartier soit doté de bistrots subventionnés peuplés de Parigots salariés comme figurants, quitte à ce qu'ils rentrent le soir coucher dans leur terminus de RER.

Le néo-Parisien ne va pas au bistrot parce qu'il reste chez lui. Dans les arrondissements passés sous les fourches du réaménagement municipal, les directeurs d'agence bancaire – quelle que soit la banque – donnent les mêmes indications. Quand il en a la possibilité – et, la plupart du temps, cette bourgeoisie d'encadrement encore jeune ne manque pas de moyens, surtout lorsqu'elle profite de certains loyers accordés par la ville, propriétaire directe ou indirecte –, le néo-Parisien investit son épargne dans trois directions : l'aménagement et l'équipement de son logement, l'acquisition ou l'embellissement d'une résidence secondaire, et la préparation de sa retraite. Pour atteindre ces trois objectifs, auxquels il faut ajouter, jusqu'à leur adolescence, les activités extrascolaires des enfants, il restreint son budget restaurant, music-hall, cinéma, théâtre, sorties en tout genre. Installé dans son appartement qui n'a jamais autant illustré son étymologie (*à part*), le ménage néo-parisien accepte de s'endetter pour améliorer sa salle de bains – en tête, viennent les baignoires à remous – et pour enrichir son équipement vidéo. Le *home theater* est en plein boum chez cette population : entendez l'acquisition d'un téléviseur à écran géant et image « comme au cinéma », flanqué de baffles permettant des effets sonores plus décoiffants les uns que les autres. (Inutile de préciser que le néo-Parisien est en tête des souscripteurs du câble, des abonnés de Canal + et des consommateurs de bouquets satellite…) À ce point de connaissance de ce Parisien nouveau, on peut sans trop de risque hasarder qu'entre son confinement volontaire chez lui et son goût pour les week-ends à la campagne, il prive la plupart du temps Paris de sa présence réelle…

Cependant, il lui arrive de sortir. C'est pour poursuivre sa quête et son rêve, la quête et le rêve de Paname. Mais comme Paname n'est plus dans Paname, ni ailleurs, il hante ses vestiges. Le rétro fait prime. La municipalité impose aux promoteurs-rénovateurs-réhabiliteurs de sauver les apparences, c'est-à-dire de conserver les façades anciennes, quitte à se livrer, à leur abri, aux déprédations les plus dévergondées ou aux aberrations architecturales les plus criantes. L'âme est perdue, sauvons la face. N'avouons pour rien au monde qu'après avoir été incapables de respecter Paris et la diversité de sa population, nous sommes impuissants à prendre notre tour dans la lignée de ceux qui ont bâti cette ville, d'exprimer une époque, la nôtre, dans une architecture. À moins que nous n'ayons rien à dire.

Cet urbanisme de vitrine, cette potemkinisation de Paris, trouve sa traduction et son écho chez le néo-Parisien, qui se presse en masse dans les lieux publics qui ont échappé à la remise à neuf. Il existe, non loin de la sinistre place de la République, un restaurant, toujours très cher et longtemps fameux, dont les murs n'ont pas été repeints depuis l'avant-guerre, où les fumées et les fumets ont déposé leurs couches successives, où trône encore un poêle Godin en fonte bistre (je ne jurerai pas que ce soit sa teinte d'origine), où les miroirs sont atteints d'une sorte d'impétigo du tain qui laisse apparaître des myriades de scrofules noirâtres, où la moleskine des banquettes est à bout de souffle, où les lampes donnent, comme malgré elles, un éclairage confidentiel. Cet établissement a longtemps été et, malgré la mort de son légendaire propriétaire, il est encore dans une large mesure, le restaurant dont les Américains de la côte est se murmuraient l'adresse comme une précieuse confidence, une clef pour pénétrer dans l'enclos des *happy few.* Telle était leur image du « Paris profond » : crasseux, inconfortable, gastronomique et si pittoresque… Telle est aujourd'hui, à peu de nuances près, l'image de sa ville que chérit le néo-Parisien…

Du côté de la Bastille ou vers la Butte-aux-Cailles, à la Folie-Méricourt, aux Quinze-Vingts, aux Épinettes, à Ménilmontant, à Belleville – pour ne pas être en reste de rétro, exhumons les vieux noms de Paris –, rien de mieux achalandé qu'un ancien bougnat enrichi dont subsistent intacts la façade gravée, les grosses tables de bois, les tabourets de la même farine et le carrelage jadis recouvert de sciure « pour que les cracheurs crachassent comme il se doit ». Surtout, ne pas oublier les rideaux et les nappes à carreaux vichy, touche ultime d'authenticité parigote. Dans le territoire nocturne à la mode, celui qui a succédé aux Halles et qui va de la Bastille à Saint-Germain de Charonne, en passant par les rues Oberkampf et de Ménilmontant, c'est dans ces vestiges du passé qu'il est le plus difficile de trouver une table, les soirs de fin de semaine. Le néo-Parisien y attend les fantômes qui devraient redonner vie à sa ville. Quelquefois, il va les chercher dans les anciens bals de la Bastoche, où il ne rencontre plus guère que son double qui a provisoirement délaissé le fil-à-fil pour le blue-jean.

Faute de pouvoir mettre la main sur un cadre aussi miraculeusement préservé, c'est vers celui d'un café-restaurant années cinquante (soixante à la rigueur) que devra se tourner le tenancier avisé. À lui de compléter le décor et de parfaire l'ambiance en écumant au marché aux puces ou chez les antiquaires les juke-box pansus, les Baby-foot à poignées de bois et les abat-jour en plastique moulé… L'essentiel, c'est d'installer du neuf dans du vieux. Un magasin de vidéo dans une ancienne boucherie dont on a tout conservé : la grille, la caisse derrière laquelle officiait la bouchère, les carreaux aux murs et, bien sûr, la façade adornée de plaques de marbre proclamant l'excellence de la viande jadis débitée ici : c'est le top. À la dimension passéiste, une telle combinaison ajoute cette petite touche de dérision que le néo-Parisien confond avec l'humour et dont il n'imagine pas qu'elle est un aveu d'impuissance, quelque chose d'aussi grotesque que les nains de jardin à la campagne…

Mais la nostalgie est une bête insatiable et le néo-Parisien veut du « Vieux Paris » à domicile. Il fait un triomphe à des photographies en noir et blanc, d'ailleurs enchanteresses, de Robert Doisneau ou de Willy Ronis, de Brassaï ou de Henri Cartier-Bresson. Il les achète en cartes postales, en affiches, en posters, en recueils. Il n'a jamais assez de témoignages de la vie de sa ville, mais il ne lui viendrait pas à l'idée de dépenser deux thunes pour une image capturée après 1965 et en couleurs. On peut lui vendre le carreau des Halles (disparues), les abattoirs (détruits) de Vaugirard, le palais Rose (rasé) de l'avenue Foch, la gare Montparnasse (envolée), le jour où une locomotive à vapeur se retrouva sur le trottoir, ou le palais du Bardo (évanoui), mais pas question de lui proposer Beaubourg, ni l'Institut du monde arabe. Pas même la pyramide du Louvre. Et surtout pas la ci-devant Très Grande Bibliothèque ou l'Opéra-Bastille.

Alors naît une industrie du souvenir, une fabrique de fausse mémoire. Après les cartes postales et les posters viennent, en masse, les livres de la nostalgie. L'article est si demandé qu'il se crée une maison d'édition spécialisée non pas dans le « Vieux Paris », mais dans le créneau beaucoup plus étroit du Paris des années trente et de l'après-guerre. Avec astuce, obstination et talent, des auteurs se spécialisent dans l'entretien avec les survivants et l'orpaillage de photographies. Cela aboutit à une collection intitulée « Je me souviens… » et qui s'efforce de rebrancher Paris sur son passé immédiat, arrondissement par arrondissement. « Je me souviens du 14e arrondissement… », quand on l'appelait « la petite Bretagne » et qu'on y organisait des « festnoz », quand il y avait des masures avec leur basse-cour, quand on voyait des écrivains à la terrasse du Dôme, des peintres à la Coupole, des cinéastes au Sélect, des parties de belote dans les cours d'immeuble et une fanfare à la mairie d'arrondissement. « Je me souviens du 15e » quand il abritait le marché aux chevaux de la rue Brancion, le Vél' d'hiv' et le populo des Six-Jours, ses arcades du métro aérien, quand toutes sortes de forains y vendaient des parts de paradis, ses marchandes des quatre-saisons dans la rue du

Commerce et du bal Nègre, rue Blomet... ; de Javel, du temps où André Citroën y disait la grand-messe du progrès dans sa « cathédrale industrielle »... « Je me souviens du 12e », quand il avait une gare place de la Bastille, des marchands de vin à Bercy, des baigneurs dans la Seine, des rémouleurs et des porteuses de pain dans le faubourg, des cigarières dans la rue de Charenton... « Je me souviens du 10e », quand le canal était couvert de péniches et que les faubourgs s'endimanchaient pour l'Alhambra. « Je me souviens du Marais », quand le hammam de la rue des Rosiers, quand le marché des Enfants-Rouges, quand le concert Pacra, quand la chaisière de la place des Vosges... Est-ce qu'on n'attrape pas des indigestions de souvenirs, surtout quand ce sont ceux des autres qu'il faut s'efforcer de faire siens ? Est-ce qu'il n'est pas toxique de décongeler de la mémoire importée, enjolivée, maquillée... Le Paris d'après-guerre sans la tuberculose, sans les taudis, sans la puanteur de certains quartiers industriels ?...

Apparemment, le néo-Parisien fait fi de ces périls et surmonte sans y penser ces objections. À peine a-t-il fini sa ration de passé d'arrondissement qu'il réclame du passé municipal, du passé thématique, du passé encore plus passé, même. On lui en sert et à la louche. *Chroniques de la rue parisienne* lui donne à voir de poétiques clochards bien plus parisiens que le SDF ou l'« exclu » d'aujourd'hui, des agents en pèlerine bien plus accommodants que les flics d'aujourd'hui, des pêcheurs à la ligne bien plus bénis des dieux que ceux d'aujourd'hui, des camelots de trottoir bien meilleurs orateurs que ceux d'aujourd'hui, des peintres de la Butte bien plus doués que ceux d'aujourd'hui, et même des catherinettes bien plus pucelles que celles d'aujourd'hui. Et si cela ne suffit pas, voici *Les Métiers oubliés de Paris* : le décrotteur, la marchande de beignets, le porteur de bains, la revendeuse à la toilette, l'allumeur de réverbères, le vinaigrier... Voilà *Les Magiciens des boulevards*, montreurs d'automates, diseuses de bonne aventure, dresseurs d'animaux, bonimenteurs, photographes ambulants. Et même, à ce néo-Parisien qui ne prise rien tant que la sécurité, on lui vend du frisson rétrospectif avec *Apaches, voyous et gonzes poilus*, un flash-back en noir et blanc du « milieu » parisien du début du siècle aux années soixante avec, par ordre d'entrée en scène, Riton le Tatoué, Pierrot le Fou, Tronche de Gail, Nonœil, René la Canne, Jo Attia, Jacques Mesrine et le regretté Antoine Mondoloni (1931-1969), le seul tueur professionnel à n'avoir jamais refusé un contrat... On n'allait pas laisser tomber dans l'oubli un homme doté d'une éthique aussi moderne, une éthique de pro-fes-sionnel... Décidément, « Avancez en arrière » pourrait remplacer, sur le blason de Paris, le *Fluctuat nec mergitur*...

Car non content de chérir un ectoplasme idéalisé, le néo-Parisien nourrit contre la ville d'aujourd'hui des rancœurs et des griefs constants, dont il n'aperçoit guère les contradictions internes. Ainsi se plaint-il tout à la fois du manque d'animation et du bruit. Si c'est du bruit des klaxons de voiture dont la loi interdit un usage que la préfecture de police a décidé d'autoriser de fait ou du bruit des alarmes de magasin que suffisent à déclencher le passage d'un autobus, le grondement de l'orage ou même des causes aussi mystérieuses que sans rapport avec une tentative d'effraction, la plainte est plus que légitime. Mais le néo-Parisien se fâche pour des « pollutions sonores » bien moins violentes et bien plus humaines. Il téléphone au commissariat parce que la clientèle du restaurant voisin crée, par ses va-et-vient, un tohu-bohu qui l'indispose ; parce qu'un café ferme trop tard ou que, le printemps venu, sa terrasse chahute et parle trop fort ; parce que les jeunes (dans les quartiers où il en reste) se réunissent en bandes dont le potin éclate quelquefois en tumulte, en cris, en disputes ; parce que les gamins jouent au ballon dans la cour ou sur le trottoir et perturbent une écoute paisible de la télévision ; parce qu'ils font des tours en vélomoteur, ou pire, en moto ; parce que des Arabes – « Je ne suis pas raciste, mais... » – tiennent sur le bitume des palabres bruyantes auxquels il ne comprend goutte... Si l'on sonorisait les images du Paris en noir et blanc qu'il affectionne, le néo-Parisien serait stupéfait et sans doute incrédule en constatant le raffut des rues de la capitale, en ce temps-là, ou le ramdam, les vociférations et le bastringue dont étaient capables les poulbots et les gavroches dont la photographie l'émeut tant. De même que le campagnard veut le TGV à sa porte à condition qu'il passe loin de chez lui, de même le néo-Parisien veut de l'animation, de la convivialité et des lieux de rassemblement dans Paris, mais uniquement s'ils ne se trouvent pas là où il demeure... Sinon, il appelle le commissariat. Anonymement, neuf fois sur dix. Quelquefois en se faisant passer pour l'un de ses voisins.

Le captain Cap d'Alphonse Allais proposait qu'on mît les villes à la campagne. Le néo-Parisien voudrait qu'on installe la province à la capitale. Dans les départements, les municipalités s'étendent et s'enflent et se travaillent pour égaler Paris en grandeur symbolique. Dans le cœur de chaque maire de cité moyenne gît le rêve de posséder un grand théâtre, un musée d'art contemporain, une mégamédiathèque, un opéra peut-être... Dans l'esprit du néo-Parisien dort d'un seul œil le fantasme d'une capitale truffée de petits jardins publics où aller faire pisser son chien, de microéquipements sportifs où aller cultiver sa forme, de zones résidentielles où l'on serait bien entre soi avec un règlement draconien quant au silence, quant à la propreté, quant aux jeux des enfants, le tout inséré dans une ville dont le niveau de pollution de l'air ne serait pas supérieur à celui des forêts vosgiennes, des collines de l'Aubrac ou des plaines du Berry. N'en doutez pas, c'est ce néo-Parisien-là qui, lorsqu'il possède une maison de campagne, actionne la municipalité locale parce que les cloches de l'église sonnent l'angélus trop tôt ou traîne son voisin devant les tribunaux parce que son coq et ses poules mènent un tel tapage qu'ils nuisent à sa grasse matinée. C'est lui qui part en charter visiter New York, dont il revient ébloui par tant de vitalité, ou les grandes capitales du tiers-monde, dont il raconte, au retour, qu'elles offrent un spectacle fabuleux d'animation. Un mot caractérisait Paris et sa population, particulièrement depuis l'avènement de l'ère industrielle, un mot que célèbre toute l'œuvre de Balzac mais aussi bien celle d'Aragon : énergie. Pour caractériser l'idéal urbain du néo-Parisien, on hésite entre deux adjectifs : inerte ou languide.

Un peu après l'apparition de cette population de synthèse, fruit de la génétique électorale chiraquienne et de l'apothéose des classes moyennes, Paris vit s'installer dans son enceinte une nouvelle catégorie socioprofessionnelle que la langue administrative a baptisée « tertiaire culturel ». Cette expression couvre d'un manteau extensible les professions artistiques classiques (théâtre, cabaret, revues, musique, cinéma, arts plastiques, photographie, littérature), les métiers adjacents (ensemblier, costumier, décorateur, éclairagiste, ingénieur et technicien du son), l'audiovisuel et les activités en plein développement comme le design, la mode, la publicité, le journalisme, les relations publiques, la communication, le conseil, les « agences d'événements », etc. Les effectifs de ces corps de métier ont augmenté de façon exponentielle dans le dernier quart du siècle (on les évalue à trois ou quatre cent mille personnes pour la France), et une partie notable d'entre eux s'est fixée dans la capitale.

Le haut du panier de ces professions – ceux qui travaillent régulièrement et perçoivent des rémunérations substantielles – n'a pas, comme à Hollywood, installé ses pénates dans un quartier de prédilection. Tout au plus a-t-il ses restaurants, ses boîtes et ses bars favoris : tel bar d'hôtel de l'avenue George-V, tel restaurant chinois ou italien du 8e arrondissement… Les plus exhibitionnistes et ceux qui désirent papillonner dans leurs parages ont leurs lieux de rassemblement – rue Boissy-d'Anglas, rue Saint-Honoré (pour encore quelques mois), aux Halles (il y a quelque temps) –, des lieux dont l'ambiance rappelle celle des plages « à la mode » de Saint-Tropez : les indigènes disent joliment qu'elles sont le « rendez-vous des roule-couilles ». Mais l'immense majorité du « tertiaire culturel » est composée, comme autrefois dans l'agriculture, de travailleurs saisonniers, d'intermittents de toute nature et de « contrats à durée déterminée » de tout poil qui vivent de l'addition de diverses rémunérations et des indemnités de chômage. C'est le prolétariat de la culture, étant entendu que le mot « culture » désigne désormais une gamme très vaste d'activités et que ce prolétariat ne vit pas dans la misère… S'ajoute à cette population de journaliers un ensemble protéiforme de gens qui ne sont pas encore vraiment entrés dans les files actives de ces métiers et qui, en attendant et en espérant que leur tour vienne, font du « tertiaire culturel » à leur compte, en *free lance.* C'est le sous-prolétariat de la culture, qui vit du revenu minimum d'insertion et des diverses allocations qu'il peut glaner, complétés par le produit de « petits boulots » le plus souvent exercés au noir.

A priori, les effectifs parisiens du « tertiaire culturel » devraient faire de la capitale un foyer de création reconnu et recherché partout dans le monde, et d'abord à Paris. Pourtant, la réalité artistique de la capitale donne un sentiment d'abondance plus que de dynamisme, de suivisme plutôt que d'invention, de cartilagineux plutôt que de vertébré.

Au cours d'une semaine moyenne, et en restant *intra muros,* et donc à portée des transports en commun, on peut assister – à condition de jouir du don d'ubiquité – à près de deux cents concerts de toutes les musiques, à une centaine de pièces de théâtre, à soixante-quinze spectacles de variétés ou de café-théâtre, à trente-cinq spectacles de cabaret et à plus de cent expositions, dont un cinquième consacré à la photographie. Les productions de ces différents « lieux de culture » se juxtaposent plus qu'elles ne s'additionnent, ne se complètent, ne se défient ou ne se répondent. Selon le mot d'un metteur en scène qui a quelquefois secoué la capitale et enflammé la cité des papes, « Paris s'est avignonnisé ». La prolifération des spectacles s'est faite au détriment de l'affirmation de quelques identités fortes – et le plus souvent opposées – dont les réalisations, les confrontations et les disputes rythmaient la vie artistique de la capitale. Le discours dominant du « tout culturel » a créé une égalité idéologique artificielle entre les différentes productions, que l'on se croirait déshonoré de hiérarchiser.

Il n'y a pas – il n'y a plus – de grand débat dans le Paris des arts. Il est remplacé par une discussion sur le bien- ou le mal-fondé d'une politique culturelle d'État : on ne dispute pas des courants, des tendances, des écoles, des avant-gardes et de ce qu'ils proposent, car il n'y a pas de courants, de tendances, d'écoles ou d'avant-gardes. On réchauffe à grand-peine une querelle fade entre le public et le privé, on parle subventions, pourcentage du budget, distribution des subsides. On débat d'autant moins que si une voix s'élève pour poser cette question digne du conte d'Andersen : « Le public, dont c'est l'argent qu'on dépense, est-il venu ? A-t-il été content ? », les défenseurs de l'art officiel crient aussitôt au fascisme ou au « révisionnisme ». Il s'est développé dans le Paris de la fin du siècle une mentalité de pion qui a tourné au maccarthysme. Quiconque s'étonne qu'il puisse exister une avant-garde d'État est dénoncé comme un zélateur du passé, donc un ennemi de la culture, donc un « complice objectif » et rétrospectif des nazis. Tout cela se passe dans une ville qui a longtemps passé pour spirituelle, légère, ouverte d'esprit et curieuse avant toute chose. Là aussi, là encore, la politique a plombé la vie. Plus question de découverte, de tradition, d'invention, de répertoire ; un seul sujet de préoccupation : le pouvoir. En avoir. S'en approcher. Être dans son sillage. En recevoir un peu de manne. Il existe aujourd'hui à Paris bien plus de prébendiers et de courtisans que dans le Versailles de Louis XIV. (Et combien de

Molière, de Racine, de La Fontaine, de Mansart, de Le Nain, de Mignard, de Le Brun, de Lully, de Charpentier, de Campra ?) Le monde artistique parisien dégage une odeur rance de pensionnat.

Dans cet affaissement du débat culturel, dans cette atomisation d'une production où tous les spectacles sont réputés naître libres et égaux en droit au succès (égalité dont il semble difficile de convaincre les spectateurs), chaque artiste ou aspirant-artiste doit avancer à l'aveuglette. L'« avignonnisation » de la scène parisienne jette sur le pavé quantité d'orphelins qui naviguent à l'estime, cherchant sans succès des repères avec ou contre lesquels s'orienter. Le reste, le gros de la troupe, ceux qui voient surtout dans la culture un eldorado à la mode, s'organise en clientèle, suit le chef de sa *gens* et montre les crocs à qui menace son fromage. La télévision, enfin, a achevé de ravager le paysage et d'abîmer les mentalités, renonçant à apporter sur le terrain des arts autre chose que la démagogie de l'émotion, la servilité des zélotes ou la perversité des copinages idéologiques (et cependant juteux). Dans les couches les moins fortunées du prolétariat culturel, comme ce que montre le petit écran est réputé transformable en or, on voit des dizaines de débutants s'appliquer à jouer les clones de personnages « vus à la télé », s'agiter sur toutes les scènes où ils espèrent être remarqués par quelque contremaître de l'audiovisuel. J'ai même assisté, dans une salle du 11e arrondissement, à un numéro d'imitation… d'un imitateur, vedette de la télévision.

Le Paris des arts et des plaisirs, si l'on veut bien me pardonner de rapprocher ces deux mots, est en deçà du morne. N'évoquons pas les frous-frous de ses grandes revues où l'on ne se rend plus qu'en collectivité, pour fêter la sortie du millionième ratatine-ordures fabriqué par l'entreprise ou parce que c'était compris dans le forfait proposé par le club social de l'âge d'or. Passons Pigalle sous silence : il y aura bientôt plus d'humanité, de spontanéité et de fantaisie à Disneyland. Et pas davantage de cars d'Allemands qui semblent caricaturer Francis Blanche dans un rôle d'Allemand de caricature, ou de cars de Japonais qui ont l'air de jouer *Les Japonais à Pigalle* pour un film à sketches comme on aimait en tourner dans les années soixante… Promenons-nous plutôt de salle de spectacle en salle de concerts, les petites, celles où sont censées s'ébrouer les chrysalides dont, demain, nous admirerons les ailes…

On ne peut pas dire que ces salles sont pleines, ni même qu'elles sont bien remplies. Je n'ignore pas que toute comparaison, en ce qu'elle sous-entend un possible jugement de valeur, est une atteinte aux droits de l'artiste (et même, sans doute, un premier pas vers le retour du fascisme), mais la consultation des témoins directs du succès des cabarets dans les trente années qui ont suivi la Libération conduit à se demander pourquoi, dans une société plus populeuse, plus riche et plus éduquée – et infiniment plus soucieuse de mettre en avant sa culture –, il se trouve si peu de public, à Paris, pour sortir le soir. Pourquoi, même, autant vendre la mèche, il arrive si souvent que la plupart des spectateurs d'un spectacle n'aient pas payé leur place et soient là sur invitation ? Pourquoi tant d'inceste ?… Ah, cet établissement du 4e arrondissement où deux chanteurs déguisés en Pierrot et accompagnés par un accordéoniste en salopette essayaient de mettre de l'esprit rock dans le répertoire de Bourvil ! Nous étions au moins douze dans la salle et je crois que la créature bien en chair qui applaudissait avec tant de vigueur n'était pas une étrangère pour l'accordéoniste, ni le groupe de cinq copains avec qui elle se trouvait pour les deux faux Pierrot.

Ah ! le spectacle Piaf, au fin fond du 9e arrondissement, avec tout de la grande Édith : la petite robe noire, la croix sur la gorge, la flaque de lumière, la voix même, ou presque, mais dans la voix, personne. (Quoi ? Bourvil ? Piaf ? Mais c'est hier, avant-hier, même ! Oui, c'est la même époque que les photos en noir et blanc de Doisneau et de Brassaï, c'est du vieux Paris réchauffé.) Ah, ce chanteur qui s'était enregistré lui-même en vidéo et chantait sur la scène en duo et même en trio avec sa propre image ! Ah, cet ancien imitateur habitué des plateaux de télévision dont je ne sais quelle disgrâce l'a chassé et qui enchaîne sketch sur sketch où il accumule les cafardises les plus glauques sur la vie et les mœurs des stars du petit écran, moitié pour se venger, moitié pour (se) faire croire qu'il est encore de leur monde !

Et les concerts? Y a-t-il une semaine à Paris sans qu'on y massacre Vivaldi (*Les Quatre Saisons, Stabat Mater*), Bach (*Concertos brandebourgeois*), Fauré (*Requiem*), Pachelbel et Albinoni (*LE Canon* et *L'Adagio*), Purcell (pot-pourri d'airs du *King Arthur*, de *The Fairy Queen* et de *Didon et Énée*)? Sans compter les inévitables voix slaves et leur mystère à la gomme...

Bien sûr on trouve quelquefois, dans un café-théâtre du 2e arrondissement, un trio d'Anglaises musiciennes et spirituelles qui se moquent des grands standards avec infiniment d'esprit, un quatuor de comédiens-musiciens qui vous font tomber de rire de votre mauvais banc avec des gags jamais vus et impeccablement exécutés. Oui, on peut, un soir, dans une église, entendre un chœur d'hommes – tous des Britanniques installés à Paris – donner à une poignée de curieux l'occasion de découvrir Josquin DesPrès, Palestrina, Tallis... Oui, on peut, dans une salle vermoulue du 13e arrondissement, entendre la plus sensible des interprétations de la *Sonate pour piano et violoncelle* de Debussy par un duo germano-turc arrivé là par des voies improbables. Mais si l'on veut savoir à quoi ressemblent ces centaines de spectacles et de concerts qui se donnent au deuxième rang, derrière les grandes scènes (dont on ne saurait dire qu'elles brillent d'un éclat aveuglant), un mot s'impose à l'esprit : patronage. Il n'y a pas de différence de nature entre la séance filmée par Étienne Chatilliez dans *La vie est un long fleuve tranquille*, où un vicaire à tête de bellâtre extatique chante : « Jésus, reviens,

Jésus, reviens », et la plupart des spectacles proposés dans les petites salles qui sont censées constituer le tissu conjonctif de la vie artistique parisienne.

La provincialisation de cette vie artistique parisienne se résume dans ce mot de patronage parce qu'il désigne le genre de représentations théâtrales, de récitals, de concerts ou de spectacles humoristiques où ce qui compte n'est ni l'invention, ni le talent, ni le travail, mais l'intention, mais la bonne volonté. À la place d'un jugement artistique, et donc d'un débat, la plupart des manifestations culturelles proposées à Paris – quand elles ne relèvent pas des réseaux et des esthétiques officiels – bénéficient d'une sorte d'asile et d'immunité humanitaires. Le seul commentaire critique – et j'entends ici critique dans le sens d'appréciation tant positive que négative – que puissent supporter de telles manifestations est enfermé dans une formule dépourvue de sens précis mais vaguement flatteuse qu'ont répétée de tout temps les prétendus amateurs d'art incapables de se forger une opinion personnelle : « C'est intéressant... » La variante contemporaine dit : « C'est complètement intéressant... »

L'apothéose de ce misérabilisme aura été, pour moi, l'une ou l'autre des journées « ateliers portes ouvertes » qui se multiplient dans Paris, au cours desquelles les « créateurs » exposent à domicile ou dans quelque endroit public plus ou moins désaffecté leur production de l'année. À l'origine, ces journées avaient été imaginées par des peintres, des sculpteurs ou des photographes qui manquaient de moyens et de notoriété pour intéresser les galeries ou qui souhaitaient exposer dans des lieux moins intimidants ou moins éloignés des gens qu'ils voulaient atteindre. Vite submergés par la marée des barbouilleurs et bidouilleurs persuadés de leur talent, les fondateurs des « ateliers portes ouvertes » s'efforcent désormais, avec plus ou moins de succès, de se regrouper dans certains abris et de multiplier les signes distinctifs pour ne pas être étouffés par leur propre invention. Il faut dire que le gros des « œuvres » proposées ferait entrer au Louvre les colliers de nouilles, les cendriers en terre cuite vernissée et les vases en pots de yaourt (en verre) que fabriqu(ai)ent les enfants des écoles pour la fichue fête des Mères.

Dans son deux pièces du huitième étage à mi-pente de Belleville, elle expose pour le week-end des gouttes de résine chauffées, teintées, puis emprisonnées entre deux plaques de verre. Dans les rayons d'une bibliothèque en coin, des volumes signés Sulitzer, Michel de Grèce, Paulo Coelho, Pascal Sevran et une dizaine de prix Goncourt. Elle disserte sur la résine chauffée et les formes imprévues qu'elle prend plus abondamment que Mme Verdurin sur la sonate de Vinteuil. Elle en demande entre huit cents et mille deux cents francs – selon grosseur. Pendant la durée de l'opération « portes ouvertes », elle a voilé son récepteur de télévision !

Dans un box de voiture, il a écrit sur un panneau de bois peinturluré de gris, en lettres rouges moulées d'une dizaine de centimètres : ART IS A DIRTY JOB BUT SOMEBODY HAS TO DO IT. (Je n'en jurerais pas.) Il a fait reproduire cette phrase (cette pensée ?) sur un tee-shirt et il se tient à côté de son panneau, l'air sombre (ou profond ?).

Dans un appartement spacieux et clair dont les pièces sont disposées d'une manière insolite et amusante et ne comportent presque pas de meubles, il et elle attendent le chaland. Aux murs de chaque pièce sont suspendues des plaques d'aggloméré auxquelles ont été cloués et collés de vieux vêtements et des chaussures usagées, de manière à figurer la silhouette d'un homme ou d'une femme. Dans la partie haute, une tête est esquissée à gros traits de couleurs. On peut emporter une plaque complète pour douze mille francs. Le tronc seulement : quatre mille francs. Je suis passé le dimanche vers deux heures de l'après-midi et repassé environ cinq heures plus tard : toutes les œuvres étaient encore au mur.

Non qu'il n'y ait pas de public, il y en a au contraire un nombreux, qui va d'un « lieu » à l'autre et s'astreint, dès qu'il y pénètre, à un silence de sex-shop. Les visiteurs déambulent gravement et d'un pas lent entre les œuvres, prenant grand soin que leur mine ne trahisse ni perplexité, ni ennui, ni désapprobation, mais seulement une appréciation pensive et bienveillante, semblable sans doute à celle qu'ils manifestent à leurs enfants lorsque ceux-ci viennent leur montrer leurs coloriages ou leurs sculptures en pâte à modeler. C'est d'ailleurs cette attitude convenue qui est la plus pénible. On se croirait à la messe dans le Versailles de mon adolescence. Même componction, mêmes conventions, mêmes poses hiératiques qui servent à masquer l'absence de sincérité, le manque d'intérêt personnel, la même adhésion involontaire à un impératif social.

Certes les barbouilleurs et les bidouilleurs du dimanche ne sont pas une invention récente. Il suffit d'aller chiner aux puces, chez les brocanteurs ou même à l'hôtel Drouot pour constater que les croûtes insipides ou prétentieuses et les objets d'art définitivement inanimés ne datent pas d'hier. Au reste, leurs auteurs ne causent de tort à personne et leur passe-temps serait sans conséquence si la démagogie culturelle du dernier quart de siècle ne l'avait pas exhaussé jusqu'à lui attribuer le label d'œuvre tout en le protégeant de tout discours critique. Moins le débat sur l'art a lieu, plus il est remplacé par le maccarthysme et le patronage, plus il est facile pour les ordonnateurs et les profiteurs de l'art officiel de faire leurs affaires dans l'épais brouillard d'un univers sans critères, sans discussions, sans liberté.

Il n'est pas nouveau non plus, ni dans le domaine des arts ni dans aucun autre, de voir une coterie de cuistres marcher tantôt devant, tantôt derrière des factions obsédées de pouvoir et tenter de conférer à la justification de leurs intérêts le statut de dogme. Mais ce qui est neuf, et à Paris plus qu'ailleurs, c'est que ces Trissotin tiennent le haut du pavé sans recevoir les flèches de la satire ni les gifles de la polémique, sans risquer en permanence de voir leurs masques arrachés. Pour ce qui est de la vie de l'esprit comme pour ce qui est de sa vie sociale, Paris est une ville hébétée.

Pour moi, il existe une manifestation physique de cette hébétude, de cette vacuité, de cet affaissement : c'est l'ancien carreau des Halles. Ce que le plan Voisin voulait faire du Marais, ce Sarcelles *intra muros*, le plan Pompidou l'a fait du ventre de Paris. (Encore serait-il juste d'ajouter au nom de l'ancien président de la République ceux de tous les vandales de la « haute administration » qui ont poussé à la roue ou qui ont laissé faire.) Il est indéniable que les Halles ne pouvaient rester au centre de la capitale. Les historiens de l'urbanisme soutiennent même avec de solides arguments que cela avait été une erreur, sous le Second Empire, de les maintenir à l'emplacement qui était le leur depuis Philippe Auguste.

Mais le transfert à Rungis n'avait aucun rapport de nécessité avec la destruction des pavillons de Baltard, ni la destruction des pavillons de Baltard avec l'érection (?!) du misérable Forum. Ces deux abominations marquent l'accomplissement d'un processus d'avilissement et de dépersonnalisation de Paris dont l'origine est à chercher non dans les cercles de l'argent (ils n'en sont que les profiteurs et les accélérateurs), mais dans ceux de la technostructure, de son orgueil, de sa volonté de puissance poussée au-delà de la raison, de sa prétention insensée à façonner la ville et à peser le plus possible sur les manières d'y vivre. L'acte fondateur de ce processus est sans doute le texte de 1956 abrogeant la hauteur limite de trente et un mètres pour les immeubles parisiens. Cette décision – outre la satisfaction qu'elle a apportée aux promoteurs immobiliers – trahit une absence parfaite d'intelligence de Paris, ville de mélanges et d'échanges, ville de quartiers à forte personnalité (ceux qui ont permis aux photographes de donner la mesure de leur talent, comme auraient pu le faire des modèles typés), et donc ville à la vie diffuse, à la vie de rue, ville horizontale. C'est cette abrogation qui a autorisé les massacres successifs du front de Seine, du sud du quartier des Ternes, de la porte Maillot, du quartier de la Gare et d'une grande partie du 13e arrondissement, de la place des Fêtes et du haut de Belleville. C'est elle qui a enfanté des monstres de plus en plus près du cœur de la ville : la tour Montparnasse, la tour « Zamansky » à la Halle aux vins de la rive gauche... C'est elle qui, à l'occasion de toutes ces opérations, a permis de mesurer la volonté des élus de sauvegarder Paris... et de constater que cette volonté était nulle et ne risquait guère d'advenir.

Assurés de l'impunité, grisés par la fabrication en chambre d'une nouvelle région parisienne avec des villes nouvelles et un nouveau Paris, animés à l'égard de la capitale et de son peuple de la détestation et de la peur séculaires que les gens de pouvoir ont éprouvées pour elle et pour lui, les ministres, les préfets et les docteurs Folamour de l'aménagement ont réalisé leur chef-d'œuvre en plein cœur de Paris, accomplissant le grand rêve technocratique : faire table rase du passé et écrire le présent comme si l'Histoire commençait avec eux.

Aucune réflexion ne fut seulement amorcée sur ce que pouvait être, pour la ville et pour ses habitants, le transfert (encore une fois, techniquement justifié) d'une activité qui la et les marquait depuis cinq cents ans. Aucune considération ne fut accordée à cette extraordinaire fonction de régulation sociale spontanée qu'exerçaient les Halles, quartier où la misère et tout ce que l'on met aujourd'hui dans le mot « exclusion » pouvait trouver un asile, une subsistance, une compagnie. Cela ne la rendait pas enviable, mais simplement vivable. Il existait, au centre de Paris, une zone franche à l'existence à la fois réelle et symbolique, dont les très nombreux « nouveaux pauvres », réduits aux appellations administratives siglées de SDF et de RMIstes sont définitivement privés, comme en sont privés tous les êtres en rupture d'un ban quelconque à qui la ville – et principalement le quartier des Halles – a, pendant des siècles, fourni une sauvegarde. Que cet abri (cet « espace de liberté », dirait-on aujourd'hui) disparaisse, les sociologues officiels n'y ont accordé aucune attention. Il n'existe à leurs yeux de régulation, d'intégration et de zone franche que s'ils les décident et les dessinent et là où ils en assurent la réglementation, l'implantation, le confinement. Le quartier des Halles était pour eux et pour les décideurs la dernière cour des miracles échappant à la rationalité économique, politique et sociale. Ils n'en ont pas laissé pierre sur pierre.

On mesure la dimension utopique de leur projet et la préméditation de l'assassinat du centre de Paris quand on sait qu'en plus des pavillons de Baltard et du carreau des Halles, ce sont dix rues qui ont été rasées et cent trente-deux immeubles en parfait état qui ont été démolis. Aucune ville, sinon Bucarest du temps de Ceaucescu, n'a subi pareil vandalisme d'État. Nulle formation politique ne sut prendre efficacement le relais des manifestations incessantes et populaires – je veux dire réunissant des Parisiens de toutes conditions et de tous âges – qui tentèrent de s'opposer à cette formidable exaction et qui furent réprimées avec une brutalité dont les journaux les plus proches du pouvoir s'étonnèrent et, souvent, s'indignèrent.

Des concours de projets destinés à remplacer l'activité des Halles furent organisés par les associations de défense. Malgré la qualité et l'audience d'un grand nombre des participants, aucune de leurs propositions ne fut examinée par le gouvernement ou la municipalité. Il était hors de question de laisser subsister la sociabilité des Halles, et même de conserver les bâtiments qui l'avaient abritée : un riche Américain amoureux de Paris offrit de démonter à ses frais les pavillons de Baltard pour les remonter, toujours à ses frais, là où l'on voudrait de ces chefs-d'œuvre de l'architecture du fer. Le directeur général des services techniques de la préfecture lui répondit que cette opération était techniquement impossible… alors que, quelques mois plus tard, elle devait être réalisée pour un pavillon, à la demande du maire gaulliste de Nogent-sur-Marne. L'acte même de la démolition fut sauvage. On peut s'en persuader aujourd'hui en visionnant, à la vidéothèque de Paris, les documentaires et les films d'actualités qui en rendent compte. Alors Parisien de fraîche date, j'ai vu des rassemblements muets, bouleversés, graves, des visages marqués d'un profond chagrin, des yeux mouillés de larmes observant les boules de fonte suspendues à des filins attachés à des grues fracasser les piliers des pavillons l'un après l'autre et forcer à fléchir ces parapluies gracieux sous lesquels avait vécu une ville. J'ai vu des silhouettes alourdies par la tristesse et par la honte venir furtivement contempler les dépouilles de cette architecture et les derniers vestiges de cette vie avant que des camions ne les emportent chez des ferrailleurs. Je l'écris pour qu'on ne croie pas que les Parisiens ont rendu les armes sans se battre, ou qu'ils ne mesuraient pas instinctivement l'enjeu de ce vandalisme. Certains d'entre eux ont laissé de bouleversants témoignages écrits, photographiés ou filmés de la conscience qu'ils avaient d'une perte terrible. D'autres ont bricolé des « in memoriam ». Dans une chapelle latérale nord de l'église Saint-Eustache, un bas-relief coloré et naïf représente le départ du dernier marché des Halles le 28 février 1969. On peut s'y faire une idée de ce que pleuraient les défenseurs des pavillons de Baltard et des magnifiques caves voûtées en fonte et en brique sur lesquelles ils étaient installés : ils pleuraient Paris.

Un dimanche après-midi de 1996 où je traînais dans le bas de la rue Montmartre, j'entendis sortir de Saint-Eustache des chants de messe inattendus à cette heure. J'entrai. C'était la messe annuelle que les charcutiers font célébrer en l'honneur de leur saint patron, et à laquelle un bon millier d'entre eux assistaient avant d'évoquer autour d'un des buffets les plus opulents que j'aie admirés dans ma vie les heurs et malheurs de leur profession si utile. Loin des caméras de télévision, des appareils photo et des journalistes, un dimanche après-midi, dans l'ancienne église des Halles, à une heure où même les touristes ne fréquentent plus les édifices du culte. Ce n'est pas pour porter le deuil de l'endroit où ils s'approvisionnaient naguère que ces charcutiers étaient là ; ils se sont très bien habitués à Rungis, qui, du reste, a aussi son charme, même s'il est réservé. C'était pour maintenir vivante la mémoire d'une façon de vivre et d'habiter. Nul ne demandait que Paris fût figé dans la conservation de cette façon de vivre et d'habiter. Simplement que, dans son évolution inévitable, il lui soit fidèle, il sache la réinventer...

Et on a eu le Forum des Halles...

Se souvient-on qu'à l'origine cette verrue souterraine devait être un centre commercial haut de gamme ? Que la société d'économie mixte chargée de sa conception et de sa réalisation l'avait vanté comme la future vitrine du commerce de luxe français ? (Ah, l'économie mixte, quelle belle salade d'affairisme, d'incompétence et d'irresponsabilité !) Se rappelle-t-on que, forts de ces alléchantes perspectives, Saint Laurent et Cardin ouvrirent boutique au début des années quatre-vingt dans les galeries en toc du niveau - 1 ? Ils voisinaient avec Ungaro ou Tarlazzi et des chausseurs de la même farine, auxquels on avait annoncé un nouveau faubourg Saint-Honoré, mais survitaminé par la modernité du lieu. Au-dessous des seigneurs, aux niveaux - 2 et - 3 (admirez la simplicité de cette conception), on installait les commerces de moyenne gamme, les moins reluisants étant les plus proches des entrailles de la terre, les plus distingués, les moins éloignés du ciel. Pour simple que fut cette organisation, la clientèle du faubourg Saint-Honoré ne la comprit pas et resta chez elle. Ou alors elle fut rebutée par l'architecture (« un non-lieu », écrivit le *New York Times*) et par l'ambiance. La clientèle « moyenne gamme » ne se déplaça pas davantage. L'ensemble des commerçants embarqués sur cette galère réalisa, après une année d'exercice, un chiffre d'affaires égal à vingt-six pour cent des prévisions.

Si les beaux quartiers n'envoyèrent guère de députation au Forum des Halles, les punks, les gratteurs de guitare et les faiseurs de manche éjectés du parvis Beaubourg dans les mois qui suivirent l'ouverture du Centre Pompidou y élirent d'autant plus volontiers domicile que les « rues » y étaient couvertes. Leurs rangs se grossirent vite de clochards attirés par les mêmes commodités, de prostitué(e)s et de dealers qui comprirent rapidement quel parti tirer des escaliers et des issues de secours, des couloirs d'accès, des voies de dégagement, des coulisses. Les couloirs des trois niveaux souterrains jouissant du statut de rues de Paris (ils ne l'ont perdu que récemment), il n'était pas possible de fermer le Forum la nuit. De plus en plus de petits métiers s'y développèrent. Les crânes d'œuf de l'économie mixte n'avaient pas envisagé cet aspect des choses.

On installa donc cinquante caméras de surveillance reliées à trois postes de contrôle et on établit des patrouilles permanentes de vigiles, la nuit avec chiens. On y ajouta, obtenus de la préfecture, un poste de police, quatre agents patrouilleurs en uniforme et deux « en bourgeois », et une brigade d'intervention de dix hommes tenus en réserve, en surface et à l'air libre, pour les coups de Trafalgar. Les vigiles privés reçurent mission de « décourager » les gratteurs, les punks, les clochards et les faiseurs de manche. Les commerçants prirent le pli d'appeler le poste de contrôle chaque fois qu'ils apercevaient un « cheveux jaunes » ou un autre spécimen de ce qu'entre eux ils appelaient « la faune ». La police s'occupa de pourchasser les dealers et les prostitué(e)s. La modernité semblait perdre de ses vitamines.

On décida – dans les sphères dirigeantes de l'économie mixte – de relooker le Forum, de le « repositionner ». Le président de la société d'aménagement déclara que les trois niveaux seraient rien moins qu'« un laboratoire de l'innovation sur le plan de la communication, des activités commerciales et de la création dans le domaine des loisirs et de la vie culturelle ». Et annonça que la clientèle riche et haut de gamme était répudiée (la répudiée ne s'aperçut pas de l'affront) et que seraient désormais admis à bénéficier de la qualité de clients du Forum les consommateurs appartenant à deux des catégories déterminées par les gourous des études de marché : celle des « innovateurs intégrés » et celle des « défricheurs systématiques ». Ces appellations giralduciennes et dignes de *La Folle de Chaillot* enveloppaient d'un brouillard sémantique la population des nouveaux riches émergée après et souvent dans le sillage de Mai 68. Pour l'appâter, on lui fit le coup de l'expression libre et du sociocul. Un mur de la sortie « Bourse de commerce » fut affecté aux graffitis, aphorismes et proclamations de toute nature, de sorte que, audace entre les audaces, la société de consommation put être conchiée (entendez « remise en cause ») sur la paroi même de l'un de ses temples. Or il advint que personne n'utilisa le mur réservé à l'expression libre, sinon quelques passants mâles fortement interpellés au niveau du vécu par un appel pressant de la nature. L'économie mixte fit donc appel à un contestataire professionnel et mercenaire, espérant qu'il inscrirait des formules frappées qui amorceraient la pompe et créeraient des émules. Il n'en fut presque rien et Mézèque – car tel était son nom de code et son pseudonyme –, graffitiste officiel du Forum, resta l'utilisateur quasi exclusif d'un mur où il écrivait des aphorismes aussi dangereusement subversifs que : « Ah, si l'on pouvait faire, avec les condoléances des plus gros, des tartines pour les plus maigres ! » (Je vais rarement au Forum des Halles mais je ne peux passer devant l'ancien mur de Mézèque sans avoir une pensée pour ce pitre piteux et tout ce qu'il symbolisa.)

En plus de cet apport modeste à l'éclosion d'une démocratie directe, l'économie mixte affirma sa préoccupation sociale en installant au niveau - 4, celui du RER et du métro, un grand parallélépipède rectangle de verre fumé qu'elle attribua à des associations comme Que choisir ?, L'École des parents ou le Groupement pour l'insertion des handicapés. Sur la vitre de ce parallélépipède baptisé « Centre d'animation », l'économie mixte écrivit : ici, on ne consomme pas. On y proposa des conférences, des débats sur la musique des Andes, sur l'assurance automobile, sur le génocide arménien ou sur la violence psychologique chez l'enfant. Ils connurent un succès à peine supérieur au mur d'expression libre. Un panneau installé en permanence dans le centre incitait – entre autres injonctions creuses – à « vivre ensemble la solitude ». C'était sans doute aux animateurs qu'il tentait d'apporter un réconfort.

Tandis que la deuxième clientèle « ciblée » par les aménageurs restait insensible aux efforts déployés pour la séduire, sortait des profondeurs de la terre, refoulée par les bouches du métro et du RER, un flopée de créatures indésirées, sinon indésirables, et imprévues, sinon imprévisibles : les banlieusards. Le carrefour souterrain voyait défiler chaque jour plusieurs centaines de milliers de ces représentants des classes moyennes et moyennes inférieures sur qui on ne pouvait compter pour s'habiller chez Saint Laurent, se chausser chez Pinet et se parfumer chez Guerlain, et qu'il était impossible, même au prix des plus ingénieux artifices, d'intégrer au nombre des « innovateurs intégrés » ou des « défricheurs systématiques », mais qui semblaient susceptibles de dépenser au Forum une part de leur salaire moyen. Ils constituaient quotidiennement un bassin de sept cent mille clients et les crânes d'œuf de l'économie mixte n'avaient pas songé à eux. Ils se rappelèrent à leur bon souvenir.

Lorsque les aménageurs comprirent que le faubourg Saint-Honoré moderne sorti tout flambant de leur tête était mort-né et que sa version moins ambitieuse ne connaîtrait pas un meilleur sort, ils s'employèrent à sauver les meubles et la face. Ils firent appel à la FNAC, qui s'était d'abord vu refuser l'implantation au Forum mais dont les responsables attendaient leur heure et imposèrent leurs conditions. Ils avaient été jugés trop crottés pour figurer au milieu des seigneurs du commerce ; désormais on comptait sur eux et sur leur activité noble de vendeurs de culture pour servir d'enseigne de prestige au profit des Halles, et on espérait qu'une partie de leur clientèle irait acheter dans les magasins moyenne gamme : ils établirent eux-mêmes leur loyer.

La FNAC devint même le modèle des commerçants du Forum. Leur président trouva éblouissant un système dans lequel on réalisait le gros de son chiffre d'affaires en vendant des biens d'équipement et le gros de sa publicité et de son image en vantant ses rencontres-débats et ses activités culturelles. « Quand on veut coucher avec une fille, déclara-t-il à *L'Express*, on ne lui dit pas : "Voulez-vous coucher avec moi ?" mais : "Voulez-vous venir prendre un verre à la maison ?" » La FNAC joua le rôle du « verre à la maison » et, après son installation et le départ des seigneurs du luxe, elle entraîna l'arrivée de marques en synergie avec elle : Habitat et son équipement ménager, Pier Import dans le même « créneau » et des magasins de produits naturels, de vêtements de sport, d'articles fantaisie « tendance » californienne. Ainsi les boutiques des niveaux supérieurs trouvèrent-elles peu à peu des occupants moins prestigieux que ceux qui en avaient essuyé les plâtres, mais plus durables.

Quant aux niveaux inférieurs, ils furent, dans la discrétion qui convient aux défaites, abandonnés aux banlieusards vomis par les plus bas sous-sols, à leurs petits appétits et à leurs modestes moyens. Fripe bon marché et bouffe industrielle et rapide se partagèrent l'essentiel de la surface disponible. Elles en sont encore aujourd'hui les concessionnaires principaux et ont essaimé dans la deuxième tranche du Forum, invisible de l'extérieur et, de l'intérieur, moins écrasée et moins minable que la partie est, mais indigne du centre d'une ville comme Paris.

Indigne est un mot trop bénin pour qualifier l'architecture qui encadre le Forum et c'est un travail herculéen que de décrire le rien, le nul, l'insipide, l'absence d'idée, d'esthétique, d'ambition, d'élan. C'est pourtant ce néant qui renferme aujourd'hui le cœur de la capitale. Un cœur qui n'impulse plus la moindre énergie à la cité. Un plateau morne, encadré de restaurants qui, au sud-ouest, accueillent une population de « branchés » qui « se la jouent » vieux Paris dans les vestiges de quelques anciens cafés et restaurants jadis fréquentés par les « forts » des Halles et qui, au nord, s'est spécialisé dans le touriste-à-qui-on-a-dit-que-les-Halles-étaient-typiques et dans le noctambule qui, faute de mieux, sait qu'au moins il trouvera là toujours quelque chose d'ouvert et, quelquefois, de mangeable. Devant les terrasses, des musiciens et des chanteurs font la manche. On les entend très distinctement de chez Charlotte, au dernier étage de l'immeuble qui flanque la Bourse de commerce et regarde vers Beaubourg et la colline du Père-Lachaise. Un jour de fin de printemps où je prenais un verre chez elle après dîner, le soir n'ayant pas encore choisi entre le chien et le loup, un air de Bob Dylan monta soudain du trottoir situé en face des terrasses des restaurants. « Il est dix heures, dit-elle. — Pardon ? — Il est dix heures. Dylan, c'est toujours à dix heures. À dix heures et demie, c'est *L'accordéoniste*... à l'accordéon. À onze heures, c'est le violon – jazz et tzigane. À onze heures et demie, c'est un autre accordéoniste. Tous les soirs, ils arrivent chacun à son heure, ils donnent le même répertoire que la veille et ils s'en vont. Ils laissent un battement de cinq minutes entre leurs numéros. Ça fait deux mois que je constate ce rituel quotidien. C'est à croire qu'ils pointent. Je ne connais rien de plus cafardeux. »

Cafardeux, fade, gris, plat, ennuyeux, banal : il n'y a pas un de ces adjectifs qui ne s'applique à ce qui a succédé à l'ancien carreau des Halles. Et là encore, rien de cette dégénérescence n'était fatal. Les pavillons de Baltard pourraient être encore debout. Ils abriteraient un grand marché aux fleurs et différents marchés de demi-gros et de détail. Paris aurait gardé un ventre. Plus plat que son ancienne bedaine, mais ainsi vont les choses. On serait venu s'approvisionner ici non seulement des quartiers voisins mais des quatre coins de la ville à cause de la qualité, de la concurrence, des prix, du plaisir et de la beauté des lieux : rien n'a plus de succès aujourd'hui que les marchés. Le théâtre, la danse, la musique, auraient pu voisiner dans d'autres pavillons : Ariane Mnouchkine et Maurice Béjart s'étaient portés candidats, et d'autres à leur suite. Il paraît que Paris manque d'une grande salle de concerts : à qui fera-t-on croire qu'on a su faire d'une gare un musée et que de l'un des édifices construits par Baltard on n'aurait pas pu tirer un auditorium ? Au pis, l'acoustique n'aurait pas été plus médiocre que celle de l'Opéra-Bastille…

Entre la misère des bibliothèques universitaires et l'encombrement de la Bibliothèque nationale, la capitale souffrait depuis la fin des années soixante d'un sous-équipement dramatique en matière de lecture publique. Pourquoi n'a-t-il pas même été envisagé de pallier ces insuffisances honteuses en utilisant les pavillons et les sous-sols voûtés du carreau des Halles et de les compléter par une vidéothèque, une compactothèque, une cinémathèque, une médiathèque ? Pour construire la Très Grande Bibliothèque, glaciale, pesante, répulsive ?

Les édiles parisiens évoquent à intervalles réguliers la nécessité de rééquilibrer les poids respectifs de l'est et de l'ouest de la capitale ; mais de redonner vie au centre, au point d'équilibre des forces, il n'est jamais question. On peut pourtant offrir à la méditation des élus quelques exemples chocs qui, ordinairement, excitent leur babil, sinon leur action. Dans le 1er arrondissement, il y a plus de places de parking que d'enfants scolarisés. Et l'un des grands magasins du cœur de Paris, pour attirer une clientèle jeune, avait imaginé de licencier ses vendeuses et vendeurs « trop âgés ».

Paris est désormais voué à l'idéologie du village urbain. Or s'il a, durant toute son histoire, connu des quartiers fortement typés, conscients de leur particularisme et prompts à le mettre en avant, cette décision était transcendée par le sentiment d'appartenir à une cité, partie réelle, partie mythique, dont le centre représentait pour chacun une sorte d'empyrée où résidaient les vertus de la ville : liberté, vitalité, diversité. Un endroit où même les heures n'avaient pas le pouvoir de régler les activités. Où la nuit pouvait être l'égale du jour et quelquefois le surpasser. Où elle faisait moins peur que partout ailleurs. Où le hasard jouait ses plus grand rôles et les plus divers. Où l'humanité se montrait sous tous ses jours. Je l'ai dit, ce lieu était en partie mythique, mais ce mythe était croyable et cette croyance était partagée par les Parisiens, par les provinciaux, par les étrangers et il galvanisait leur dilection pour Paris. En ne retrouvant pas de quoi nourrir cette fiction et cette réalité après le départ des marchés vers Rungis, en devenant *tabula rasa*, le centre de Paris a cessé d'exister et, en le perdant, la ville a perdu le meilleur d'elle-même. J'ajouterai – dût-on trouver la remarque anecdotique ou microscopique – que Paris a perdu le respect que lui portaient ses habitants : je ne connais aucune cité développée au monde où tant d'hommes pissent dehors, à toute heure et sans la moindre vergogne. Les rives de la Seine empestent l'urine dès que la température devient printanière, et avec eux le grotesque jardin devant la Bourse de commerce, les quais de je ne sais combien de stations de métro et les encoignures de tellement de rues... Il est vrai que l'on a tarifé jusqu'aux chalets de nécessité.

Privé de son idéal de Paris comme on parle d'idéal du moi, le Parisien est livré à ses pires démons, en tête desquels marchent la vanité et la suffisance... Je ne vois pas d'époque où la capitale ait moins offert au reste du monde, où elle ait été moins ouverte aux idées, aux styles et aux influences cosmopolites, où elle ait été plus provinciale. Et, en même temps, je ne vois pas de période de son histoire durant laquelle ses habitants aient été aussi inconscients de ce provincialisme et aussi satisfaits d'eux-mêmes. M. Homais est ici comme chez lui. Il vaticine dans son « village urbain » et ne voit plus midi qu'à sa porte. Pour le millénaire prochain, on lui prépare une ville où l'esprit de clocher fleurira à son aise. La Régie autonome des transports songe à remplacer les grandes lignes d'autobus qui permettent de traverser la ville et de passer d'un quartier à l'autre par des lignes qui tourneront en escargot à l'intérieur des villages de la capitale.

Et, tandis que les Parisiens consentent à l'affaissement de leur cité, la démagogie et le politiquement correct s'unissent pour ôter à la ville, au nom d'une décentralisation d'ailleurs réduite à la création de monarchies départementales, les moyens de se reconstruire une ambition, c'est-à-dire, d'abord, de se redonner un et du cœur. Il se peut que l'hébétude de Paris ne soit qu'un mauvais moment de son histoire. Il se peut aussi qu'elle soit, comme pour Venise, son avenir. D'une cité qui brassa tant d'humanité, où tant d'idées se fécondèrent, où s'inventèrent tant de libertés publiques et privées, il ne resterait alors que de magnifiques gisants de pierre voués à être photographiés, et de Paris la grande, rien ne demeurerait vivant, que la Seine.

Table

Cet ouvrage a été composé
par les Éditions Flammarion

Cet ouvrage a été réalisé par la
SOCIÉTÉ NOUVELLE FIRMIN-DIDOT
Mesnil-sur-l'Estrée
pour le compte des Éditions Flammarion
en décembre 1997

Imprimé en France
Dépôt légal : octobre 1997
N° d'édition : FF 731507 - N° d'impression : 41245